KiWi
Paperback

KiWi

743

Über das Buch:
Dieser Band versammelt alle Erzählungen von Gabriel García Márquez, die zwischen 1947 und 1972 entstanden.
Die Erzählungen von García Márquez sind thematisch und stilistisch miteinander verwoben. Die Figuren seines Kosmos tauchen, sowohl als Hauptpersonen wie auch als Randfiguren, immer wieder auf. Die ersten, jugendlich-schwermütigen Texte sind in einer phantastischen Wirklichkeit angesiedelt, führen thematisch zum Macondo-Mythos hin. In den Erzählungen, die im Umfeld von *Hundert Jahre Einsamkeit* entstanden, trifft der Leser viele Mitglieder der Familie Buendía wieder und wird aus anderer Perspektive an Ereignisse aus dem Roman erinnert. In den nach *Hundert Jahre Einsamkeit* entstandenen Erzählungen führt García Márquez aber auch neue phantastische Figuren ein – den gefallenen Engel mit dem Aussehen eines gerupften Huhns, Blacamán, den unbezwingbaren Wunderverkäufer, die fast die ganze Welt beherrschende jungfräuliche Große Mama oder Eréndiras böse Großmutter mit dem grünen Blut. Gemeinsam ist allen Erzählungen das Thema von der ewigen Wiederkehr der Dinge, der unentrinnbaren Zeit, die faszinierende Beschreibung einer Welt von Gewalt, Tod und Einsamkeit.

Über den Autor:
Gabriel García Márquez, geboren 1927 in Aracataca, Kolumbien, arbeitete nach dem Jurastudium zunächst als Journalist. 1982 erhielt er den Nobelpreis für Literatur. García Márquez hat ein umfangreiches erzählerisches und journalistisches Werk vorgelegt. Er gilt als einer der bedeutensten und erfolgreichsten Schriftsteller der Welt.

Das gesamte Werk von Gabriel García Márquez ist lieferbar bei Kiepenheuer & Witsch.

Gabriel García Márquez

Die Erzählungen

Aus dem Spanischen von
Curt Meyer-Clason

Kiepenheuer & Witsch

3. Auflage 2002

Titel der Originalausgaben:
Ojos de perro azul / Los funerales de la Mamá Grande /
La increíble y triste historia de la cándida Eréndira
y de su abuela desalmada

Aus dem Spanischen von Curt Meyer-Clason

Umschlaggestaltung: Barbara Thoben, Köln
Umschlagmotiv: Cornelius Schüle, Hamburg
Foto Rückseite: © dpa
Gesamtherstellung: Clausen & Bosse, Leck
ISBN 3-462-03203-8

Inhalt

Die dritte Entsagung

Da war wieder dieser Lärm. Jener kalte, schneidende, senkrechte Lärm, den er schon so gut kannte; der sich jetzt aber als scharf und schmerzhaft erwies, als sei er ihm von einem Tag auf den anderen ungewohnt geworden.

Der Lärm kreiste in seinem leeren Schädel, dumpf und stechend. Eine Wabe hatte sich in den vier Wänden seiner Gehirnschale gebildet. Sie wuchs zunehmend in aufeinander folgenden Spiralen und schlug drinnen und ließ seine Wirbelsäule erzittern, unmäßig und mißtönend, im sicheren Rhythmus seines Körpers. Etwas war in seinem stofflichen Aufbau eines festgefügten Menschen aus der Ordnung geraten; etwas, das »bei den anderen Malen« normal funktioniert hatte und nun in seinem Kopf hart und trocken hämmerte, mit den Knochen einer abgezehrten Hand hämmerte und ihn an alle bitteren Empfindungen des Lebens erinnerte. Er fühlte den animalischen Drang, die Fäuste gegen die blauen, vom Druck des verzweifelten Schmerzes violett angeschwollenen Adern seiner Schläfen zu pressen. Er hätte den Lärm, der den Augenblick mit seiner scharfen Diamantspitze durchbohrte, zwischen seinen beiden empfindlichen Handflächen orten mögen. Mit der Bewegung einer Hauskatze zogen sich seine Muskeln zusammen, als er sich vorstellte, wie er durch die gepeinigten Winkel seines fieberzerfetzten heißen Kopfes verfolgt wurde. Er würde ihn gleich einholen. Nein. Der Lärm hatte ein glattes, fast unberührbares Fell. Aber er war entschlossen, ihn dank seiner gutgeübten Strategie einzuholen und mit der ganzen Kraft seiner Verzweiflung lange und endgültig zu zerquetschen. Er würde nicht zulassen, daß er nochmals in sein Ohr dränge, daß er durch seinen Mund entweiche, durch jede einzelne seiner Poren oder durch seine Augen, die dabei aus den Höhlen treten und dem fliehenden Lärm aus der Tiefe ihrer ausweglosen Dunkelheit blind nachschauen würden. Er würde nicht zulassen, daß er seine zermahlenen Kristalle, seine Sterne aus Eis an den Innenwänden des Schädels zerdrückte. So war dieser Lärm: nicht enden wollend, wie wenn ein Kinderkopf gegen eine Betonmauer geschlagen wird. Wie alles harte Schlagen auf feste Dinge der Natur. Aber er würde ihn nicht mehr peinigen, wenn er ihn umzingeln, ihn isolieren könnte. Die wechselvolle Gestalt an ihrem eigenen Schatten abschneiden. Ihn packen. Ihn pressen, ein für alle Mal; ihn mit aller Kraft auf den Fußboden schleudern und so heftig auf ihm herumtrampeln, bis er sich nicht mehr regen konnte, bis er keuchend sagen könnte, er habe dem Lärm, der ihn quälte, der ihn wahnsinnig machte und der jetzt wie ein beliebiger Gegenstand, zu einem vollständigen Toten verwandelt, auf der Erde lag, den Todesstoß versetzt.

Aber er war außerstande, sich die Schläfen zu pressen. Seine Arme waren geschrumpft, waren jetzt die Arme eines Zwerges; kleine, plumpe, fette Arme. Er versuchte den Kopf zu schütteln. Er schüttelte ihn. Nun trat der Lärm lautstärker in seinem Schädel auf, der sich verhärtet, sich vergrößert hatte und von der Schwerkraft stärker angezogen fühlte. Der Lärm war schwer und hart. So schwer und hart, daß er, hätte er ihn erreicht und zerstört, den Eindruck gehabt hätte, eine Blüte aus Blei zu entblättern.

»Bei den anderen Malen« hatte er diesen Lärm ebenso aufdringlich empfunden. Er hatte ihn zum Beispiel an dem Tage empfunden, da er zum ersten Mal gestorben war. Als er sich – angesichts eines Leichnams – bewußt wurde, daß es sein eigener Leichnam war. Er sah ihn und betastete sich. Er empfand sich als ungreifbar, unräumlich, unvorhanden. Er war wahrhaftig ein Leichnam und fühlte bereits auf seinem jungen, kränklichen Körper das Nahen des Todes. Die Atmosphäre hatte sich im ganzen Haus verhärtet, als sei es mit Zement angefüllt worden, und inmitten dieses Blocks – in dem er die Gegenstände zurückgelassen hatte, als noch eine Atmosphäre aus Luft geherrscht hatte – war er behutsam in einen harten, aber durchsichtigen Zementsarg gelegt worden. Damals war in seinem Kopf auch »dieser Lärm« gewesen. Wie fern und wie kalt fühlte er seine Fußsohlen; dort, am äußersten Ende des Sargs, wo ein Kissen hingelegt worden war, weil die Totenkiste für ihn zu groß war und man ihn einpassen, den toten Körper seinem neuen und letzten Gewand anpassen mußte. Sie deckten ihn weiß zu und banden ein Taschentuch um seinen Kiefer. Er empfand sich als schön in seinem Leichentuch; tödlich schön.

Er lag in seinem Sarg, bereit, beerdigt zu werden, und wußte trotzdem, daß er nicht tot war. Hätte er sich aufrichten wollen, er hätte es mit aller Leichtigkeit zu tun vermocht. Zumindest »geistig«. Doch es lohnte nicht die Mühe. Es war besser, sich hier sterben zu lassen; am »Tode« zu sterben, der seine Krankheit war. Vor geraumer Zeit hatte der Arzt zu seiner Mutter einsilbig gesagt: »Señora, Ihr Kind hat eine schwere Krankheit: es ist tot. Trotzdem«, fuhr er fort, »werden wir alles tun, um ihm über seinen Tod hinaus das Leben zu bewahren. Wir werden es fertigbringen, daß seine Organe mittels eines komplizierten Systems der Selbsternährung weiterfunktionieren. Nur die Triebfunktionen, die unmittelbaren Bewegungen werden unterschiedlich arbeiten. Wir werden über sein Leben durch das Wachstum erfahren, das gleichfalls normal weitergehen wird. Es wird einfach ›sein lebendiger Tod‹ sein. Ein wirklicher und wahrhaftiger Tod ...«

Er erinnerte sich an die Worte, wenn auch wirr. Vielleicht hatte er sie nie gehört, und das Ganze war ein Auswuchs seiner Phantasie, als das Fieber während seiner Typhuserkrankung stieg.

Als er delirierte. Als er die Geschichte von den einbalsamierten Pharaonen las. Als das Fieber stieg, fühlte er sich selbst als deren Protagonist. Eine Art Leere war in sein Leben getreten. Seither vermochte er nicht mehr zu unterscheiden, sich nicht mehr zu erinnern, welche Ereignisse Teil seines

Deliriums und welche Teil seines wirklichen Lebens waren. Daher zweifelte er jetzt. Vielleicht hatte der Arzt nie von diesem seltsamen »lebendigen Tod« gesprochen. Er ist unlogisch, widersprüchlich, regelrecht widersinnig. Und das ließ ihn jetzt vermuten, daß er in Wahrheit tatsächlich tot war. Daß er es seit achtzehn Jahren war.

Schon damals – zur Zeit seines Todes war er sieben Jahre alt – ließ seine Mutter ihm einen kleinen Sarg herstellen, aus frischem Holz, einen Sarg für ein Kind; doch der Arzt gab die Anweisung, es solle eine größere Totenkiste gezimmert werden, eine Kiste für einen normalen Erwachsenen, denn jene kleine könne das Wachstum hemmen, und er könnte so ein deformierter Toter werden oder ein anormaler Lebender. Oder das Aufhalten des Wachstums könnte verhindern, eine Besserung festzustellen. Angesichts dieser Warnung ließ seine Mutter einen großen Sarg für ihn bauen, für einen erwachsenen Leichnam, und legte drei Kissen an das Fußende, damit er besser hineinpaßte.

Und schon begann er in dem Sarg zu wachsen, so daß man jedes Jahr etwas Wolle aus dem äußersten Kissen nehmen konnte, um ihm das Wachsen zu erleichtern. So war ein halbes Leben vergangen. Achtzehn Jahre. Jetzt war er fünfundzwanzig Jahre alt und hatte seine endgültige, normale Statur erreicht. Der Tischler und der Arzt hatten sich in ihrer Berechnung geirrt und den Sarg um einen halben Meter zu groß gemacht. Sie hatten vermutet, er würde die Statur seines Vaters bekommen, der ein halbbarbarischer Riese war. Doch das wurde er nicht. Das einzige, was er von ihm geerbt hatte, war der Vollbart. Ein blauer Bart, dicht, den seine Mutter ihm kämmte, damit er anständig in seinem Sarg lag. Dieser Bart belästigte ihn schrecklich an heißen Tagen.

Doch da war etwas, was ihn mehr als »dieser Lärm« beschäftigte. Das waren die Mäuse. Nichts hatte ihn, als er Kind war, auf der Welt so sehr beschäftigt, hatte ihm solch einen Schrekken eingejagt wie die Mäuse. Und genau diese widerlichen Tiere ließen sich von den Kerzen anlocken, die zu seinen

Füßen brannten. Sie hatten bereits seine Kleidung zernagt, und er wußte, sie würden sehr bald beginnen, ihn zu benagen, seinen Körper aufzufressen. Eines Tages konnte er sie sehen: es waren fünf glänzende, glatte Mäuse, die am Tischbein zu seiner Totenkiste hochkletterten und sich über ihn hermachten. Sobald seine Mutter es merken würde, wären von ihm nur noch Trümmer übrig, die harten, kalten Knochen. Was ihm den größten Schrecken einjagte, war nicht gerade, daß die Mäuse ihn auffraßen. Schließlich und endlich würde er mit seinem Gerippe weiterleben können. Was ihn quälte, war das ihm angeborene Entsetzen, das er vor diesen Tierchen empfand. Das Haar stand ihm zu Berge, sobald er an diese samtigen Wesen dachte, die über seinen ganzen Leib wuselten, die in seine Hautfalten eindrangen und mit ihren eisigen Pfoten über seine Lippen strichen. Eine von ihnen kroch sogar bis zu seinen Lidern herauf und versuchte seine Hornhaut zu benagen. Er sah sie groß, ungeheuerlich bei ihrem verzweifelten Kampf, seine Netzhaut zu durchstoßen. Nun glaubte er an einen neuen Tod und überließ sich ganz und gar dem drohenden Schwindelgefühl.

Er erinnerte sich, daß er volljährig geworden war. Er war fünfundzwanzig Jahre alt, und das bedeutete, daß er nicht mehr wachsen würde. Seine Züge würden fest werden und ernst. Doch sobald er gesund war, würde er nicht mehr von seiner Kindheit sprechen können. Er hatte keine gehabt. Er hatte sie tot zugebracht.

Seine Mutter hatte ihm während der ganzen Zeit, die der Übergang von der Kindheit zur Pubertät dauerte, jede Sorge angedeihen lassen. Sie hatte sich um die peinliche Sauberhaltung des Sarges und des Zimmers im allgemeinen gekümmert. Sie hatte häufig die Blumen in den Vasen gewechselt und jeden Tag die Fenster geöffnet, damit frische Luft hereinkam. Mit welcher Befriedigung hatte sie in jener Zeit das Metermaß betrachtet, wenn sie nach dem Messen feststellte, daß er mehrere Zentimeter gewachsen war! Sie empfand mütterliche Befriedigung, ihn lebendig zu sehen. Dennoch sorgte sie dafür, daß Fremde nicht das Haus betraten. Schließlich und endlich war das Dasein eines Toten so viele Jahre hindurch im Heim einer Familie lästig und obendrein geheimnisvoll. Sie war eine selbstlose Frau. Doch sehr bald begann ihr Optimismus zu sinken. In den letzten Jahren sah er sie das Metermaß traurig betrachten. Ihr Kind wuchs nicht mehr. In den letzten Monaten war das Wachstum um keinen Millimeter fortgeschritten. Seine Mutter wußte, daß es fortan schwierig sein würde, eine Art und Weise zu finden, um die Anwesenheit des Lebens in ihrem geliebten Toten festzustellen. Sie hegte die Befürchtung, daß er eines Morgens »wirklich tot« erwachen würde, und vielleicht konnte er deshalb an jenem Tag beobachten, daß sie sich heimlich seinem Sarg näherte und seinen Körper beroch. Sie war einem Anflug von Pessimismus verfallen. In letzter Zeit hatte sie in ihrer Betreuung nachgelassen und nie mehr ihr Metermaß mitgebracht. Sie wußte, daß er nicht mehr wachsen würde.

Und er wußte, daß er jetzt »wirklich« tot war. Er wußte es dank jener friedlichen Ruhe, mit der sein Organismus sich gehen ließ. Alles hatte sich zur Unzeit verändert. Das unmerkliche Pochen, das nur er wahrnehmen konnte, war nun aus seinem Puls gewichen. Er fühlte sich schwer, durch eine fordernde, machtvolle Kraft vom ursprünglichen Stoff der Erde angezogen. Nun schien die Schwerkraft ihn mit unwiderstehlicher Macht anzuziehen. Er war schwer wie ein wirklicher, unleugbarer Leichnam. Und doch war er so ausgeruhter. Er brauchte nicht einmal zu atmen, um seinen Tod zu leben.

In der Vorstellung durchlief er, ohne sich zu berühren, seine Glieder, eines nach dem anderen. Dort, auf einem harten Kissen, lag sein leicht nach links gedrehter Kopf. Er stellte sich seinen Mund geöffnet von dem schmalen Kältesaum vor, der seine Kehle mit Hagel füllte. Er war geknickt wie ein fünfundzwanzig Jahre alter Baum. Vielleicht versuchte er den Mund zu schließen. Das Taschentuch, das seine Kinnbacken festgehalten hatte, war locker geworden. Er vermochte sich nicht zurechtzusetzen, geradezurücken, nicht einmal eine Pose einzunehmen, um als anständiger Toter zu erscheinen. Schon reagierten seine Muskeln, seine Glieder nicht mehr wie früher so pünktlich auf den Ruf seines Nervensystems. Er war nicht mehr der von vor achtzehn Jahren, ein normales Kind, das sich nach Belieben bewegen konnte. Er fühlte seine herabgesunkenen Arme, gefallen für immer, gegen die gepolsterten Sargwände gepreßt. Sein Bauch, hart wie Nußbaumrinde. Weiter unten seine Beine, vollständig, genau seine vollendete Anatomie eines Erwachsenen ergänzend. Sein Körper ruhte schwerfällig, jedoch friedlich, ohne jegliches Mißbehagen, als sei die Welt plötzlich stehengeblieben, als unterbräche niemand die Stille; als hätten alle Lungen der Erde aufgehört zu atmen, um nicht die leichtfüßige Ruhe der Luft zu unterbrechen. Er fühlte sich glücklich wie ein Kind, das im frischen, plattgedrückten Gras auf dem Rücken liegt und einer im Nachmittagshimmel davonsegelnden hohen Wolke nachblickt. Er war glücklich, obwohl er wußte, daß er tot war, daß er für immer in der mit Kunstseide ausgeschlagenen Totenkiste ruhte. Er war von großer Hellsicht. Es war nicht wie vorher, nach seinem ersten Tod, in dem er sich abgestumpft und roh vorgekommen war. Die vier Kerzen, die rings um ihn aufgestellt und alle drei Monate erneuert worden waren, begannen wieder herunterzubrennen, und zwar in dem Augenblick, als sie unerläßlich sein würden. Er spürte die nahe Frische der feuchten Veilchen, die seine Mutter an jenem Morgen gebracht hatte. Er spürte sie in den Lilien, in den Rosen. Doch diese ganze schreckliche Wirklichkeit verursachte in ihm keinerlei Unruhe; im Gegenteil, er war dort glücklich, allein mit seiner Einsamkeit. Würde er nachher Angst empfinden?

Wer weiß. Nachdenken fiel schwer in dem Augenblick, da der Hammer die Nägel in das grüne Holz einschlug und der Sarg unter der sicheren Hoffnung ächzte, wieder Baum zu werden. Sein Körper, vom Befehl der Erde mit größerer Kraft angezogen, würde in feuchtem, lehmigen, weichen Grund auf der Seite liegen, und dort oben, über vier Kubikmetern, würden die letzten Schläge der Totengräber verhallen. Nein. Auch dort würde er keine Angst spüren. Das würde die Verlängerung seines Todes sein, die natürlichste Verlängerung seines neuen Zustands.

Kein Grad Wärme würde in seinem Körper mehr bleiben, sein Mark würde für immer erkaltet sein, und ein paar Eissternchen würden bis in sein Knochenmark vordringen. Wie gut würde er sich an sein neues Totenleben gewöhnen! Und dennoch wird er eines Tages seine festgefügte Rüstung zusammenbrechen fühlen; und wenn er versuchen sollte, seine Glieder einzeln aufzuzählen, aufzurufen, wird er sie nicht wiederfinden. Er wird fühlen, daß er keine festumrissene Form mehr hat, und entsagend feststellen, daß er die vollkommene Anatomie seiner fünfundzwanzig Jahre verloren und daß er sich in eine Handvoll Staub ohne Formen, ohne geometrische Konturen verwandelt hat.

In den biblischen Staub des Todes. Vielleicht empfand er jetzt eine leichte Sehnsucht; Sehnsucht, weil er kein formaler, anatomischer Leichnam war, sondern ein imaginärer, abstrakter Leichnam, der nur in der verschwommenen Erinnerung seiner Angehörigen Bestand hatte. Jetzt wird er wissen, daß er durch die Kapillargefäße eines Apfelbaums aufsteigen und durch den hungrigen Biß eines Jungen an einem Herbstmorgen erwachen wird. Jetzt wird er wissen – und das machte ihn traurig –, daß er seine Einheit verloren hat: daß er nicht einmal mehr ein gewöhnlicher Toter, ein alltäglicher Leichnam ist.

Die letzte Nacht hatte er in der einsamen Gesellschaft seines eigenen Leichnams glücklich verbracht.

Doch mit dem neuen Tag, beim Eindringen der ersten lauen Sonnenstrahlen durch das geöffnete Fenster, fühlte er, daß seine Haut weich geworden war. Er beobachtete sich einen Augenblick. Still, starr. Ließ die Luft über seinen Körper streichen. Er konnte nicht zweifeln: da war der »Geruch«. Während der Nacht hatte das Leichengift zu wirken begonnen. Sein Organismus hatte begonnen, sich zu zersetzen, in Fäulnis überzugehen wie der Körper aller Toten. Der »Geruch« war fraglos der unverkennbare Geruch abgestandenen Fleischs, der untertauchte und dann umso hartnäckiger wieder auftauchte. Sein Körper hatte sich in der Hitze der vorigen Nacht zersetzt. Ja. Er faulte. Binnen weniger Stunden würde seine Mutter kommen und die Blumen auswechseln, und von der Schwelle würde ihr der Pesthauch zersetzten Fleischs entgegenschlagen. Dann würde man ihn fortschaffen, damit er seinen zweiten Tod zwischen den anderen Toten schliefe.

Doch plötzlich versetzte die Angst ihm einen Stich in den Rücken. Die Angst! Was für ein tiefes, ein bedeutsames Wort! Jetzt hatte er Angst, eine »körperliche«, echte Angst. Welchem Umstand verdankte er sie? Er verstand sie vollkommen, sein Fleisch erbebte: wahrscheinlich war er nicht tot. Man hatte ihn in diese Totenkiste gesteckt, und die fühlte er jetzt ganz und gar, weich, gepolstert, schrecklich bequem; und das Gespenst der Angst stieß ihm das Fenster zur Wirklichkeit auf: Man wollte ihn lebend begraben!

Er konnte nicht tot sein, denn er war sich all dessen bewußt; des Lebens, das rings um ihn kreiste, summte. Des lauen Dufts des Heliotrops, der durchs offene Fenster drang und sich mit dem anderen »Geruch« vermengte. Er war sich genau des langsamen Absinkens des Wassers im Tank bewußt. Der Zikade, die in der Ecke weitersang und wohl glaubte, das Morgengrauen dauere noch.

All das leugnete seinen Tod. Alles, ausgenommen der »Geruch«. Doch wie konnte er wissen, ob dieser Geruch der seine war? Vielleicht hatte seine Mutter am Vortag vergessen, das Wasser in den Vasen zu wechseln, so daß die Stengel faulten. Oder vielleicht zersetzte sich jetzt die Maus, die die Katze ins Zimmer geschleppt hatte, in der Hitze. Nein. Der »Geruch« konnte nicht von seinem Körper stammen.

Vor wenigen Augenblicken war er noch glücklich mit seinem Tod gewesen, weil er tot zu sein glaubte. Weil ein Toter in seiner nicht wiedergutzumachenden Lage glücklich sein kann. Doch ein Lebender kann sich nicht damit abfinden, lebendig begraben zu werden. Übrigens antworteten seine

Glieder nicht auf seinen Anruf. Er konnte sich nicht ausdrükken; und das verursachte ihm Entsetzen; das größte Entsetzen seines Lebens und seines Todes. Man würde ihn lebend begraben. Er würde das fühlen. Sich dessen bewußt werden in dem Augenblick, da die Totenkiste zugenagelt werden würde. Er würde die Leere seines Körpers auf den Schultern seiner Freunde spüren, während seine Angst und seine Verzweiflung bei jedem Schritt des Leichenzugs wachsen würde.

Vergeblich wird er versuchen, sich aufzuraffen, mit allen versagenden Kräften zu rufen, gegen die Wände des finsteren, engen Sargs zu schlagen, damit die Leute erführen, daß er noch am Leben war, daß man ihn lebend beerdigen würde. Es würde nutzlos sein; auch dann würden seine Glieder nicht auf den dringenden letzten Ruf seines Nervensystems antworten.

Er hörte Geräusche im Nebenzimmer. Sollte er schlafen? Sollte all sein Totenleben ein Alptraum gewesen sein? Doch das Klappern von Geschirr hörte auf. Er wurde traurig und daher vielleicht verstimmt. Er hätte gewünscht, daß alles Geschirr der Erde auf einmal zerschlagen würde, gleich nebenan, um durch einen äußeren Anlaß zu erwachen, da sein Wille versagt hatte.

Aber nein. Es war kein Traum. Er war sicher, daß, wäre es ein Traum gewesen, sein letzter Versuch, in die Wirklichkeit zurückzukehren, nicht gescheitert wäre. Er würde nie mehr erwachen. Er fühlte das Weiche des Sargs, und der »Geruch« war jetzt mit größerer Stärke, mit soviel Stärke wiedergekehrt, daß er bereits daran zweifelte, daß es sein eigener Geruch war. Er hätte jetzt gerne seine Angehörigen gesehen, bevor er begann, in Verwesung überzugehen und das Schauspiel des faulenden Fleischs Ekel in ihnen auslöste. Die Nachbarn würden entsetzt vor der Bahre fliehen, ein Taschentuch vor dem Mund. Sie würden erbrechen. Nein. Das nicht. Es war besser, wenn sie ihn begruben. Es war vorzuziehen, »dies« so rasch wie möglich loszuwerden. Er selbst wollte jetzt seinen eigenen Leichnam lossein. Nun wußte er, daß er wahrhaftig tot war oder zumindest kaum wahrnehmbar lebendig.

Es kam aufs gleiche heraus. Auf alle Fälle hielt der »Geruch« an.

Entsagend würde er die letzten Gebete hören, die letzten lateinischen Brocken, von den Akoluthen falsch beantwortet. Die mit Staub und Knochen angefüllte Kälte des Friedhofs wird bis in seine Knochen dringen und vielleicht diesen »Geruch« ein wenig vertreiben. Vielleicht – wer weiß – wird der drohende Augenblick ihn aus seiner Lethargie lösen. Wenn er fühlt, daß er im eigenen Schweiß schwimmt, in einem schleimigen, zähflüssigen Wasser, so wie er vor seiner Geburt in der Gebärmutter seiner Mutter schwamm. Vielleicht lebt er dann.

Doch dann hat er sich bereits so sehr mit dem Sterben abgefunden, daß er vielleicht aus Entsagung stirbt.

Die andere Rippe des Todes

Ohne zu wissen warum, fuhr er aus dem Schlaf auf. Kräftig und gebläht drang scharfer Veilchen- und Formaldehydgeruch aus dem Nebenzimmer herein und vermengte sich mit dem Duft jüngst erblühter Blumen, den der erwachende Garten hereinsandte. Er versuchte sich zu beruhigen, die Fassung wiederzugewinnen, die er plötzlich im Schlaf verloren hatte. Der Tag mußte bereits grauen, denn draußen im Garten hatte der Wassersprenkler auf dem Gemüse zu singen begonnen, und der Himmel war blau im geöffneten Fenster. Er ließ den Blick durch das dämmrige Zimmer gleiten und versuchte sich sein plötzliches, erwartetes Erwachen zu erklären. Er hatte den Eindruck, die *physische* Gewißheit, daß jemand eingetreten war, während er schlief. Trotzdem war er allein, und die von innen verschlossene Tür verriet keine Zeichen von Vergewaltigung. Über der Luft des Fensters erwachte ein Morgenstern. Er verharrte einen Augenblick still, als versuche er, die nervöse Spannung, die ihn an die Oberfläche des Schlafs getrieben hatte, zu lockern, und, auf dem Rücken liegend, die Augen schließend, suchte er von neuem den gerissenen Faden der Ruhe wiederzufinden. Das gestaute Blut machte sich in seiner Kehle Luft, und tiefer, in der Brust, schlug verzweifelt sein Herz, hämmerte, hämmerte, rasch und rhythmisch, als habe er einen atemlosen Lauf hinter sich. Er überdachte im Geist die vergangenen Minuten. Vielleicht hatte er einen seltsamen Traum gehabt. Es mochte ein Alptraum gewesen sein. Nein. »Daran« war nichts Besonderes, kein Anlaß zum Auffahren aus dem Schlaf.

Sie fuhren in einem Zug – jetzt erinnerte er sich daran – durch eine Landschaft – einen Traum, den er häufig geträumt hatte – mit Stilleben, bepflanzt mit künstlichen, falschen Bäumen, behängt mit Früchten, die Rasiermesser, Scheren und andere Barbierwerkzeuge waren –, jetzt fällt mir ein, ich muß mir die Haare schneiden lassen. Diesen Traum hatte er häufig geträumt, doch nie war er deshalb aus dem Schlaf aufgefahren. Hinter einem Baum stand sein Bruder, der andere, sein Zwilling, der, der am Nachmittag beerdigt worden war, und gestikulierte – das ist mir im wirklichen Leben gelegentlich passiert –, damit ich den Zug anhalte. Von der Nutzlosigkeit seiner Botschaft überzeugt, rannte er hinter dem Eisenbahnwagen her, bis er mit schaumbedecktem Mund keuchend zu Boden stürzte. Fraglos war das sein ungereimter, widersinniger Traum, der jedoch keinesfalls dies schreckhafte Erwachen bewirken konnte. Wieder schloß er die Augen, während seine Schläfen wie unter Faustschlägen ungestüm hochgeschossenen Bluts hämmerten. Der Zug fuhr durch eine dürre, unfruchtbare, langweilige Landschaft, und nun lenkte ein im linken Bein gefühlter Schmerz seine Aufmerksamkeit von der Landschaft ab. Er bemerkte, daß er – ich darf die engen Schuhe nicht mehr tragen – eine Geschwulst am mittleren Zeh hatte. Auf die natürlichste Weise und als tue er dies gewohnheitsgemäß, zog er einen Schraubenzieher aus der Tasche und entfernte damit den Kopf der Geschwulst. Behutsam legte er ihn in ein blaues Schächtelchen – sieht man im Traum Farben? – und sah durch den Schnitt das Ende einer fettig-gelben Schnur dringen. Ohne sich zu erregen, als habe er die Anwesenheit dieses Schnurendes erwartet, zog er langsam daran, behutsam und genau. Es war ein langes, ellenlanges Band, das unvermittelt hervorkam, ohne Belästigung oder Schmerz zu verursachen. Eine Sekunde später hob er den Blick und sah, daß der Eisenbahnwagen sich geleert hatte und daß im nächsten Wagen des Zuges nur noch sein als Frau verkleideter Bruder vor einem Spiegel saß und sich mit einer Schere das linke Auge auszustechen suchte.

Tatsächlich mißfiel ihm der Traum, doch vermochte er sich nicht zu erklären, warum sein Blutkreislauf stockte, wenn er bei den Malen davor, als die Alpträume schreckenerregend waren, die Ruhe zu bewahren vermocht hatte. Er fühlte, daß seine Hände kalt waren. Der Geruch nach Veilchen und Formaldehyd hielt an und wurde lästig, fast aufsässig. Mit geschlossenen Augen und dem Bemühen, den beschleunigten Atem zu mäßigen, versuchte er ein alltägliches Thema zu finden, um von neuem in den vor wenigen Minuten unterbrochenen Traum zu sinken. Er konnte zum Beispiel denken, in drei Stunden muß ich ins Bestattungsinstitut gehen, um die Kosten rückgängig zu machen. In der Zimmerecke hob eine schlaflose Zikade ihre Schelle, füllte den Raum mit ihrem schrillen, schneidenden Kehlengeräusch. Seine nervöse Spannung ließ langsam, aber wirksam nach, und wieder stellte er die Weichheit und Schlaffheit seiner Muskeln fest; er fühlte sich auf der weichen, dichten Matratze liegen, während sein leichter, schwereloser, von einer süßen Empfindung der Glückseligkeit und Müdigkeit durchdrungener Körper langsam das Bewußtsein von seiner stofflichen Struktur, von jener irdisch-schweren Substanz verlor, die ihn bestimmte, die ihn in eine unverwechselbare und genaue Zone der zoologischen Stufenleiter stellte und in seiner komplizierten Architektur eine ganze Summe von Systemen, von geometrisch umrissenen Organen trug, die ihn in die willkürliche Hierarchie der mit Vernunft begabten Tiere erhob. Die nunmehr gefügigen Lider fielen auf die Hornhaut mit der gleichen Natürlichkeit, mit der die Arme und die Beine sich mit einer Gesamtheit von Gliedern vermengten, die allmählich ihre Unabhängigkeit verloren; als sei der ganze Organismus in einem einzigen, großen, umfassenden Organismus aufgegangen, und als habe er – der Mensch – seine sterblichen Wurzeln aufgegeben, um in andere, tiefere, festere Wurzeln einzudringen: in die ewigen Wurzeln eines umfassenden und endgültigen Traums. Außen, an der Außenseite der Welt hörte er den Gesang der Zikade schwächer werden, bis er aus seinen Sinnen schwand, die sich nach innen gewandt hatten, ihn in ein neues einfaches Zeit- und Raumgefühl tauchten und die materielle, physische und schmerzliche, von Insekten und scharfen Veilchen- und Formaldehydgerüchen angefüllte Welt auslöschten.

Friedlich in das laue Klima begehrter Ruhe gehüllt, fühlte er die Leichtigkeit seines künstlichen, täglichen Todes. Er versank in einer liebenswerten Landschaft, in einer leichten, idealen Welt; einer wie von einem Kind entworfenen Welt ohne algebraische Gleichungen, ohne verliebte Abschiede und ohne Schwerkraft. Er konnte nicht genau sagen, wie lange er so lag, zwischen dieser edlen Oberfläche aus Träumen und Wirklichkeiten; er erinnerte sich jedoch daran, daß er jäh, als hätte ein Messer ihm die Kehle durchschnitten, im Bett auffuhr und fühlte, daß sein Zwillingsbruder, sein toter Bruder auf dem Rand seines Bettes saß.

Wieder war sein Herz wie zuvor eine Faust, die ihm in den Mund fuhr und ihn aufspringen hieß. Das anbrechende Licht, die Zikade, die die Einsamkeit mit ihrer rauhen Drehorgel zermürbte, die frische Luft, die aus der Gartenwelt heraufdrang, all das trug dazu bei, ihn von neuem der wirklichen Welt zurückzugeben; doch diesmal vermochte er zu begreifen, warum er auffuhr. Während der kurzen Minuten des Dahinschlummerns und – nun wird es mir bewußt – während der ganzen Nacht, in der er einen friedlichen, einfachen Traum ohne *Gedanken* geträumt zu haben glaubte, war seine Erinnerung auf ein einziges, festes, unveränderliches Bild eingestellt gewesen; auf ein *autonomes* Bild, das sich seinem Denken, dem Willen und Widerstand eben dieses Denkens zum Trotz aufgezwungen hatte. Ja. Fast ohne daß es ihm aufgefallen war, hatte »dieses« Denken sich seiner bemächtigt, hatte ihn angefüllt, ihn ganz bewohnt, ihn in einen Bildhintergrund verwandelt, der hinter den anderen Gedanken unveränderlich blieb und den Rückhalt, das endgültige Rückgrat im geistigen Drama seines Tages und seiner Nacht ausmachte. Die Vorstellung vom Leichnam seines Zwilingsbruders hatte sich in seinem Lebenszentrum festgesetzt. Und nun, da jener in seinem Stückchen Erde ruhte, während seine Lider vom Regen zitterten, nun *hatte er Angst* vor ihm.

Er hatte nie geglaubt, daß der Schlag so heftig sein würde. Wieder drang durch das halbgeöffnete Fenster der Geruch, schon vermengt mit einem anderen Geruch nach feuchter Erde, nach versunkenen Knochen, und sein Geruchssinn strebte ihm freudig entgegen, mit der fürchterlichen Fröhlichkeit des tierischen Menschen. Manche Stunde war seit dem Augenblick vergangen, da er ihn *gesehen* hatte, wie er sich wie ein schwerverwundeter Hund unter den Laken gewälzt hatte, heulend und diesen letzten Schrei zerbeißend, der ihm die Salzkehle füllte, und wie er mit den Nägeln den Schmerz zu zerreißen suchte, der *ihm* den Rücken hochkletterte bis zu den Wurzeln des Geschwürs. Er konnte nicht *seine* Holzhammerschläge eines sterbenden Tiers vergessen, rebellisch gegen die Wahrheit, die vor *ihm* aufgestanden war, die sich hartnäckig an *seinen* Körper gekettet hatte, mit einer unverwüstlichen Standhaftigkeit, endgültig wie der leibhaftige Tod. Er sah *ihn* in den letzten Augenblicken *seines* barbarischen Todeskampfes. Als er sich die Fingernägel an den Wänden zerbrach und sich damit das letzte Stück Leben zerriß, das ihm zwischen den Fingern zerrann, das *sich ihm* verblutete, während der Brand *ihm* wie ein unerbittliches Weib den Rücken *zerfleischte.* Dann sah er *ihn* auf das zerwühlte Bett sinken mit nur wenig entsagender Müdigkeit, schweißüberströmt, als die schaumbedeckten Zähne der Welt ein grauenerregendes, schauerliches Lächeln zeigten und der Tod ihm wie ein Aschenfluß durch die Knochen zu eilen begann.

Jetzt dachte ich an das Geschwür, das nicht mehr in seinem Bauch schmerzte. Ich stellte es mir rund vor – nun hatte er die gleiche Empfindung –, geschwollen wie eine innere Sonne, unertäglich wie ein gelbes Insekt, das seine giftigen Fühler bis in die Tiefe der Eingeweide hinunterstreckte. (Er fühlte seine Weichteile wie vor der Notdurft nachgeben.) Vielleicht werde ich einmal ein Geschwür wie das seinige haben. Anfangs wird es eine kleine, jedoch wachsende Kugel sein, die sich verzweigen und in meinem Bauch anschwellen wird wie ein Embryo. Wahrscheinlich werde ich ihn fühlen, wenn er sich zu regen beginnt, wenn er mit der Wut eines schlafwandelnden Kindes nach innen wandern und blind in meinen Eingeweiden umhergehen wird – er preßt die Hände auf den Magen, um den stechenden Schmerz zu bezwingen –, mit begierig ins Dunkel ausgestreckten Händen, die den warmen Mutterschoß, die gastliche Gebärmutter suchen, die er nie finden wird; während seine hundert Fangarme eines fantastischen Tiers sich zu einer langen gelben Nabelschnur verwickeln werden. Ja. Vielleicht habe ich – der Magen –, wie dieser Bruder, der soeben gestorben ist, ein Geschwür im Wurzelgrund der Eingeweide. Der Geruch, den der Garten verströmt hatte, kehrte jetzt stärker, widerlicher zurück, in einen ekelerregenden Pesthauch gehüllt. Die Zeit schien am Saum des Morgengrauens stehengeblieben zu sein. Gegen die Fensterscheibe wirkte der Morgenstern wie geronnen, während das Nachbarzimmer, in dem die ganze vergangene Nacht der Leichnam gelegen hatte, nach wie vor seine starke Botschaft von Formaldehyd herüberschickte. Natürlich war es ein anderer Geruch als der des Gartens. Dies war ein beklemmenderer, spezifischerer Geruch als der gemischte Geruch der unterschiedlichen Blumen. Ein Geruch, der, einmal bekannt, mit Leichnamen zu tun hatte. Es war der eisige, wuchernde Geruch, den in ihm das Formaldehyd der Hörsäle hinterließ. Er dachte an das Laboratorium. Er erinnerte sich an die in reinem Alkohol konservierten Eingeweide; an sezierte Vögel. Das Fleisch eines formolgetränkten Kaninchens wird hart, das Wasser wird ihm entzogen, es verliert seine gefügige Geschmeidigkeit, bis es sich in ein unaufhörliches, verewigtes Kaninchen verwandelt. Formaldehyd. Woher mag der Geruch kommen? *Die einzige Art und Weise, der Fäulnis Halt zu gebieten.* Wenn wir Menschen Formol in den Adern *hätten, wären* wir wie in reinem Alkohol eingelegte anatomische Teile.

Draußen hörte er, wie der Regen immer härter gegen die Scheiben des halbgeöffneten Fensters prasselte. Frische, fröhliche Luft drang voll neuer Feuchtigkeit herein. Die Kälte seiner Hände nahm zu und ließ ihn die Gegenwart des Formols in seinen Arterien fühlen; als sei die Feuchtigkeit des Innenhofs bis in seine Knochen vorgestoßen. Feuchtigkeit. »Dort« herrscht viel Feuchtigkeit. Er dachte mit vagem Mißmut an die Winternächte, in denen der Regen das Gras durchdringen und die Feuchtigkeit auf der Flanke seines Bruders ruhen und seinen Leib wie ein echter Stromkreis umspülen wird. Es schien ihm, als bedürften die Toten eines anderen Kreislaufsystems, das sie einem anderen, unwiderruflichen und letzten Tod entgegenstürzen ließ. In diesem Augenblick wünschte er, daß es nicht mehr regnen möge, daß der Sommer eine ewig herrschende Jahreszeit sei. Bei dem, was er gerade dachte, ekelte ihn das aufsässige feuchte Geprassel auf den Fensterscheiben. Er wünschte, daß der Lehm der Friedhöfe trocken sei, immer trocken, denn der Gedanke beunruhigte ihn, daß nach Ablauf von vierzehn Tagen, wenn die Feuchtigkeit ihm durchs Rückenmark rann, es keinen anderen ihm haargenau gleichen Menschen unter der Erde geben wird.

Ja. *Sie* waren Zwillingsbrüder, genau gleich, die auf den ersten Blick niemand auseinanderzuhalten vermochte. Vorher, als sie beide ihre getrennten Leben lebten, waren sie nur *zwei Zwillingsbrüder* gewesen, einfach und voneinander getrennt wie zwei verschiedene Menschen. *Geistig* gab es nichts Gemeinsames zwischen ihnen. Doch jetzt, da die Starre, die schreckliche Wirklichkeit ihnen wie ein wirbelloses Tier über den Rücken kroch, hatte sich etwas in ihrer Gesamtatmosphäre aufgelöst, etwas, das sich wie eine Leere ankündigte, als sei an ihren Flanken ein Abgrund aufgebrochen oder als habe ein Axthieb ihnen jählings die Hälfte ihres Körpers abgehackt; nicht dieses anatomisch genauen, einer vollkommenen Geometrie unterworfenen Körpers; nicht dieses nunmehr angstgeschüttelten, physischen Körpers, sondern eines anderen Körpers, der von weiter her als der seine kam, der mit ihm in der flüssigen Nacht des Mutterleibs gelegen hatte und mit ihm von den Zweigen einer uralten Geschlechterfolge abstammte; der mit ihm im Blut seiner vier Urgroßväter-Paare gewohnt hatte und aus dem Rückwärts, aus dem Anfang der

Welt kam und mit seinem Gewicht, mit seiner geheimnisvollen Gegenwart das gesamte Gleichgewicht des Weltalls aufrechterhielt. Es könnte sein, daß er im Blut von Isaak und Rebekka gewesen war, daß sein anderer Bruder, an seine Fessel gebunden, geboren worden war und vorwärtsstürzte von Generation zu Generation, Nacht auf Nacht, von Kuß zu Kuß, von Liebe zu Liebe, und durch Arterien und Hoden herabstieg, bis er wie auf nächtlicher Reise im Schoß seiner letzten Mutter anlangte. Die geheimnisvolle Ahnenreise stellte sich ihm jetzt schmerzlich und wahrhaftig dar, jetzt, da das Gleichgewicht zerstört und die Gleichung endgültig hergestellt worden war. Er wußte, daß etwas seiner persönlichen Harmonie fehlte, seiner formalen und alltäglichen Vollständigkeit: *Jakob hatte sich unwiederbringlich von seinen Fußknöcheln befreit!*

Während der Tage, an denen sein Bruder krank war, hatte er diese Empfindung nicht, weil dessen abgezehrtes, vom Fieber und Schmerz verklärtes, seit langem unrasiertes Gesicht so sehr von dem seinen abstach.

Sobald er erst einmal regungslos war, beugte er sich über seinen totalen Tod, rief er einen Barbier, damit dieser den Leichnam »in Ordnung brächte«. Er war da und lehnte an der Wand, als der weißgekleidete Mann kam, bewaffnet mit dem reinlichen Werkzeug seines Berufs ... Mit der Präzision eines Maestros bedeckte er den Bart des Toten mit Seifenschaum – den schäumenden Mund. So sah ich ihn vor dem Sterben – und langsam wie jemand, der ein furchterregendes Geheimnis offenbart, begann er ihn zu rasieren. Bei dieser Gelegenheit überfiel ihn »diese« gräßliche Idee. Je deutlicher das bleiche, erdfarbene Gesicht des Zwillingsbruders unter dem arbeitenden Rasiermesser auftauchte, desto tiefer fühlte er, daß jener Leichnam nicht eine ihm *fremde Sache* sei, sondern daß er geschaffen war aus der ihm gleichen irdischen Substanz, daß er seine eigene Wiederholung war ... Er erfuhr die seltsame Empfindung, daß seine Eltern dem Spiegel sein Bild entzogen hatten, das Bild, das er im Glas gespiegelt sah, wenn er sich rasierte. Jetzt, da dies Bild auf jede einzelne seiner Bewegungen antwortete, hatte es Unabhängigkeit gewonnen. Er hatte es bei anderen Gelegenheiten sich jeden Morgen rasieren sehen. Jedoch wohnte er nun der dramatischen Erfahrung bei, daß ein anderer Mann seinem Spiegelbild den Bart abnahm und dabei auf seine eigene physische Gegenwart verzichtete. Er hatte die Gewißheit, die Sicherheit, daß, hätte er sich in jenem Augenblick einem Spiegel genähert, er ihn als blanke Scheibe angetroffen hätte, auch wenn die Physik keine genaue Erklärung für dieses Phänomen bereitgehalten hätte. Es war das Bewußtsein, gespalten zu sein. Sein Doppelgänger war ein Leichnam! Verzweifelt tastete er, im Versuch zu reagieren, die feste Wand ab, und bei der Berührung durchfuhr es ihn wie ein Sicherheitsstrom. Der Barbier beendete seine Arbeit und schloß dem Leichnam die Lider mit der Spitze der Schere. In ihm zitterte die Nacht in der unwiderruflichen Einsamkeit des losgerissenen Leibes. So waren sie genau gleich. Zwei identische, unruhig wiederholte Brüder.

Doch jetzt, als er diese beiden so innigst verbundenen Naturen beobachtete, überkam ihn die Ahnung, daß etwas Außergewöhnliches, Unerwartetes geschehen würde. Er stellte sich vor, daß die Trennung der beiden Körper im Raum nur scheinbar war, während in Wirklichkeit beide eine einzige, ganzheitliche Natur besaßen. Vielleicht, wenn die organische Zersetzung den Toten erreicht, beginnt er, der Lebende, in seiner belebten Welt gleichfalls zu faulen.

Er hörte den Regen mit größerer Gewalt gegen die Scheiben trommeln, hörte, wie die Zikade mit einemmal ihre Saite zu sprengen drohte. Nun waren seine Hände eiskalt, von einer unmenschlichen Eiseskälte. Der besonders starke Geruch nach Formaldehyd ließ ihn an die Möglichkeit denken, sich die Fäulnis zuzuziehen, die sein Zwillingsbruder von dort, aus seinem eisigen Erdloch mitteilte. Doch das war absurd! Vielleicht war das Phänomen umgekehrt: den Einfluß mußte er ausüben, er, der noch am Leben war mit seiner Energie, mit seiner lebensvollen Zelle! Vielleicht blieben – auf dieser Ebene – er und auch sein Bruder unversehrt und hielten so ein Gleichgewicht zwischen dem Leben und dem Tod aufrecht, um sich gegen die Fäulnis zu wappnen. Doch wer vermochte das zu gewährleisten? War es nicht trotzdem möglich, daß der beerdigte Bruder unverweslich blieb, während die Fäulnis mit ihren blauen Polypen den Lebenden überfiel?

Er dachte, daß letzteres anzunehmen am wahrscheinlichsten sei, und fand sich damit ab, die Ankunft seiner grauenerregenden Stunde abzuwarten. Sein Fleisch war weich und fetthaltig geworden, und er glaubte zu fühlen, daß ihn eine blaue Schicht ganz bedeckte. Er schnüffelt abwärts, in Erwartung seiner eigenen Körpergerüche, doch nur das Formol des Nachbarzimmers ließ seine Nasenflügel unmißverständlich und eisig erbeben. Dann beschäftigte ihn nichts mehr. In ihrem Winkel stimmte die Grille wiederum ihre Kantilene an, während ein dicker, genauer Tropfen aus dem freien Himmel ganz im Mittelpunkt des Raums durchzusickern begann. Er hörte ihn ohne Überraschung fallen, weil er wußte, daß an dieser Stelle das Holz alt und morsch war, doch stellte er sich jenen Tropfen von frischem, gutem, freundlichem Wasser gebildet vor, er kam vom Himmel, aus einem besseren Leben, von weiter her und nicht so vollgestopft mit derartig törichten Erscheinungen wie Liebe oder wie Verdauung und Zwillingsschaft. Vielleicht würde dieser Tropfen den Raum innerhalb von einer Stunde füllen oder innerhalb von tausend Jahren und würde diesen tödlichen Panzer, diese eitle Substanz, die vielleicht – warum nicht? – binnen weniger Augenblicke nichts als ein teigiges Gemisch aus Albumin und Molke sein würde, auflösen. Nun war alles gleich. Zwischen ihm und seinem Grab stand nur noch sein eigener Tod. Entsagend hörte er den dicken, schweren, genauen Tropfen, der in jener anderen Welt schlug, in jener verfehlten und ungereimten Welt der mit Vernunft begabten Tiere.

Eva ist in ihrer Katze

Plötzlich merkte sie, daß ihre Schönheit abgefallen war, daß diese sie körperlich schmerzte wie eine Geschwulst oder ein Krebsgeschwür. Sie erinnerte sich noch an die Last dieses Vorrechts, das sie während ihrer Jugend auf ihrem Körper getragen und das sie nun fallen gelassen hatte – wer weiß wohin –, mit entsagender Müdigkeit, mit der letzten Gebärde eines entarteten Tiers. Sie konnte diese Last unmöglich noch länger tragen. Sie mußte dieses nutzlose Eigenschaftswort ihrer Persönlichkeit irgendwo abwerfen; dieses Stück ihres eigenen Namens, das vom vielen Betonen überflüssig geworden war. Ja; sie mußte die Schönheit irgendwo zurücklassen; hinter einer Straßenecke, in einem Vorstadtwinkel. Oder sie am Kleiderständer eines zweitrangigen Restaurants wie einen alten unbrauchbaren Mantel aus Versehen hängen lassen. Sie war es müde, Mittelpunkt so vieler Aufmerksamkeiten zu sein, von den aufgerissenen Augen der Männer belagert zu leben. Abends, wenn sie die Nadeln der Schlaflosigkeit auf ihre Lider steckte, wäre sie gerne eine gewöhnliche, reizlose Frau gewesen. In den vier Wänden ihres Zimmers war ihr alles feindlich gesonnen. Verzweifelt fühlte sie, wie die Nachtwache sich unter ihrer Haut, in ihren Kopf hinein verlängerte und das Fieber nach oben bis in ihre Haarwurzeln stieß. Es war, als hätten sich ihre Arterien mit winzigen heißen Insekten bevölkert, die beim Nahen des Tages erwachten und mit behenden Füßen in einem hemmungslosen subkutanen Abenteuer über dieses sprießende Stück Lehm liefen, in dem sich ihre anatomische Schönheit angesiedelt hatte. Vergeblich kämpfte sie, um jene schrecklichen Tiere zu vertreiben. Sie vermochte es nicht. Sie waren Teil ihres eigenen Organismus.

Sie waren da und lebten seit vielen Jahren von ihrer leiblichen Existenz. Sie kamen aus dem Herzen ihres Vaters, der sie in ihren Nächten verzweifelter Einsamkeit schmerzlich genährt hatte. Vielleicht waren sie auch in ihre Arterien durch die Nabelschnur eingemündet, mit der sie seit dem Anbeginn der Welt mit ihrer Mutter verknüpft war. Diese Insekten waren fraglos nicht unmittelbar in ihrem Körper entstanden. Sie wußte, daß sie von weither kamen, daß alle, die ihren Namen trugen, sie ertragen mußten, sie erleiden mußten wie sie, als ihre Schlaflosigkeit sie bis zum Morgengrauen knebelte. Es waren die gleichen Insekten, die diesen bitteren Anflug, diese untröstliche Traurigkeit auf die Gesichter ihrer Vorfahren malten. Sie hatte jene aus ihrer erloschenen Existenz, aus ihrem alten Portrait herüberblicken sehen, Opfer dieser selben Angst. Noch immer erinnerte sie sich an das beunruhigende Gesicht der Urgroßmutter, die von ihrer altersschwachen Leinwand herunter um eine Minute des Ausruhens bat, um eine Sekunde des Friedens von diesen Insekten, die dort in den Kanälen ihres Bluts sie noch immer peinigten und unbarmherzig verschönten. Nein; diese Insekten waren nicht die ihren. Sie überlieferten sich von Generation zu Generation und hielten mit ihrem winzigen Panzer all das Prestige einer erwählten, schmerzlich erwählten Rasse hoch. Diese Insekten waren im Bauch der ersten Mutter entstanden, die eine schöne Tochter geboren hatte. Doch es war unbedingt notwendig, dieser Erbschaft Einhalt zu gebieten. Jemand mußte darauf verzichten, diese künstliche Schönheit weiterzutragen. Es nutzte den Frauen ihrer Klasse nichts, nach der Rückkehr vom Spiegel über sich selbst zu staunen, wenn während der Nächte diese Tiere ihre langsame, wirksame, unermüdliche Arbeit mit einer Beharrlichkeit von Jahrhunderten verrichteten. Das war schon keine Schönheit mehr, es war eine Krankheit, der es Einhalt zu gebieten, die es energisch und radikal zu kupieren galt.

Sie erinnerte sich noch an die nicht enden wollenden Stunden in ihrem von heißen Nadeln übersäten Bett. An jene

Nächte, in denen sie die Zeit voranzutreiben suchte, damit diese Tiere bei Tagesanbruch nicht mehr schmerzten. Wozu nutzte eine Schönheit wie diese? Nacht für Nacht, in ihrer Verzweiflung versunken, dachte sie, es hätte ihr mehr genutzt, wenn sie eine gewöhnliche Frau oder ein Mann gewesen wäre, statt diese nutzlose Tugend zu besitzen, genährt von Insekten ferner Ursprünge, die die unwiderrufliche Ankunft des Todes für sie beschleunigten. Vielleicht würde sie glücklich sein, wenn sie ebenso plump, ebenso trostlos häßlich wäre wie ihre tschechische Freundin, die einen Hundenamen besaß. Es hätte ihr mehr genutzt, häßlich zu sein, um friedlich schlafen zu können wie jeder beliebige Christenmensch.

Sie verwünschte ihre Vorfahren. Sie waren schuld an ihrer Schlaflosigkeit. Sie hatten ihr diese unverwechselbare, genaue Schönheit mitgegeben, als schüttelten die Mütter nach ihrem Tod die Köpfe und erneuerten sie, um sie den Rümpfen ihrer Töchter aufzusetzen. Es war, als habe sich der gleiche Kopf, ein einziger Kopf mit den gleichen Ohren, mit der gleichen Nase, mit identischem Mund, mit seiner schwerfälligen Intelligenz auf alle Frauen übertragen, die ihn unrettbar empfangen mußten, wie ein schmerzliches Erbteil an Schönheit. Hier, in der Übertragung des Kopfes, war diese ewige Mikrobe, die sich im Verlauf der Generationen durchgesetzt, Persönlichkeit und Kraft gewonnen hatte, bis sie sich in ein unbezwingliches Wesen, in eine unheilbare Krankheit verwandelt hatte, die, als sie bei ihr ankam, nachdem sie einen komplizierten Prozeß der Kontrolle durchlaufen hatte, nicht mehr zu ertragen war und bitter wurde und schmerzhaft... Genau wie eine Geschwulst oder wie ein Krebsgeschwür.

In diesen Stunden der Schlaflosigkeit erwachte sie aus den unangenehmen Dingen zu ihrer großen Empfindsamkeit. Sie erinnerte sich an diese Gegenstände, die das Weltall der Empfindungen ausmachten, in denen wie in einem chemischen Saft jene beklemmenden Mikroben gezüchtet worden waren. In diesen Nächten ertrug sie mit runden, weitaufgerissenen, verwunderten Augen die Last der Dunkelheit, die auf ihre

Schläfen fiel wie flüssiges Blei. Ringsum sie her schliefen alle Dinge. Und von ihrem Winkel aus ließ sie, um ihren Schlaf zu zerstreuen, die Erinnerungen ihrer Kindheit vorüberziehen.

Doch stets endete dies Erinnern mit dem Schrecken vor dem Unbekannten. Stets landete ihr Denken, nachdem es durch die dunklen Ecken des Hauses geirrt war, vor der Angst. Dann begann der Kampf. Der wahre Kampf gegen drei unerschütterliche Feinde. Nie würde sie, niemals würde sie die Angst von ihrem Kopf abschütteln können. An ihre Kehle geklammert, mußte sie sie ertragen. Und nur, weil sie in diesem alten Herrenhaus wohnte, weil sie allein in diesem Winkel schlief, abgesondert von der übrigen Welt.

Immer wanderte ihr Denken durch die feuchten Gänge und schüttelte den mit Spinnweben bedeckten Staub von den Portraits. Dieser beunruhigende, schreckenerregende Staub, der von dem Ort herabfiel, an dem die Gebeine ihrer Vorfahren zerfielen. Unweigerlich erinnerte sie sich an »das Kind«. Dort stellte sie es sich vor, schlafwandelnd, unter der Grasnarbe im Innenhof neben dem Orangenbaum, mit einer Handvoll feuchter Erde im Mund. Sie glaubte es in seiner Lehmgrube zu sehen, mit Fingernägeln und Zähnen aufwärts grabend und vor der Kälte fliehend, die ihm im Rücken nagte; durch den kleinen Tunnel, in den man es mit den Schnecken gesteckt hatte, einen Ausweg in den Innenhof suchend. Im Winter hörte sie es, schmutzig von Lehm, vom Regen durchnäßt, leise weinen. Vollkommen sah sie es vor sich. So wie man es vor fünf Jahren in dem mit Wasser angefüllten Loch zurückgelassen hatte. Es wollte ihr nicht in den Kopf, daß es sich zersetzt hätte. Im Gegenteil, es mußte bildschön sein, wie es in dem dickflüssigen Wasser segelte, wie auf einer ausweglosen Reise. Oder sie sah es lebend, jedoch verstört und angstvoll, sich allein und in einem so düsteren Innenhof beerdigt zu fühlen. Sie selbst hatte sich dem Entschluß widersetzt, daß man es unter dem Orangenbaum so nahe am Haus zurückließ. Sie hatte Angst vor ihm. Sie wußte, daß es dies ahnen würde, wenn die Schlaflosigkeit sie nachts heimsuchte. Es würde durch die engen Gänge zurückkommen und sie bitten, es zu begleiten, sie bitten, es gegen die anderen Insekten zu verteidigen, die die Wurzeln seiner Veilchen abfraßen. Es würde wiederkehren, damit man es an ihrer Seite schlafen ließe wie zu der Zeit, als es am Leben war. Sie hatte Angst davor, es von neuem neben sich zu spüren, nachdem es die Mauer des Todes übersprungen hatte. Sie hatte Angst davor, die Hände zu stehlen, die »das Kind« immer geschlossen halten würde, um sein Stückchen Eis zu erwärmen. Nachdem sie es zu Zement verwandelt gesehen hatte wie die in den Schlamm gestürzte Statue der Angst, wünschte sie, daß es weit weg geführt werde, damit sie sich seiner nicht des Nachts erinnerte. Dennoch hatte man es da gelassen, wo es unerschütterlich und schmutzig war und wo es sein Blut mit dem Kot der Würmer ernährte. Und sie mußte sich damit abfinden, es aus seiner Höhle der Finsternis zurückkehren zu sehen. Denn immer und unweigerlich, wenn sie schlaflos lag, dachte sie an »das Kind«, das sie sicherlich aus seinem Stückchen Erde rief, damit sie ihm dabei half, diesem ungereimten Tod zu entkommen.

Doch jetzt, in ihrem neuen zeitlichen, unräumlichen Leben war sie ruhiger. Sie wußte, daß dort, außerhalb ihrer Welt, alles im gleichbleibenden Rhythmus von einst weiterging; daß ihr Zimmer noch im Morgengrauen versunken sein mußte und daß ihre Dinge, ihre Möbel, ihre dreizehn Lieblingsbücher noch an Ort und Stelle stehen mußten. Und daß in ihrem unbenutzten Bett der Körpergeruch, der jetzt ihre Leere einer ganzen Frau einnahm, eben erst zu schwinden begann. Aber wie konnte »das« geschehen? Wie hatte sie, nachdem sie eine schöne Frau gewesen war, das Blut von Insekten bevölkert, in der totalen Nacht von Angst verfolgt, den riesigen, schlaflosen Alptraum hinter sich gelassen, um nun in eine seltsame, unbekannte Welt einzutreten, in der alle Größenverhältnisse ausgemerzt waren? Sie besann sich. In jener Nacht – der ihres Übergangs – war es kälter gewesen als gewöhnlich; von Schlaflosigkeit gepeinigt, hatte sie allein im Haus gelegen. Niemand störte die Stille, und der vom Garten aufsteigende Geruch war

Angstgeruch gewesen. Der Schweiß drang aus ihrem Körper, als sei das Blut unter dem Druck der Insekten aus ihren Arterien geflossen. Sie hatte gewünscht, daß jemand auf der Straße vorbeiging, daß jemand schrie, die stockende Atmosphäre durchbrach. Daß sich etwas in der Natur bewegte, daß die Erde wieder um die Sonne kreiste. Es war vergebens. Nicht einmal die törichten Männer, die dicht unter ihrem Ohr, in ihrem Kopfkissen, eingeschlafen waren, würden erwachen. Auch sie war regungslos. Die Wände verströmten einen starken Geruch nach frischer Farbe, jenen zähflüssigen überwältigenden Geruch, den man nicht mit dem Geruchssinn, sondern mit dem Magen riecht. Und auf dem Tisch schlug die einzige Uhr mit ihrem tödlichen Werk die Stille. »Die Zeit ... ach, die Zeit ...!« seufzte sie und dachte an den Tod. Und draußen im Innenhof unter dem Orangenbaum weinte noch immer »das Kind«, weinte leise aus der anderen Welt herüber.

Sie nahm Zuflucht zu all ihren Glaubenssätzen. Warum wurde es in diesem Augenblick nicht Tag, oder warum starb man nicht ein für alle Mal? Sie hatte nie geglaubt, daß die Schönheit sie so viele Opfer kosten könne. In jenem Augenblick – wie üblich – tat es ihr über ihre Angst hinaus weh. Und unter der Angst peinigten sie diese unbarmherzigen Insekten. Der Tod klammerte sich an ihr Leben wie eine Spinne, die sie wütend biß, entschlossen, sie zum Erliegen zu bringen. Sie aber zögerte diesen letzten Augenblick hinaus. Ihre Hände, diese Hände, die die Männer stets mit solch offensichtlicher tierischer Nervosität drückten, waren reglos, gelähmt von der Angst, von dem irrationalen Schrecken, der aus ihrem Innern drang, grundlos und nur weil sie sich in dem alten Haus verlassen wußte. Sie versuchte zu reagieren und vermochte es nicht. Die Angst hatte sie ganz in den Fängen und verharrte dort, starr, hartnäckig, fast körperhaft, als sei sie ein unsichtbarer Mensch, der sich vorgenommen hatte, ihr Zimmer nicht zu verlassen. Noch stärker beunruhigte sie, daß diese Angst nicht die geringste Rechtfertigung besaß, daß es eine einzige grundlose, unerklärliche Angst war.

Dicker Speichel lag auf ihrer Zunge. Quälend war dieses zähflüssige Gummi zwischen den Zähnen, das ihren Gaumen belagerte und floß, ohne daß sie ihm Einhalt gebieten konnte. Es war ein Verlangen, anders als Durst. Ein über alles gehendes Verlangen, das sie zum ersten Mal in ihrem Leben verspürte. Einen Augenblick lang vergaß sie ihre Schönheit, ihre Schlaflosigkeit und ihre irrationale Angst. Sie kannte sich selber nicht mehr. Einen Augenblick dachte sie, die Mikroben hätten ihren Körper verlassen. Es kam ihr vor, als wären sie im Schlepptau ihres Speichels gekommen. Ja, all das war gut und schön. Schön, daß die Insekten sie entvölkert hatten und sie nun schlafen konnte, doch dazu war es notwendig, daß sie ein Mittel fand, um jenes ihre Zunge verklebende Harz aufzulösen. Wenn es ihr gelänge, bis zur Speisekammer zu gelangen und ... Aber woran dachte sie? Sie war baß erstaunt. Nie hatte sie ein »solches Verlangen« verspürt. Die Stärke der Säure hatte sie geschwächt, hatte die Disziplin, der sie so viele Jahre seit dem Tag, an dem »das Kind« beerdigt worden war, getreulich gefolgt war, wertlos gemacht. Es war Torheit, aber sie verspürte Widerwillen, eine Orange zu essen. Sie wußte, daß »das Kind« zu den Orangenblüten emporgeklettert war und daß die Früchte des nächsten Herbstes von seinem Fleisch schwellen, von der ungeheuren Frische seines Todes erfrischt sein würden. Nein. Sie könnte sie nicht essen. Sie wußte, daß unter einem jeden Orangenbaum auf der ganzen Welt ein Kind begraben lag, das die Früchte mit dem Kalk seiner Knochen versüßte. Trotzdem mußte sie jetzt eine Orange essen. Es war die einzige Medizin gegen dieses Gummi, das sie erstickte. Es war Torheit anzunehmen, daß »das Kind« in einer Frucht war. Sie würde diesen Augenblick nutzen, in dem die Schönheit ihr nicht mehr weh tat, um bis zur Speisekammer zu gelangen. Aber ... war das nicht sonderbar? Es war das erste Mal in ihrem Leben, daß sie wirkliches Verlangen verspürte, eine Orange zu essen. Sie wurde fröhlich, fröhlich. Ah, welches Vergnügen! Eine Orange zu essen. Sie wußte nicht warum, doch nie hatte sie ein so gebieterisches Verlangen verspürt. Sie würde aufstehen, glücklich, wieder eine normale Frau zu sein, froh singend würde sie in die Speisekammer gelangen, froh singend wie eine junge, jüngst geborene Frau. Sie würde sogar bis in den Innenhof gelangen und ...

Plötzlich riß ihre Erinnerung ab. Sie erinnerte sich, daß sie versucht hatte, aufzustehen und daß sie nicht mehr in ihrem Bett lag, daß ihr Körper verschwunden war, daß ihre dreizehn Lieblingsbücher nicht mehr da waren und daß sie nicht mehr sie war. Jetzt war sie körperlos, schwebend, sie schwamm über einem vollständigen Nichts, verwandelt in einen formlosen, winzigkleinen, richtungslosen Punkt. Sie vermochte das Geschehen nicht genau zu bestimmen. Sie war verwirrt. Sie hatte nur die Empfindung, daß jemand sie in einen Abgrund hinuntergestürzt hatte. Sie fühlte sich in ein abstraktes, imaginäres Wesen verwandelt. Sie fühlte sich in eine körperlose Frau verwandelt, so, als wäre sie mit einemmal in jene hohe unbekannte Welt der reinen Geister eingetreten.

Wieder befiel sie Angst. Doch es war eine vom Augenblick zuvor verschiedene Angst. Es war nicht mehr die Angst vor dem Weinen »des Kindes«. Es war Entsetzen vor dem Seltsamen, dem Geheimnisvollen und Unbekannten ihrer neuen Welt. Und zu denken, daß all das derart harmlos, mit so großer Ahnungslosigkeit ihrerseits vor sich gegangen war! Was würde sie ihrer Mutter sagen, wenn diese nach Hause kam und von dem Ereignis erfuhr? Sie begann an die Aufregung zu denken, die unter den Nachbarn entstehen würde, wenn sie die Tür zu ihrem Zimmer öffneten und entdeckten, daß ihr Bett leer war, daß niemand hatte herein- oder herauskommen können und daß sie dennoch nicht darin war. Sie stellte sich die verzweifelte Gebärde ihrer Mutter vor, die das ganze Zimmer nach ihr durchsuchte, Mutmaßungen anstellte und sich selber fragte, »was aus dem kleinen Mädchen geworden war«. Sie sah die Szene vor sich. Die Nachbarn würden herbeieilen und Meinungen, darunter böswillige Meinungen, über ihr Verschwinden äußern. Ein jeder von ihnen würde der eigenen und für ihn besonderen Denkweise gemäß denken.

Ein jeder von ihnen würde versuchen, die logischste, die zumindest annehmbarste Erklärung anzubieten, während ihre Mutter, verzweifelt nach ihr rufend, durch die Gänge des Herrenhauses rennen würde.

Sie würde dabei sein. Würde den Augenblick betrachten, Einzelheit für Einzelheit, aus einer Ecke, von der Decke herab, aus den Mauerritzen, aus irgendeinem Versteck; vom günstigsten Blickwinkel aus, beschirmt von ihrem körperlosen Zustand, von ihrer Raumlosigkeit. Daran zu denken, machte sie unruhig. Nun wurde sie sich ihres Irrtums bewußt. Sie würde keinerlei Erklärung abgeben, nichts aufklären, niemanden trösten können. Kein lebendes Wesen könnte über ihre Verwandlung in Kenntnis gesetzt werden. Nun würde sie – vielleicht das einzige Mal, daß sie ihrer bedurfte – keinen Mund haben, keine Arme, damit alle erführen, daß sie da war, in ihrem Winkel, durch unrettbare Entfernung von der dreidimensionalen Welt getrennt. Sie war in ihrer neuen Welt abgesondert und wurde vollständig daran gehindert, Sinneswahrnehmungen zu empfangen. Doch etwas zitterte jeden Augenblick in ihr, ein Beben durchlief sie, überschwemmte sie, unterrichtete sie über jenes andere körperliche Weltall, das sich außerhalb ihrer Welt bewegte. Sie hörte nicht, sah nicht, *wußte* aber von diesem Ton und diesem Bild. Und dort, auf den Höhen ihrer erhabenen Welt, begann sie zu erfahren, daß eine Aura der Angst sie umgab.

Erst vor einer Sekunde – in Übereinstimmung mit unserer zeitlichen Welt – hatte sich der Übergang vollzogen, so daß sie erst jetzt die Eigenarten, die Charakteristiken ihrer neuen Welt kennenzulernen begann. Um sie kreiste tiefste, wurzelhafteste Dunkelheit. Bis wann würde diese Finsternis andauern? Würde sie sich auf ewig daran gewöhnen müssen? Ihre Angst nahm an Intensität zu, als sie sich in diesem dichten, undurchdringlichen Nebel versunken wußte: Ob sie in einer Vorhölle schmachtete? Sie erzitterte. Sie erinnerte sich an alles, was sie über die Vorhölle hatte sagen hören. Wenn sie in Wirklichkeit da war, schwebten neben ihr andere reine Geister von Kindern, die ohne Taufe gestorben waren, die tausend Jahre hindurch dem Tode verfallen waren. Sie versuchte sich diesen Wesen im Schattenreich zu nähern, die so viel reiner, so viel schlichter sein mußten als sie selber. Vollständig getrennt von der physischen Welt, zu einem schlafwandlerischen und ewigen Leben verurteilt. Vielleicht suchte »das Kind« einen Ausgang, um zu seinem Körper zu gelangen.

Doch nein. Warum sollte sie wohl in der Vorhölle sein? War sie etwa tot? Nein. Es war einfach eine Veränderung des Zustands, ein normaler Übergang aus der physischen Welt in eine leichtere, weniger komplizierte Welt, in der alle Dimensionen ausgelöscht worden waren.

Jetzt hatte sie nicht mehr unter den subkutanen Insekten zu leiden. Ihre Schönheit war zerfallen. Jetzt, in dieser Grundsituation, konnte sie glücklich sein. Wenn auch – oh! – nicht vollkommen glücklich, weil ihr größter Wunsch, der Wunsch, eine Orange zu essen, nicht mehr zu verwirklichen war. Es war das einzige, weshalb sie noch gerne in ihrem ersten Leben gewesen wäre. Um das Bedürfnis nach Säure zu befriedigen, das nach dem Übergang noch in ihr wach war. Sie versuchte sich zu orientieren, um in die Speisekammer zu gelangen und wenigstens die frische säuerliche Gesellschaft der Orangen zu spüren. Jetzt entdeckte sie eine neue Eigenart ihrer Welt: sie war im Haus überall, im Hof, auf dem Dach, sogar im Orangenbaum »des Kindes«. Sie war in der ganzen jenseitigen körperlichen Welt. Und doch war sie nirgendwo. Von neuem wurde sie unruhig. Sie hatte die Kontrolle über sich verloren. Sie war einem höheren Willen ausgeliefert, sie war ein unnützes, ungereimtes, unbrauchbares Wesen. Ohne zu wissen warum, wurde sie mit einemmal traurig. Fast begann sie Sehnsucht nach ihrer Schönheit zu leiden: nach der Schönheit, die sie töricht vergeudet hatte.

Doch eine großartige Idee belebte sie wieder. Hatte sie nicht sagen hören, daß die reinen Geister nach Belieben jeden beliebigen Körper durchdringen können? Was konnte sie schließlich verlieren, wenn sie es versuchte? Sie suchte sich daran zu erinnern, welcher der Hausbewohner der Probe unterzogen werden konnte. Wenn es ihr gelang, ihre Absicht durchzuführen, wäre sie befriedigt: sie würde die Orange essen können. Sie erinnerte sich. Zu dieser Stunde waren die Dienstboten für gewöhnlich nicht da. Ihre Mutter war noch nicht gekommen. Doch das Bedürfnis, eine Orange zu essen, nun vereint mit der Neugierde, sich in einen von dem ihren verschiedenen Leib verkörpert zu sehen, zwang sie, so rasch wie möglich zu handeln. Doch da war niemand, in den sie sich verkörpern konnte. Als Grund war es trostlos: es war niemand im Haus. Sie würde ewig von der äußeren Welt in ihrer dimensionslosen Welt leben müssen, ohne die erste Orange essen zu können. Und das alles nur wegen einer Torheit. Es wäre besser gewesen, wenn sie noch ein paar Jahre diese feindselige Schönheit ertragen und sich nicht für immer ausgelöscht, sich wie ein besiegtes Tier unbrauchbar gemacht hätte. Doch es war bereits zu spät.

Sie wollte sich enttäuscht in eine ferne Region des Weltalls zurückziehen, in eine Gegend, wo sie alle ihre verflossenen irdischen Wünsche vergessen konnte. Doch etwas ließ sie plötzlich davon Abstand nehmen. In ihrer unbekannten Gegend eröffnete sich ihr die Verheißung einer besseren Zukunft. Ja, es war jemand im Haus, dessen Leib sie annehmen konnte: die Katze! Doch schon zögerte sie. Es war schwierig, sich damit abzufinden, in einem Tier zu leben. Sie würde das weiche weiße Fell der Katze haben, in ihren Muskeln würde große Sprungkraft wohnen. Nachts würde sie ihre Augen im Dunkeln wie grüne Glut funkeln fühlen. Sie würde weiße scharfe Zähne haben, um ihrer Mutter aus ihrem Raubkatzenherzen mit breitem guten Tierlächeln zuzulächeln. Doch nein! Es durfte nicht sein. Sie stellte sich plötzlich vor, wie sie in dem Katzenkörper durch die Flure des Hauses strich und ihre unbequemen vier Pfoten gebrauchte, und ihr Schweif würde sich zügellos bewegen, ohne Rhythmus, ihrem Willen fremd. Wie würde das Leben in diesen grünen leuchtenden Augen sein? Nachts würde sie zum Himmel aufmiauen, damit er nicht seinen Mondzement auf das Gesicht »des Kindes« verschütte, das auf dem Rücken Tau trank. Vielleicht würde sie in ihrem Zustand einer Katze auch Angst haben. Schließlich würde sie vielleicht mit diesem fleischfressenden Katzenmaul nicht die Orange essen können. Ein gerade entstandener, aus der Wurzel ihres Geistes auftauchender Kälteschauer zitterte in ihrer Erinnerung. Nein. Es war unmöglich, sich in den Leib einer Katze zu verwandeln. Sie hatte Angst vor dem Gedanken, eines Tages im Gaumen, in der Kehle, in ihrem vierfüßigen Organismus das unwiderrufliche Verlangen zu spüren, eine Maus zu essen. Doch sobald ihr Geist den Katzenkörper bevölkerte, würde sie vermutlich kein Verlangen mehr nach einer Orange, sondern das widerwärtige lebendige Verlangen nach einer Maus verspüren. Sie erzitterte bei der Vorstellung, daß das Tier nach beendeter Jagd zwischen ihren Zähnen zappeln würde. Sie fühlte, wie es sich im letzten Fluchtversuch wehrte und sich zu befreien suchte, um wieder in sein Loch zu gelangen. Nein. Alles, nur das nicht. Sie zog vor, ewig und immer in dieser fernen geheimnisvollen Welt der reinen Geister zu bleiben.

Und doch war es schwer, sich mit einem auf immer vergessenen Leben abzufinden. Warum sollte sie Verlangen verspüren, eine Maus zu sehen? Wer würde den Vorrang in dieser Synthese aus Frau und Katze haben? Würde es der primitive Tierinstinkt des Körpers sein oder der reine Wille einer Frau? Die Antwort war kristallklar. Sie brauchte nichts zu befürchten. Sie würde in den Leib einer Katze schlüpfen und ihre ersehnte Orange essen. Überdies würde sie ein seltsames Wesen sein, eine Katze mit der Intelligenz einer schönen Frau. Wieder würde sie der Mittelpunkt aller Aufmerksamkeiten sein ... Und nun begriff sie zum ersten Mal, daß ihre Eitelkeit einer metaphysischen Frau sich über alle ihre Tugenden erhob.

Wie ein Insekt mit ausgestreckten Fühlern richtete sie ihre ganze Energie darauf aus, die Katze im Haus zu suchen. Zu dieser Stunde träumte sie vermutlich auf dem Ofen davon, mit einem Baldrianzweig zwischen den Zähnen zu erwachen. Doch sie war nicht da. Von neuem machte sie sich auf die Suche, doch sie fand den Ofen nicht mehr. Die Küche war nicht dieselbe. Die Winkel des Hauses waren ihr fremd; es waren nicht mehr die mit Spinnweben überzogenen dunklen Winkel. Die Katze war nirgendwo. Sie suchte auf den Dächern, auf den Bäumen, in den Kanälen, unter dem Bett, in der Anrichte. Sie fand alles in vollkommener Verwirrung. Wo sie geglaubt hatte, die Porträts ihrer Ahnen zu finden, stieß sie nur auf eine Flasche mit Arsen. Fortan fand sie Arsen im ganzen Haus, die Katze indes war verschwunden. Das Haus war nicht mehr dasselbe wie vorher. Was war aus ihren Sachen geworden? Warum waren ihre dreizehn Lieblingsbücher mit einer dichten Schicht Arsen überzogen? Sie erinnerte sich an den Orangenbaum des Innenhofs. Sie suchte ihn und schaute auch wieder nach »dem Kind« in seinem Wasserloch. Doch der Orangenbaum stand nicht an seinem Platz, und »das Kind« war nur mehr eine Handvoll Arsen und Asche unter einer schweren Betonplatte. Und jetzt schlief es endgültig. Alles war anders. Und das Haus verströmte einen starken Geruch nach Arsen, der wie aus einer Drogerie an ihre Nüstern schlug.

Erst jetzt begriff sie, daß seit dem Tag, da sie das Verlangen verspürt hatte, die erste Orange zu essen, dreitausend Jahre vergangen waren.

Bitterkeit für drei Schlafwandler

Nun hatten wir sie dort, abgestellt in einem Winkel des Hauses. Jemand hatte uns gesagt, bevor wir ihre Sachen gebracht hatten, ihre nach frischem Holz riechenden Kleider, ihre für Lehmboden viel zu leichten Schuhe, daß sie sich nie an das langweilige Leben gewöhnen würde, ohne süße Düfte, ohne andere Reize als die harte Einsamkeit aus Kalk und Mauerekke, die gegen ihren Rücken drückte. Jemand sagte uns – und viel Zeit war vergangen, bevor wir uns daran erinnerten –, daß auch sie eine Kindheit gehabt hatte. Vielleicht glaubten wir es damals nicht. Doch nun, als wir sie in dem Winkel sitzen sahen mit erschrockenen Augen, einen Finger an den Lippen, nahmen wir es vielleicht hin, daß sie einmal eine Kindheit gehabt hatte, daß sie einmal ein Gefühl gehabt hatte für die dem Regen vorausgehende Frische und daß sie immer seitlich zu ihrem Körper einen unerwarteten Schatten ertragen hatte.

All das – und viel mehr – hatten wir an jenem Nachmittag geglaubt, an dem wir uns darüber klar wurden, daß sie – ihren entsetzlichen Abgründen entronnen – vollkommen menschlich war. Wir wußten es, als sie mit einemmal, als sei drinnen ein Kristall gesplittert, angstvolle Schreie auszustoßen begann; sie rief einen jeden von uns beim Namen und redete unter Tränen, bis wir uns neben sie setzten; wir stimmten Lieder an und schlugen in die Hände, als vermöchte unser Geschrei die versprengten Glassplitter zusammenzufügen. Erst jetzt konnten wir glauben, daß sie einmal eine Kindheit gehabt hatte. Es war, als glichen ihre Schreie irgendwie einer Offenbarung; als hätten sie viel von einem erinnerten Baum und einem tiefen Fluß, als sie sich aufrichtete, sich leicht vorneigte und, ohne sich das Gesicht mit der Schürze zu bedecken oder die Nase zu schneuzen, noch immer unter Tränen sagte: »Ich werde nie mehr lächeln.«

Ohne ein Wort traten wir drei in den Innenhof hinaus, vielleicht glaubten wir, gemeinsame Gedanken mitzunehmen. Vielleicht dachten wir, es wäre wohl nicht das beste, die Lichter im Haus anzuzünden. Sie wünschte allein zu sein – vielleicht –, in ihrem düsteren Winkel hockend und sich den letzten Zopf flechtend, der das einzige schien, was von ihrem Übergang zum Tier überleben würde.

Draußen im Hof, in den tiefen Insektendunst gehüllt, saßen wir und dachten an sie. Wir hatten das schon manches Mal getan. Wir hätten sagen können, wir taten das, was wir an allen Tagen unseres Lebens getan hatten.

Und doch war jene Nacht anders: Sie hatte gesagt, sie würde nie wieder lächeln, und wir, die wir sie so gut kannten, waren sicher, daß der Alptraum Wahrheit geworden war. Wir saßen im Dreieck, wir sahen sie drinnen vor uns, abstrakt, sogar außerstande, die zahllosen Uhren zu hören, die den peinlich genauen und deutlich hörbaren Rhythmus maßen, in dem sie sich in Staub verwandeln würde: »Wären wir wenigstens mutig genug, ihren Tod zu wünschen«, dachten wir im Chor. Doch wir wollten sie so: häßlich und eisig, gleichsam als kleinlichen Beitrag zu unseren verborgenen Mängeln.

Wir waren seit Jahren, seit geraumer Zeit erwachsen. Sie war übrigens die älteste im Haus. In dieser selben Nacht hätte sie dort mit uns sitzen und, umgeben von gesunden Kindern, den maßvollen Puls der Sterne fühlen können. Sie wäre die achtbare Herrin des Hauses gewesen, wäre sie die Frau eines braven Bürgers oder die Konkubine eines pünktlichen Mannes gewesen. Doch sie hatte sich daran gewöhnt, in einer einzigen Dimension zu leben wie die Gerade, vielleicht weil ihre Laster oder ihre Tugenden sich nicht im Profil erkennen ließen. Schon seit einigen Jahren wußten wir das alles. Wir waren nicht einmal überrascht, als wir sie morgens nach dem Aufstehen im Innenhof auf dem Bauch liegen und in starrer Haltung in die Erde beißen sahen. Dann lächelte sie und blickte uns wieder an; sie war aus dem Fenster des zweiten Stocks auf die harte Tonerde des Innenhofs gestürzt und war dort stur und steif mit dem Gesicht auf dem feuchten Lehm liegengeblieben. Doch dann erfuhren wir, das einzige, was sie unversehrt bewahrt hatte, sei die Angst vor Entfernungen, der natürliche Schrecken vor der Leere. Wir hoben sie an den Schultern auf. Sie war nicht so hart, wie sie uns anfangs vorgekommen war. Im Gegenteil, alle ihre Organe und Glieder waren locker, von jeder Willenskraft gelöst wie ein lauwarmer Toter, der noch nicht starr geworden war.

Ihre Augen standen offen, ihr Mund war schmutzig von der Erde, die für sie schon Grabesgeschmack haben mußte, als wir sie mit dem Gesicht zur Sonne hinlegten, und es war, als hätten wir sie vor einen Spiegel gestellt. Sie blickte uns alle mit erloschenem, geschlechtlosem Gesichtsausdruck an, der uns – ich hielt sie bereits in meinen Armen – das Ausmaß ihrer Abwesenheit gab. Jemand sagte, sie sei tot; und dann trug sie jenes kalte stille Lächeln zur Schau, das sie während der Nächte getragen hatte, als sie hellwach durchs Haus irrte. Sie sagte, sie wisse nicht, wie sie in den Innenhof gelangt sei. Sie sagte, ihr sei entsetzlich heiß gewesen, sie habe eine Zikade gehört, schrill und aufsässig, die – so sagte sie – entschlossen gewesen sei, ihre Zimmerwand umzustürzen, und sie habe sich an die Sonntagsgebete erinnert und dabei die Wange auf den Zementfußboden gedrückt.

Im übrigen wußten wir, daß sie sich an keinerlei Gebet erinnern konnte, wie wir auch später erfuhren, daß sie das Zeitgefühl verloren hatte, als sie sagte, daß sie stehend geschlafen und von innen die Wand gestützt habe, gegen die die Zikade von außen gedrückt habe, und daß sie fest geschlafen habe, als jemand sie an den Schultern packte, die Wand fortschob und sie mit dem Gesicht zur Sonne hinlegte.

In jener Nacht wußten wir, als wir im Innenhof saßen, daß sie nie wieder lächeln würde. Vielleicht tat uns schon im voraus ihre ausdruckslose Ernsthaftigkeit weh, ihr düsteres und freiwilliges Winkelleben. Es tat uns furchtbar weh, wie uns der Tag weh tat, als wir sie in die Ecke kriechen sahen, in der sie nun hockte; und wir hörten sie sagen, daß sie nie wieder durchs Haus streichen werde. Anfangs konnten wir es nicht glauben. Monate hindurch hatten wir sie zu jeder beliebigen Stunde durch die Zimmer wandern sehen, mit festgefrorenem Kopf und hängenden Schultern, ohne innezuhalten, ohne jemals zu ermüden. Nachts hörten wir ihr dichtes Körpergeräusch, wie es sich zwischen zwei Dunkelheiten bewegte, und vielleicht lagen wir oftmals wach im Bett und lauschten ihrem stillen Gang und verfolgten sie mit dem Gehör durchs ganze Haus. Einmal sagte sie uns, sie habe die Zikade im Mond des Spiegels gesehen, versunken, untergetaucht in der festen Durchsichtigkeit, und sie sei durch die Oberfläche des Glases getreten, um sie zu erreichen. In Wirklichkeit wußten wir nicht, was sie uns sagen wollte, doch wir alle konnten feststellen, daß die Kleider ihr naß am Leib klebten, als sei sie soeben einem Wassertank entstiegen. Ohne uns das Phänomen erklären zu wollen, beschlossen wir, mit den Insekten des Hauses kurzen Prozeß zu machen: die Gegenstände zu zerstören, die ihr beständig zusetzten.

Wir ließen die Wände säubern; wir gaben Anweisung, daß die Büsche des Innenhofs beschnitten wurden, und es war, als hätten wir die Stille der Nacht von kleinen Abfällen gereinigt. Doch schon hörten wir sie nicht mehr umhergehen, wir hörten sie nicht mehr von Zikaden sprechen bis zu dem Tag, als sie uns nach der Abendmahlzeit anblickte, sich auf den Zementfußboden setzte und, ohne den Blick von uns zu lassen, sagte: »Ich werde hier sitzen bleiben«; und wir erzitterten, denn wir konnten sehen, daß sie bereits etwas zu gleichen begann, das schon fast vollkommen wie der Tod war.

Das lag schon sehr lange zurück, wir hatten uns schon daran gewöhnt, sie dort sitzen zu sehen, den Zopf nur halb geflochten, als habe sie sich in ihrer Einsamkeit aufgelöst und habe, obgleich sie dort sichtbar saß, die natürliche Fähigkeit verloren, anwesend zu sein. Daher wußten wir jetzt, daß sie nie wieder lächeln würde; denn sie hatte es genauso überzeugt und sicher gesagt, wie sie uns einmal gesagt hatte, sie würde nie wieder gehen. Es war, als hätten wir die Gewißheit, daß sie uns später sagen würde: »Ich werde nicht mehr sehen« oder vielleicht: »Ich werde nicht wieder hören«, und als wüßten wir, daß sie menschlich genug war, um willentlich ihre lebensnotwendigen Funktionen auszulöschen, und daß ihr ganz spontan ein Sinn nach dem anderen abhanden kommen würde bis zu dem Tag, an dem wir sie an der Wand lehnend entdecken würden, als habe sie zum ersten Mal in ihrem Leben geschlafen. Vielleicht fehlte noch viel Zeit bis dahin, doch wir drei, die im Innenhof saßen, hätten in jener Nacht gerne ihr jähes zartes Weinen von zersplittertem Glas gehört, um uns zumindest der Selbsttäuschung hinzugeben, daß ein Kind – Junge oder Mädchen – im Hause geboren war. Um zu glauben, daß sie neu geboren war.

Zwiesprache mit dem Spiegel

Der Mann des früheren Aufenthalts, nachdem er lange Stunden wie ein Heiliger geschlafen hatte, uneingedenk der Sorgen und Beunruhigungen des jüngsten Morgengrauens, erwachte, als der Tag schon voranschritt und der Stadtlärm die Luft des halbgeöffneten Raums bis zum Rande füllte. Da kein anderer Seelenzustand ihn bewohnte, mußte er an die schwere Belastung durch den Tod denken, an seine runde Angst, an das Stück Lehm – Tonerde von ihm selbst –, das sein Bruder unter der Zunge haben würde. Doch die fröhliche Sonne, die den Garten erhellte, lenkte seine Aufmerksamkeit auf ein gewöhnlicheres, irdischeres und vielleicht weniger wahres Leben als seine furchterregende innere Existenz. Auf sein Leben eines gewöhnlichen Menschen, eines alltäglichen Tieres, das – ohne daß er dabei mit seinem Nervensystem, mit seiner empfindlichen Leber rechnete – ihm die unvermeidliche Unmöglichkeit ins Gedächtnis rief, wie ein Bürgersmann zu schlafen. Er dachte – und da war fraglos ein Gran bürgerliche Mathematik in den zungenbrecherischen Ziffern – an die finanziellen Geduldspiele im Büro.

Acht Uhr zwölf. Ich werde todsicher zu spät kommen. Er betastete seine Wange mit den Fingerkuppen. Die mit hervortretenden Sehnensträngen übersäte Haut hinterließ in seinen Fingerantennen den Eindruck von hartem Haar. Dann fuhr er sich mit der halbgeöffneten Handfläche zerstreut und behutsam übers Gesicht, mit der gelassenen Ruhe des Chirurgen, der den Kern des Tumors kennt; und aus der weichen Oberfläche tauchte nach innen die harte Substanz einer Wahrheit auf, von der seine Angst gelegentlich erbleicht war. Dort, unter den Fingerkuppen – und nach den Fingerkuppen, Knochen gegen Knochen – hatte sein unwiderruflicher anatomischer Zustand eine Ordnung von Verbindungen, ein dichtgedrängtes Universum von Geweben, von kleineren Welten begraben, die ihn stützten, die seine fleischliche Rüstung einer weniger dauerhaften Höhe als die natürliche und letzte Stellung seiner Knochen entgegenhoben.

Ja. Der Kopf in der weichen Materie des Kissens versunken, der Körper auf der Rast seiner Organe ausgestreckt, so gewährte das Leben einen horizontalen Reiz und seinen eigenen Grundsätzen eine größere Bequemlichkeit. Er wußte, daß mit der minimalen Anstrengung, die Lider zu schließen, die ihn erwartende ermüdende Aufgabe sich in einem unkomplizierten Klima vollziehen würde, ohne Verpflichtungen an Zeit und Raum: ohne die Notwendigkeit, daß dieses chemische Abenteuer, das seinen Körper ausmachte, bei seiner Verwirklichung die geringste Beeinträchtigung erlitt. Im Gegenteil, so, mit geschlossenen Lidern, war die vollständige Ökonomie lebenswichtiger Hilfsmittel am Werk und verursachte nicht den geringsten organischen Verschleiß. Sein Körper, im Wasser der Träume untergetaucht, konnte sich regen, konnte leben, sich in andere Existenzformen entwickeln, in denen seine wirkliche Welt für seine innere Notwendigkeit eine gleichwertige, wenn nicht höhere Emotionsdichte besitzen würde, mit denen die Notwendigkeit zu leben ohne Schaden für seine körperliche Unversehrtheit vollauf zufriedengestellt sein würde. Dann würde die Aufgabe, mit den Wesen, den Dingen zusammenzuleben, viel leichter sein, nebenbei noch in der gleichen Form wie in der wirklichen Welt. Die Aufgaben, sich zu rasieren, den Bus zu nehmen, die Gleichungen im Büro zu lösen, würden in seinem Traum einfach und unkompliziert sein und ihm im nachhinein die gleiche innere Befriedigung gewähren.

Ja. Es war besser, dies in künstlicher Form zu tun, wie er es bereits tat; in dem erleuchteten Raum die Richtung des Spiegels zu suchen. Wie er es auch weiterhin getan hätte, hätte in jenem Augenblick nicht eine schwere, brutale und absurde

Maschine die laue Substanz seines beginnenden Traums zerstört. Nun, in die Welt der Übereinkünfte zurückkehrend, bot das Problem fraglos schwerwiegendere Merkmale. Dennoch hatte ihn die merkwürdige Theorie, die ihm seine Weichheit eingeflüstert hatte, in ein Gebiet des Verstehens abgelenkt, und aus seinem menschlichen Innern fühlte er, wie sich der Mund nach den Seiten hin verschob, in einer Gebärde, die ein unfreiwilliges Lächeln sein mußte. Gelangweilt – lächelte er im Grunde weiter. »Ich muß mich rasieren, wenn ich in zwanzig Minuten bei meinen Büchern sein will. Bad acht, schnell fünf, Frühstück sieben. Alte widerliche Würstchen. Mabels Laden mit Gewürzen, Schrauben, Heilmitteln, Likören; das ist wie die Büchse der – wer war das noch? Das Wort ist mir entfallen. (Der Bus hat dienstags Motorschaden und bleibt sieben Tage aus.) Pendora. Nein: Peldora. So heißt es nicht. Insgesamt eine halbe Stunde. Keine Zeit zu verlieren. Das Wort ist mir entfallen, eine Büchse, in der von allem etwas enthalten ist. Pedora. Beginnt mit P.«

Im Morgenrock, schon vor dem Waschtisch, warf ihm ein schläfriges Gesicht, struppig, unrasiert, einen mißgelaunten Blick aus dem Spiegel zu. Ein leichter Kälteschauer durchzuckte ihn, als er in dem Bild seinen eigenen toten Bruder entdeckte, wenn der gerade aufgestanden war. Das gleiche müde Gesicht, der gleiche Blick, noch kaum erwacht.

Eine neue Bewegung entsandte dem Spiegel eine Menge Licht, dazu bestimmt, zu einer angenehmen Gebärde zu führen, doch die gleichzeitige Rückkehr jenes Lichts brachte ihm – entgegen seinen Absichten – eine groteske Grimasse ein. Wasser. Der heiße Wasserstrahl schäumt sturzbachartig, übermütig, und das weiße, dichte Dampfgewoge schiebt sich zwischen ihn und die Spiegelscheibe. Auf diese Weise – die Unterbrechung mit einer raschen Bewegung nutzend – gelingt es ihm, sich mit seiner eigenen Zeit und der inneren Zeit des Quecksilbers in Einklang zu bringen.

Über seinem Ledergürtel stieg es und füllte seinen Raum mit scharfen Rändern, mit eisigen Metallen; und die schon verschwundene Wolke zeigte ihm wiederum das andere Gesicht, getrübt von körperlichen Verwicklungen, von mathematischen Gesetzen, in denen die Geometrie eine neue Art des Rauminhalts, eine konkrete Form des Lichts versuchte. Vor ihm, pulsend, von eigener Gegenwart bebend, in einer Gebärde verklärt, war das Gesicht, das zugleich lächelnde und spöttische Ernsthaftigkeit war und in der anderen feuchten Scheibe zutage trat, die die Verdichtung des Dampfs hinterlassen hatte.

Er lächelte. (Lächelte.) Er zeigte sich selber die Zunge. (Zeigte – dem aus der Wirklichkeit – die Zunge.) Der vom Spiegel hatte eine teigige, gelbe: »Du hast's am Magen«, diagnostizierte er (wortlose Geste) mit einer Grimasse. Wieder lächelte er. (Wieder lächelte er.) Doch nun konnte er feststellen, daß etwas Törichtes, Künstliches und Falsches in diesem Lächeln war, das sich ihm zurückwarf. Er glättete sein Haar (er glättete sein Haar) mit der rechten (linken) Hand, um unverzüglich den beschämten Blick zu wenden (und zu verschwinden). Er war von seinem eigenen Benehmen befremdet, vor den Spiegel zu treten und Gebärden wie ein Trottel zu vollführen. Übrigens dachte er, jedermann beobachte vor dem Spiegel ein ähnliches Verhalten, und seine Empörung wuchs angesichts der Gewißheit, daß er der Gewöhnlichkeit nur huldigte, weil ja jedermann ein Trottel war. Acht Uhr siebzehn.

Er wußte, er mußte sich beeilen, wenn er von der Agentur nicht entlassen werden wollte. Von der Agentur, die seit einiger Zeit zum Ausgangspunkt seines eigenen täglichen Begräbnisses geworden war.

Die Seife hatte bei der Berührung mit dem Pinsel ein leichtes, bläuliches Weiß erzeugt, das ihn aus seinen Besorgnissen riß. Es war der Augenblick, in dem der Seifenbrei durch das Netz der Arterien im Körper hochstieg und ihm das Funktionieren der gesamten lebenswichtigen Maschinerie ermöglichte ... So zur Normalität zurückkehrend, erschien es ihm bequemer, im seifegewordenen Gehirn das Wort zu suchen, mit dem er Mabels Laden vergleichen wollte. Peldora. Mabels Ramschladen. Paldora. Gewürzhandlung oder Drogerie. Oder alles zusammen: Pendora.

Über der Seifensiederei siedete hinreichend der Schaum. Dennoch bürstete er fast leidenschaftlich mit dem Pinsel. Das kindische Spektakel der Bläschen gewährte ihm die helle Freude eines großen Kindes, die ihm wie ein billiger Likör schwer und zäh ins Herz stieg. Eine neue Anstrengung im Aufspüren der Silbe hätte genügt, daß das Wort platzte, reif und brutal; daß es an die Oberfläche jenes dickflüssigen, trüben Gewässers seines spröden Gedächtnisses stieg. Doch diesmal wie bei den vorigen Malen würden sich die zerstreuten, demontierten Teilchen eines Systems nicht genau zu einem organischen Ganzen zusammenfügen, und so schickte er sich an, für immer auf das Wort zu verzichten: Pendora!

Und es war an der Zeit, daß er jene nutzlose Suche aufgab, denn – beide hoben den Blick und begegneten sich mit den Augen – sein Zwillingsbruder hatte begonnen, mit dem schäumenden Pinsel das Kinn mit frischem bläulichen Weiß zu bedecken, wobei er mit der linken Hand – er ahmte ihn mit der rechten nach – sanft und exakt den steilen Bereich allmählich bedeckte. Er wandte den Blick ab, und die Geometrie der Zeiger war – so erschien es ihm – mit der Lösung eines neuen Theorems der Angst beschäftigt: acht Uhr achtzehn. Sie machte es sehr langsam. Und so, in der festen Absicht, rasch fertig zu werden, brachte er die gehorsame Hornklinge unter die Beweglichkeit des kleinen Fingers.

Damit rechnend, daß die Arbeit binnen drei Minuten beendet sein würde, hob er den rechten (linken) Arm bis zur Höhe des rechten (linken) Ohrs, wobei er die Überlegung anstellte, daß nichts so schwierig sein müsse, wie sich auf die Weise zu rasieren, wie es das Spiegelbild tat. Von da hatte er eine ganze Reihe kompliziertester Berechnungen abgeleitet, um die Geschwindigkeit des Lichts festzustellen, das die Hin- und Rückreise *fast* gleichzeitig machte, um jede Bewegung nachzuvollziehen. Doch der Ästhet in ihm siegte über den Mathematiker nach einem Kampf, der nahezu der Quadratwurzel der Geschwindigkeit entsprach, die er hätte feststellen können, und das Denken des Künstlers wandte sich den Bewegungen der Klinge zu, die unter den verschiedenen Lichthieben grünblauweiß schimmerte. Rasch – nun lebten der Mathematiker und der Ästhet in Frieden – führte er die Schneide auf der rechten (linken) Wange bis zum Meridian der Lippe hinunter und bemerkte mit Befriedigung, daß die linke Wange des Bildes zwischen ihren Schaumrändern sauber war.

Er hatte die Klinge noch nicht abgeputzt, als aus der Küche der säuerliche Geruch von Siedfleisch hereinzog. Er fühlte ein Zittern unter der Zunge und spürte den Sturzbach leichten dünnen Speichels, der ihm den Mund mit dem kraftvollen Geschmack von zerlassener Butter füllte. Gedünstete Nieren. Endlich vollzog sich ein Wandel in Mabels verfluchtem Laden. Pendora. Auch nicht. Das Geräusch der Drüse in der Soße vermischte sich in seinem Ohr mit der Erinnerung an hämmernden Regen, tatsächlich dieselbe wie die am Tagesanbruch. Daher durfte er Stiefel und Regenmantel nicht vergessen. Nieren in Soße. Kein Zweifel.

Keiner seiner Sinne verdiente soviel Mißtrauen wie sein Geruchssinn. Doch über seine fünf Sinne hinaus und wenn auch jenes Fest nicht mehr als der Optimismus seiner reizbaren Schleimhäute gewesen war, erwies sich die Notwendigkeit, so rasch wie möglich fertig zu werden, in diesem Augenblick als die dringendste Notwendigkeit seiner fünf Sinne. Genau und schnell – der Mathematiker und der Künstler zeigten sich die Zähne – fuhr er mit der Klinge von vorne (hinten) nach hinten (vorne) bis zum (rechten) linken Mundwinkel, während er mit der linken (rechten) Hand die Haut glättete und so den Weg der Metallklinge von vorne (hinten) nach (vorne) hinten, von oben (oben) nach unten erleichterte und so – beide keuchend – die gleichzeitige Arbeit beendete.

Doch als er bereits fast fertig war und die letzten Schaber auf der linken Wange mit der rechten Hand vornahm, sah er unvermittelt seinen eigenen Ellbogen gegen den Spiegel. Er sah ihn groß, befremdend, unbekannt, und bemerkte entsetzt, daß über dem Ellbogen andere, gleichfalls große und gleichfalls unbekannte Augen weit aufgerissen die Richtung des Messers suchten. Jemand ist dabei, meinen Bruder zu hängen. Ein machtvoller Arm. Blut! Das passiert immer, wenn ich es zu rasch tue.

Er suchte in seinem Gesicht die entsprechende Stelle; doch sein Finger blieb rein, und die Berührung wies auf keine folgerichtige Lösung. Er zuckte zusammen. Seine Haut zeigte keine Verletzung, doch dort im Spiegel blutete der andere leicht. Und in seinem Innern wurde für ihn wieder zur ärgerlichen Wahrheit, daß die Beunruhigungen der vergangenen Nacht wiederkehrten. Daß er jetzt, vor dem Spiegel, wieder die Empfindung, das Bewußtsein der Aufspaltung erlebte. Doch da war schon das Kinn (rund: gleiche Gesichter). Die Haare im Grübchen benötigen eine spitze Klinge.

Er glaubte zu beobachten, daß eine Wolke der Verstörung über den hastigen Bewegungen seines Ebenbildes wachte. Sollte es möglich sein, daß infolge der großen Schnelligkeit, mit der er sich rasierte – und der Mathematiker war vollkommen Herr der Lage –, die Lichtgeschwindigkeit nicht die Entfernung überbrückte, um alle Bewegungen festzuhalten? Konnte er wohl in seiner Eile das Spiegelbild überholen und seine Arbeit eine Bewegung vor jenem beenden? Oder sollte es möglich sein – und der Künstler vermochte nach kurzem Kampf den Mathematiker auszustechen –, daß das Bild ein Eigenleben gewonnen und beschlossen hatte – weil es in einer unkomplizierten Zeit lebte –, einfach langsamer fertig zu werden als seine äußere Person?

Sichtlich besorgt öffnete er den Heißwasserhahn und fühlte den lauwarmen dichten Dampf aufsteigen, während das Plätschern des frischen Wassers auf seinem Gesicht ihm die Ohren mit Kehllauten füllte. Die freundliche Rauheit des frischgewaschenen Handtuchs auf der Haut ließ ihn mit der tiefen Befriedigung eines hygienischen Tiers atmen. Pandora! Das war das Wort: Pandora.

Überrascht blickte er das Handtuch an und schloß verwirrt die Augen, während dort im Spiegel ein Gesicht, dem seinen gleich, ihn mit großen törichten Augen betrachtete, und das Gesicht war von einem dunkelvioletten Faden durchquert.

Er öffnete die Augen und lächelte (lächelte). Nichts kümmerte ihn mehr. Mabels Laden war eine Büchse der Pandora.

Der warme Geruch der Nieren in Soße beglückte seinen Geruchssinn mit zunehmendem Drängen. Und er fühlte mit Befriedigung – mit positiver Befriedigung –, daß in seiner Seele ein großer Hund sich anschickte, mit dem Schwanz zu wedeln.

Augen eines blauen Hundes

Dann blickte sie mich an. Ich dachte, sie blicke mich zum ersten Mal an. Doch gleich darauf, als sie hinter dem Leuchter kehrtmachte und ich über der Schulter ihren schlüpfrigen, öligen Blick im Rücken fühlte, begriff ich, daß ich sie zum ersten Mal anblickte. Ich zündete eine Zigarette an. Ich atmete den kratzenden, starken Rauch ein, bevor ich den Stuhl drehte, ihn auf einem der Hinterbeine balancierend. Dann sah ich sie dort, wie sie die ganzen Nächte neben dem Leuchter gestanden und mich angeblickt hatte. Kurze Minuten lang taten wir nichts anderes als dies: uns anblicken. Ich blickte sie von meinem Stuhl aus an, den ich auf einem seiner Hinterbeine balancierte. Sie stand, hielt eine lange stille Hand über den Leuchter und blickte mich an. Wie in allen Nächten sah ich ihre angemalten Lider. Dann erinnerte ich mich an das Immergleiche, als ich zu ihr sagte: »Augen eines blauen Hundes.« Ohne die Hand vom Leuchter fortzunehmen, sagte sie: »Sehr richtig. Das werden wir nie mehr vergessen.« Sie trat aus meinem Gesichtskreis und seufzte: »Augen eines blauen Hundes. Ich habe das überall aufgeschrieben.«

Ich sah sie zum Toilettentisch gehen. Ich sah sie im runden Mond des Spiegels erscheinen und mich nach einem Hin und Her mathematischen Lichts anblicken. Ich sah sie mich mit ihren großen Augen entflammter Asche anblicken: mich anblicken, während sie das Kästchen mit eingelegtem rosafarbenem Perlmutt öffnete. Ich sah sie ihre Nase pudern. Als sie damit fertig war, schloß sie das Kästchen, setzte sich wieder in Bewegung, und von neuem auf den Leuchter zugehend sagte sie: »Ich fürchte, jemand träumt von diesem Zimmer und bringt mir meine Dinge durcheinander«; und sie hielt dieselbe lange zitternde Hand, die sie gewärmt hatte, bevor sie sich vor den Spiegel setzte, über die Flamme. Und sie sagte: »Du spürst die Kälte nicht.« Und ich sagte: »Manchmal.« Und sie sagte: »Jetzt mußt du sie aber spüren.« Dann begriff ich, warum ich nicht allein auf dem Stuhl hatte sitzen können. Es war die Kälte, die mir die Gewißheit meiner Einsamkeit vermittelt hatte. »Jetzt spüre ich sie«, sagte ich. »Und das ist sonderbar, denn die Nacht ist still. Vielleicht ist mir die Bettdecke weggerutscht.« Sie antwortete nicht. Wieder begann sie sich zum Spiegel hin zu bewegen, und ich drehte mich mit dem Stuhl, um mit dem Rücken zu ihr zu bleiben. Ohne sie zu sehen, wußte ich, was sie tat. Ich wußte, daß sie von neuem vor dem Spiegel saß und meinen Rücken sah, der Zeit gehabt hatte, in die Tiefe des Spiegels zu gelangen und ihrem Blick zu begegnen, während auch sie gerade Zeit genug gehabt hatte, um bis zur Tiefe des Spiegels zu gelangen – bevor die Hand Zeit hatte, zum zweiten Mal zurückzukehren –, bis zu den Lippen, die jetzt, seit der ersten Rückkehr der Hand vor dem Spiegel, karminrot gefärbt waren. Ich sah vor mit die glatte Wand, die wie ein zweiter, blinder Spiegel war, in dem ich sie nicht sah – da sie hinter meinem Rücken saß –, doch ich stellte mir vor, wie sie sein würde, wenn statt der Wand dort ein Spiegel gewesen wäre. »Ich sehe dich«, sagte ich. Und ich sah auf der Wand, als hätte sie die Augen gehoben und mich von hinten auf dem Stuhl gesehen, in der Tiefe des Spiegels, das Gesicht zur Wand gewendet. Dann sah ich sie wieder die Lider senken und wortlos auf ihre Korsage blicken. Und ich drehte mich um und sagte: »Ich sehe dich.« Wieder hob sie die Augen von ihrer Korsage. »Das ist unmöglich«, sagte sie. Ich fragte sie, warum. Und sie, von neuem die Augen auf ihre Korsage gesenkt, sagte: »Weil du den Blick zur Wand gedreht hast.« Nun wand ich den Stuhl um. Ich hatte die Zigarette zwischen die Lippen geklemmt. Als ich vor dem Spiegel stand, war sie wieder neben dem Leuchter. Jetzt hielt sie die Hände über der Flamme ausgestreckt wie zwei gespreizte Hühnerflügel, die brieten, während ihre Finger Schatten auf ihr Gesicht warfen.

»Ich glaube, ich werde mich erkälten«, sagte sie. »Dies muß eine eiskalte Stadt sein.« Sie wandte das Gesicht zur Seite, und ihre kupferfarbene Haut wurde plötzlich traurig. »Tu etwas dagegen«, sagte ich. Und sie begann sich zu entkleiden, Stück für Stück, begann oben, bei der Korsage. Ich sagte: »Ich werde mich zur Wand drehen.« Und sie sagte: »Nein. Jedenfalls wirst du mich sehen, wie du mich gesehen hast, als du mit dem Rücken zu mir gesessen hast.« Sie hatte noch nicht zu Ende gesprochen, als sie fast vollständig ausgezogen war, während die Flamme ihre lange kupferfarbene Haut beleckte. »Ich habe dich immer so sehen wollen, den Bauch voll tiefer Löcher, als hätten sie dich mehrmals durchbohrt.« Und bevor mir zum Bewußtsein kam, daß meine Worte angesichts ihrer Nacktheit töricht waren, blieb sie regungslos stehen und wärmte sich im Schein des Leuchters und sagte: »Manchmal glaube ich, ich bin aus Metall.« Einen Augenblick verstummte sie. Die Stellung ihrer Hände über der Flamme veränderte sich leicht. Ich sagte: »Manchmal, in anderen Träumen, habe ich schon geglaubt, du seist nur eine Bronzestatuette in der Ecke irgendeines Museums. Vielleicht ist es dir deshalb kalt.« Und sie sagte: »Manchmal, wenn ich auf dem Herzen schlafe, fühle ich, daß mein Körper hohl wird und meine Haut wie eine Klinge. Dann, wenn drinnen mein Blut schlägt, ist es, als klopfe jemand mit den Knöcheln auf meinen Bauch, und ich höre mein eigenes Blechklappern im Bett. Es ist, als wäre es so, wie du sagst: aus gewalztem Metall.« Sie näherte sich noch mehr dem Leuchter. »Ich hätte dich gerne gehört«, sagte ich. Und sie sagte: »Wenn wir uns einmal begegnen, leg das Ohr an meine Rippen, wenn ich auf der linken Seite schlafe, und du wirst mich scheppern hören. Ich habe immer gewünscht, du tätest es einmal.« Ich hörte sie tief atmen, während sie sprach. Und sie sagte, sie habe jahrelang nichts anderes als das getan. Ihr Leben sei der Aufgabe gewidmet gewesen, mir in Wirklichkeit zu begegnen, und zwar durch diese Erkennungsworte: »Augen eines blauen Hundes.« Und auf der Straße wollte sie mit lauter Stimme sagen, und das war die einzige Art und Weise, es dem einzigen Menschen zu sagen, der sie hätte verstehen können: »Ich bin die, die jede Nacht in deine Träume tritt und dir dies sagt: Augen eines blauen Hundes.« Und sie sagte, sie betrete die Restaurants und sage zu den Kellnern, bevor sie bestelle: »Augen eines blauen Hundes«. Aber die Kellner machten eine ehrerbietige Verbeugung vor ihr, ohne sich je daran erinnert zu haben, dies in ihren Träumen gesagt zu haben. Dann schrieb sie es auf die Servietten und ritzte es mit dem Messer in die lackierten Tischplatten ein: »Augen eines blauen Hundes«. Und auf die Milchglasscheiben der Hotels, der Bahnhöfe, aller öffentlichen Gebäude schrieb sie mit dem Zeigefinger: »Augen eines blauen Hundes«. Sie sagte, einmal sei sie in eine Drogerie gekommen und habe den gleichen Geruch gespürt, den sie, nachdem sie von mir geträumt, in ihrem Zimmer eingeatmet hatte. »Er muß nah sein«, dachte sie, als sie den sauberen neuen Fliesenboden der Drogerie sah. Dann trat sie auf den Verkäufer zu und sagte zu ihm: »Ich träume immer von einem Mann, der zu mir sagt: ›Augen eines blauen Hundes‹.« Und sie sagte, der Drogist habe ihr in die Augen gesehen und zu ihr gesagt: »In Wirklichkeit, Señorita, haben Sie solche Augen.« Und sie sagte zu ihm: »Ich muß diesen Mann treffen, der mir genau das in meinen Träumen sagt.« Und der Verkäufer lachte los und ging auf die andere Seite des Ladentischs. Sie blickte nach wie vor auf den sauberen Fliesenboden und saugte den Geruch ein. Dann öffnete sie ihre Handtasche, kniete nieder und schrieb mit ihrem karminroten Lippenstift in großen roten Buchstaben auf den Fliesenboden: »Augen eines blauen Hundes«. Der Verkäufer kehrte von dem Platz zurück, wo er gestanden hatte und sagte: »Señorita, Sie haben den Fliesenboden beschmutzt.« Und reichte ihr einen feuchten Lappen und sagte: »Machen Sie ihn sauber.« Und sie sagte, noch immer neben dem Leuchter stehend, sie habe den ganzen Nachmittag auf den Knien den Fliesenboden geputzt und gesagt: »Augen eines blauen Hundes«, bis die Leute vor der Ladentür zusammengelaufen seien und gesagt hätten, sie sei verrückt.

Nun, nachdem sie zu sprechen aufgehört hatte, saß ich noch immer in meiner Ecke und balancierte auf meinem Stuhl. »Ich versuche mich jeden Morgen beim Aufwachen an die Worte zu erinnern, mit denen ich dir begegnen kann«, sagte ich. »Jetzt glaube ich, daß ich es morgen nicht vergessen werde. Dennoch habe ich immer dasselbe gesagt und beim Erwachen immer vergessen, welche Worte es sind, mit denen ich dir begegnen kann.« Und sie sagte:»Du selbst hast sie am ersten Tag erfunden.« Und ich sagte: »Ich habe sie erfunden, denn ich habe deine Aschenaugen gesehen. Doch nie erinnere ich mich am folgenden Morgen daran.« Und sie atmete neben dem Leuchter tief, mit geballten Fäusten: »Wenn ich mich wenigstens jetzt daran erinnern könnte, in welcher Stadt ich es geschrieben habe.«

Ihre aufeinandergebissenen Zähne schimmerten über der Flamme. »Ich möchte dich jetzt berühren«, sagte ich. Sie hob das Gesicht, das in die Glut geblickt hatte; hob den glühenden Blick, der sich erhitzte wie sie, wie ihre Hände; und ich spürte, daß sie mich in meinem Winkel sah, wo ich noch immer saß und auf dem Stuhl schaukelte. »Du hast mir das nie gesagt«, sagte sie. »Jetzt sage ich es, und es ist die Wahrheit«, sagte ich. Auf der anderen Seite des Leuchters bat sie um eine Zigarette. Der Stummel war zwischen meinen Fingern verschwunden. Ich hatte vergessen, daß ich rauchte. Sie sagte: »Ich weiß nicht, warum ich mich nicht daran erinnern kann, wo ich es geschrieben habe.« Und ich sagte zu ihr: »Aus demselben Grund, aus dem ich mich morgen früh nicht an die Worte werde erinnern können.« Und sie sagte traurig: »Nein. Ich glaube nämlich manchmal, daß ich auch das geträumt habe.« Ich stand auf und schritt auf den Leuchter zu. Sie stand etwas weiter weg, und ich schritt weiter, Zigaretten und Streichhölzer in der Hand, die nicht über den Leuchter hinüberreichen würde. Ich bot ihr eine Zigarette an. Sie steckte sie zwischen die Lippen und beugte sich vor, um die Flamme zu erreichen, bevor ich Zeit hatte, ein Streichholz zu entzünden: »In irgendeiner Stadt der Welt müssen auf allen Mauern diese Worte stehen: ›Augen eines blauen Hundes‹«, sagte ich. »Wenn ich mich morgen daran erinnerte, würde ich dich holen.« Wieder hob sie den Kopf und hielt bereits die brennende Zigarette zwischen den Lippen. »Augen eines blauen Hundes«, seufzte sie in Erinnerung, mit zum Kinn herabhängender Zigarette und einem halb geschlossenen Auge. Dann atmete sie den Rauch ein, die Zigarette zwischen den Fingern, und rief: »Das ist etwas anderes. Mir wird heiß.« Und sie sagte es mit lässiger ausweichender Stimme, als habe sie es in Wirklichkeit nicht gesagt, sondern nur auf ein Stück Papier geschrieben und dieses Papier der Flamme genähert, während ich las: »Mir wird« – und das Papierchen weiter zwischen Daumen und Zeigefinger hielt und drehte, während es verbrannte und ich seinen Inhalt gelesen hätte – … »heiß«, bevor das Papierchen ganz verbrannte, zerknittert, geschrumpft zu Boden fiel und zu einem winzigen Häufchen Asche zerfiel: »So ist es besser«, sagte ich. »Manchmal habe ich Angst, dich so zu sehen. Neben dem Leuchter zitternd.«

Wir sahen uns sei mehreren Jahren. Bisweilen, wenn wir zusammen waren, ließ draußen jemand ein Löffelchen fallen und wir erwachten. Nach und nach hatten wir begriffen, daß unsere Freundschaft von den Dingen, von den einfachsten Ereignissen abhing. Unsere Begegnungen endeten immer so, mit dem Fall eines Löffelchens im Morgengrauen.

Jetzt blickte sie mich neben dem Leuchter an. Ich erinnerte mich, daß sie mich auch früher so angeblickt hatte, in jenem fernen Traum, in dem ich meinen Stuhl auf den Hinterbeinen drehte und vor einer Unbekannten mit Ascheaugen saß. In diesem Traum war es gewesen, daß ich sie zum esten Mal fragte: »Wer sind Sie?« Und sie sagte zu mir: »Ich erinnere mich nicht daran.« Und ich sagte zu ihr: »Ich glaube aber, wir haben uns schon früher gesehen.« Und sie sagte gleichgültig: »Ich glaube, daß ich einmal von Ihnen, von diesem Zimmer geträumt habe.« Und ich sagte zu ihr: »Sehr richtig. Ich beginne, mich daran zu erinnern.« Und sie sagte: »Merkwürdig. Wir sind uns bestimmt schon in anderen Träumen begegnet.«

Sie zog zweimal an ihrer Zigarette. Ich stand noch vor dem Leuchter, als ich sie mit einemmal anblickte. Ich blickte sie von oben bis unten an, sie war noch immer kupferfarben; doch nicht mehr aus hartem, kalten Metall, sondern aus Messing, weich, schmiedefähig. »Ich möchte dich berühren«, sagte ich wieder. Und sie sagte: »Du würdest alles zunichte machen.« Ich sagte: »Das spielt jetzt keine Rolle mehr. Wir brauchen nur das Kissen umzudrehen, um uns wieder zu begegnen.« Ich streckte die Hand über dem Leuchter aus. Sie regte sich nicht. »Du würdest alles zunichte machen«, sagte sie wieder, bevor ich sie berühren konnte. »Vielleicht würden wir, wenn du dich hinter dem Leuchter umdrehst, irgendwo in der Welt erschreckt aus dem Schlaf auffahren.« Aber ich beharrte wieder: »Es spielt keine Rolle.« Und sie sagte: »Wenn wir das Kopfkissen umdrehten, würden wir uns wieder begegnen. Aber du, wenn du erwachst, wirst es vergessen haben.« Ich begann mich zur Ecke hin zu bewegen. Sie blieb stehen und wärmte sich die Hände über der Flamme. Ich war noch nicht bei meinem Stuhl, als ich sie hinter meinem Rücken sagen hörte: »Wenn ich um Mitternacht aufwache, drehe ich mich im Bett um, bis mir das Leintuch die Knie wund scheuert, während ich bis zum Tagesanbruch aufsage: ›Augen eines blauen Hundes‹.«

Dann verharrte ich mit dem Gesicht gegen die Wand. »Es tagt schon«, sagte ich, ohne sie anzublicken. »Als es zwei Uhr schlug, war ich schon wach, und das ist eine ganze Weile her.« Ich ging auf die Tür zu. Als ich die Klinke anfaßte, hörte ich von neuem ihre gleichbleibende, unveränderliche Stimme: »Mach diese Tür nicht auf«, sagte sie. »Der Gang ist voll von schwierigen Träumen.« Und ich sagte zu ihr: »Woher weißt du das?« Und sie sagte zu mir: »Weil ich vor einem Augenblick dort war und zurückkehren mußte, als ich entdeckte, daß ich auf dem Herzen schlief.« Ich hielt die Tür halb offen. Ich bewegte den Türflügel ein wenig, ein kühles, sanftes Windchen brachte mir frischen Geruch von Gartenerde, von feuchtem Feld. Wieder sprach sie. Ich machte kehrt, bewegte noch den in geräuschlosen Angeln gleitenden Flügel und sagte: »Ich glaube, dort draußen ist kein Gang. Ich spüre den Geruch von freiem Feld.« Und sie, schon etwas weiter weg, sagte: »Ich kenne das besser als du. Es ist nämlich so, daß da draußen eine Frau vom Feld träumt.« Sie verschränkte die Arme über der Flamme. Und sprach weiter: »Es ist die Frau, die sich immer ein Haus auf dem Lande gewünscht hat und nie aus der Stadt herausgekommen ist.« Ich erinnerte mich, die Frau in einem früheren Traum gesehen zu haben, wußte aber schon bei halboffener Tür, daß innerhalb einer halben Stunde das Frühstück herunterkommen würde. Und ich sagte: »Jedenfalls muß ich hier herauskommen, um aufzuwachen.«

Draußen wehte der Wind einen Augenblick, blieb dann still, und man hörte den Atem eines Schläfers, der sich gerade im Bett umgedreht hatte. Der Wind auf dem Feld hielt inne. Die Gerüche schwanden. »Morgen werde ich dich daran erkennen«, sagte ich. »Ich werde dich erkennen, wenn ich auf der Straße eine Frau sehe, die an die Wände schreibt: ›Augen eines blauen Hundes‹.« Und sie sagte mit traurigem Lächeln, und es war bereits ein Lächeln der Hingabe ans Unmögliche, ans Unerreichbare: »Dennoch wirst du dich während des Tages an nichts erinnern.« Wieder hielt sie die Hände über den Leuchter, das Antlitz von bitterem Nebel verdüstert: »Du bist der einzige Mann, der sich beim Erwachen an nichts von dem erinnert, was er geträumt hat.«

Die Frau, die um sechs kam

Die Schwingtür ging auf. Zu dieser Stunde war niemand in Josés Restaurant. Es hatte gerade sechs geschlagen, und der Mann wußte, daß erst gegen halb sieben die ersten Stammgäste kamen. Seine Kundschaft war so konservativ und beständig, daß noch nicht der sechste Schlag der Uhr verklungen war, als auch schon eine Frau hereinkam, wie jeden Tag zu dieser Stunde, und sich wortlos auf den hohen Drehstuhl setzte. Sie hielt eine unangezündete Zigarette zwischen den Lippen.

»Hallo, Königin«, sagte José, als er sah, wie sie sich setzte. Dann schritt er ans andere Ende der Theke und reinigte mit einem trockenen Lappen deren Glasoberfläche. Immer wenn jemand das Restaurant betrat, machte José das gleiche. Sogar bei der Frau, zu der er eine gewisse Vertraulichkeit gewonnen hatte, führte der fette rotgesichtige Gastwirt seine tägliche Komödie des dienstbeflissenen Mannes vor. Er sagte vom äußersten Ende der Theke: »Was willst du heute?«

»Vor allem will ich dich lehren, Kavalier zu sein«, sagte die Frau. Sie saß am Ende der Reihe von Drehstühlen, die Ellbogen auf die Theke gestützt, die erloschene Zigarette zwischen den Lippen. Als sie sprach, preßte sie den Mund zusammen, damit José die nicht brennende Zigarette auffiel.

»Ich hatte es nicht bemerkt«, sagte José.

»Bis heute hast du noch nichts bemerkt«, sagte die Frau.

Der Mann ließ den Lappen auf der Theke liegen, ging zu den dunklen, nach Teer und staubigem Holz riechenden Schränken und kehrte sogleich mit Streichhölzern zurück. Die Frau neigte sich vor, um die Flamme zu erreichen, die zwischen den bäuerlichen, haarigen Händen des Mannes brannte. José sah das üppige Haar der Frau, auftoupiert mit fettiger, billiger Vaseline. Er sah ihre entblößte Schulter über der geblümten Korsage. Er sah den Ansatz der welken Brust, als die Frau den Kopf hob und ihre Zigarette schon glimmte.

»Bist schön heute, Königin«, sagte José.

»Laß den Quatsch«, sagte die Frau. »Glaub nicht, daß mir das hilft, dich zu bezahlen.«

»Das wollte ich nicht damit sagen, Königin«, sagte José. »Ich wette, dir ist heute das Mittagessen schlecht bekommen.« Die Frau schluckte den ersten Zug dichten Rauchs herunter, verschränkte die Arme, die sie noch auf der Theke aufgestützt hatte, und blickte durch die große Scheibe des Restaurants auf die Straße. Sie hatte einen schwermütigen Gesichtsausdruck. Von angewiderter, vulgärer Schwermut.

»Ich werde dir ein anständiges Beefsteak braten«, sage José.

»Ich habe noch kein Geld«, sagte die Frau.

»Seit drei Monaten hast du kein Geld, und noch immer habe ich dir etwas Anständiges vorgesetzt«, sagte José.

»Heut ist es anders«, sagte die Frau düster und blickte noch immer auf die Straße.

»Alle Tage sind gleich«, sagte José. »Alle Tage schlägt die Uhr sechs, du kommst rein und sagst, daß du einen Bärenhunger hast, und ich setze dir etwas Anständiges vor. Der einzige Unterschied ist der: Heute sagst du nicht, daß du einen Bärenhunger hast, sondern nur, daß der Tag anders ist.«

»Und es ist wahr«, sagte die Frau. Wieder blickte sie den Mann an, der auf der anderen Seite der Theke den Kühlschrank durchsuchte. Er tat das zwei, drei Sekunden lang. Dann blickte er auf die Uhr über dem Schrank. Es war drei Minuten nach sechs. »Es ist wahr, José. Heute ist es anders«, sagte sie. Sie stieß den Rauch aus und sprach leidenschaftlich, kurz angebunden. »Heute bin ich nicht um sechs gekommen, darum ist es anders, José.«

Der Mann blickte auf die Uhr.

»Ich hacke mir den Arm ab, wenn diese Uhr da eine Minute nachgeht«, sagte er.

»Das ist es nicht, José. Heute bin ich nicht um sechs gekommen«, sagte die Frau. »Ich bin um Viertel vor sechs gekommen.«

»Es ist gerade sechs, Königin«, sagte José. »Als du hereinkamst, hatte es soeben sechs geschlagen.«

»Ich bin seit einer Viertelstunde hier«, sagte die Frau.

José ging zu ihrem Platz. Er schob sein riesiges aufgedunsenes Gesicht dicht zu ihr hin und zog mit dem Zeigefinger eines seiner Augenlider hoch.

»Blas mir hier drauf«, sagte er.

Die Frau warf den Kopf zurück. Sie war ernst, gelangweilt, weich, verschönt von einer Wolke aus Trauer und Müdigkeit. »Laß den Quatsch, José. Du weißt, daß ich seit über sechs Monaten nicht mehr trinke.«

»Das kannst du jemand anderem flüstern«, sagte er, »mir nicht. Ich wette, ihr habt zu zweit mindestens einen Liter getrunken.«

»Ich habe zwei Schluck mit einem Freund gekippt«, sagte die Frau.

»Aha, das erklärt alles«, sagte José.

»Das erklärt gar nichts«, sagte die Frau. »Ich bin seit einer Viertelstunde hier.«

Der Mann zuckte mit den Achseln.

»Schön, wenn du darauf bestehst, bist du seit einer Viertelstunde hier«, sagte er. »Letzten Endes kommt es niemand auf zehn Minuten mehr oder weniger an.«

»Im Gegenteil, José«, sagte die Frau. Und streckte die Arme mit dem Ausdruck nachlässiger Hingabe auf der Glasoberfläche der Theke aus. Sie sagte: »Und nicht etwa, weil ich es so will: Es ist eine Viertelstunde vergangen, seit ich hier bin.« Wieder blickte sie auf die Uhr und berichtigte: »Was sage ich, es sind zwanzig Minuten.«

»Ist gut, Königin«, sagte der Mann. »Ich würde dir einen ganzen Tag und die Nacht dazu schenken, um dich zufrieden zu sehen.«

Während der ganzen Zeit hatte José sich hinter der Theke

zu schaffen gemacht, Gegenstände umgeräumt, irgend etwas von einer Stelle zur anderen geschoben. Er war in seinem Element.

»Ich möchte dich zufrieden sehen«, wiederholte er. Plötzlich hielt er inne und kehrte zu der Stelle zurück, wo die Frau saß: »Weißt du, daß ich dich sehr gern habe?«

Die Frau blickte ihn kalt an.

»Na sowas? Was für eine Entdeckung, José. Glaubst du, ich würde für eine Million Pesos bei dir bleiben?«

»Das habe ich damit nicht sagen wollen, Königin«, sagte José. »Ich wette noch einmal, daß dir das Mittagessen schlecht bekommen ist.«

»Ich sag's nicht deshalb«, sagte die Frau. Und ihre Stimme klang weniger gleichgültig. »Keine Frau würde dein Gewicht aushalten, nicht für eine Million Pesos.«

José wurde rot. Er drehte der Frau den Rücken zu und schüttelte den Staub von den Flaschen im Schrank. Er sprach, ohne das Gesicht zu wenden. »Heut bist du unerträglich, Königin. Ich glaube, es ist das beste, du ißt dein Beefsteak und gehst schlafen.«

»Ich habe keinen Hunger«, sagte die Frau. Wieder blickte sie auf die Straße und sah die düsteren Fußgänger der verdämmernden Stadt. Einen Augenblick herrschte düstere Stille in dem Restaurant. Eine Ruhe, die nur Josés Hantieren in seinem Schrank unterbrach. Mit einemmal blickte die Frau nicht mehr auf die Straße und sprach mit leiser, zärtlicher, veränderter Stimme. »Ist es wahr, daß du mich magst, Pepillo?«

»Es ist wahr«, sagte José trocken, ohne sie anzublicken.

»Obwohl ich das zu dir gesagt habe?« sagte die Frau.

»Was hast du zu mir gesagt?« sagte José, ohne seinen Tonfall zu verändern, noch immer ohne sie anzublicken.

»Das mit der Million Pesos«, sagte die Frau.

»Ich hatte es schon vergessen«, sagte José.

»Du magst mich also?« fragte die Frau.

»Ja«, sagte José.

Es entstand eine Pause. Josés Gesicht war noch immer den

Schränken zugewandt, noch immer blickte er die Frau nicht an. Sie stieß eine neue Rauchwolke aus, lehnte die Brust auf die Theke und sagte behutsam, pfiffig, sich auf die Zunge beißend, bevor sie es sagte, als spreche sie auf Zehnspitzen: »Auch wenn ich nicht mit dir schlafe?«

Erst jetzt drehte José sich um und blickte sie an.

»Ich mag dich so sehr, daß ich nicht mit dir schlafen würde«, sagte er. Dann ging er zu ihrem Platz hinüber. Die mächtigen Arme vor ihr auf die Theke gestützt, blickte er sie von vorne an, blickte ihr in die Augen, sagte: »Ich mag dich so gerne, daß ich jeden Abend den Mann töten würde, der mit dir geht.«

Im ersten Augenblick schien die Frau verblüfft. Dann blickte sie den Mann aufmerksam an, mit einem schwankenden Ausdruck von Mitleid und Spott. Dann, aus der Fassung gebracht, bewahrte sie kurz Stillschweigen. Und dann lachte sie schallend heraus. »Du bist eifersüchtig, José. Ist ja toll, du bist eifersüchtig!« Wieder errötete José mit freimütiger, fast verschämter Schüchternheit, wie ein kleiner Junge, dem man alle Geheimnisse auf einmal offenbart hat. Er sagte: »Heute abend verstehst du rein gar nichts, Königin.« Und wischte sich den Schweiß mit dem Lappen ab. Er sagte: »Das schlimme Leben verroht dich.«

Doch jetzt veränderte die Frau ihren Gesichtsaudruck.

»Dann eben nicht«, sagte sie. Und blickte ihm wieder in die Augen mit einem merkwürdigen Glanz im Blick, verhärmt und zugleich herausfordernd: »Dann bist du also nicht eifersüchtig.«

»In gewisser Weise doch«, sagte José. »Aber nicht wie du sagst.« Er lockerte den Kragen und rieb sich weiter ab, trocknete sich den Hals mit dem Lappen ab.

»Also?« sagte die Frau.

»Es stimmt, ich mag dich so sehr, daß es mir nicht gefällt, wenn du das machst«, sagte José.

»Was?« sagte die Frau.

»Daß du jeden Tag mit einem anderen Mann abhaust«, sagte José.

»Ist es wahr, daß du ihn umbringen würdest, damit er nicht mit mir losginge?« sagte die Frau.

»Damit er nicht mit dir losginge, nicht«, sagte José. »Ich würde ihn umbringen, weil er mit dir losgegangen *ist.*«

»Kommt aufs gleiche heraus«, sagte die Frau.

Die Unterhaltung war auf dem Siedepunkt angelangt. Die Frau sprach leise, sanft, beschwörend. Sie hielt das Gesicht fast hautnah an die gesunde, sanfte Backe des Mannes, der, vom Hauch ihrer Worte verzaubert, regungslos verharrte.

»All das ist wahr«, sagte José.

»Dann« – sagte die Frau und streckte die Hand aus, um den rauhen Arm des Mannes zu streicheln. Mit der anderen schnippte sie den Zigarettenstummel fort – »... dann bist du also imstande, einen Mann umzubringen?«

»Wegen dem, was ich dir gesagt habe, ja«, sagte José. Und seine Stimme klang fast dramatisch.

Die Frau lachte krampfhaft los, doch offenbar mit der Absicht, ihn zu verspotten.

»Wie schrecklich, José. Wie schrecklich«, sagte sie, noch immer lachend. »José, der einen Menschen umbringt. Wer hätte gedacht, daß hinter dem dickbäuchigen, scheinheiligen Herrn, der mich nie zahlen läßt, der mir jeden Tag ein Beefsteak brät und sich mit mir unterhält, bis ich einen Mann finde, ein Mörder steckt. Wie schrecklich, José! Du machst mir Angst!«

José war verwirrt. Vielleicht fühlte er einen Anflug von Empörung. Vielleicht fühlte er sich, als die Frau loslachte, hintergangen.

»Du bist besoffen, Dummerchen«, sagte er. »Geh schlafen. Du hast nicht mal Lust auf was Eßbares.«

Doch die Frau, die jetzt nicht mehr lachte und wieder ernst war, nachdenklich, lehnte sich auf die Theke. Sie sah, wie der Mann sich entfernte. Sie sah ihn den Kühlschrank öffnen und wieder schließen, ohne etwas herauszunehmen. Dann sah sie ihn bis zum äußersten Ende der Theke gehen. Sie sah ihn, wie zu Anfang, das schimmernde Glas polieren. Dann sprach die

Frau wieder in dem rührenden, sanften Tonfall, als sie gesagt hatte: ›Ist es wahr, daß du mich magst, Pepillo?‹

»José«, sagte sie.

Der Mann blickte sie nicht an.

»José!«

»Geh schlafen«, sagte José. »Und nimm ein Bad, bevor du dich hinlegst, damit du deine Besoffenheit abreagierst.«

»Ehrlich, José«, sagte die Frau. »Ich bin nicht besoffen.«

»Dann bist du wieder mal brutal«, sagte José.

»Komm her, ich muß mit dir reden«, sagte die Frau.

Der Mann schwankte näher, halb bereitwillig, halb mißtrauisch.

»Komm näher!«

Wieder blieb der Mann vor der Frau stehen. Sie beugte sich vor, zog ihn fest am Haar, doch offensichtlich mit einer Gebärde der Zartheit.

»Wiederhole mir, was du anfangs zu mir gesagt hast«, sagte sie.

»Was?« sagte José. Am Haar gepackt, suchte er sie mit geducktem Kopf anzublicken.

»Daß du einen Mann umbringen würdest, der mit mir ins Bett ginge«, sagte die Frau.

»Ich würde einen Mann umbringen, der mit dir ins Bett gegangen wäre, Königin. Das ist wahr«, sagte José.

Die Frau ließ ihn los.

»Dann würdest du mich verteidigen, wenn ich ihn umbrächte?« sagte sie bekräftigend und stieß mit derber Koketterie gegen Josés riesigen Schweinekopf. Der Mann erwiderte nichts; er lächelte.

»Antworte mir, José«, sagte die Frau. »Würdest du mich verteidigen, wenn ich ihn umbrächte?«

»Kommt darauf an«, sagte José. »Du weißt, es ist leichter gesagt als getan.«

»Niemandem glaubt die Polizei eher als dir«, sagte die Frau. José lächel würdevoll, befriedigt. Die Frau beugte sich ihm von neuem über die Theke zu.

»Es ist wahr, José. Ich möchte wetten, du hast nie eine Lüge ausgesprochen«, sagte sie.

»Damit erreicht man nichts«, sagte José.

»Ist egal«, sagte die Frau. »Die Polizei weiß das und glaubt dir alles, ohne dich zweimal zu fragen.«

José begann, vor ihr leicht auf die Theke zu hämmern, ohne zu wissen, was er sagen sollte. Wieder blickte die Frau auf die Straße. Dann blickte sie auf die Uhr und veränderte ihren Tonfall, als sei sie darauf aus, das Zwiegespräch zu beenden, bevor die ersten Stammgäste kämen.

»Für mich würdest du lügen, José?« sagte sie. »Wahrhaftig.« Jetzt blickte José sie plötzlich wieder tief an, als hämmere eine unheimliche Idee in seinem Kopf. Eine Idee, die zu einem Ohr hineinging, einen Augenblick unbestimmt und wirr kreiste und sogleich zum anderen herauskam und nur eine heiße Spur des Entsetzens hinterließ.

»In was für einen Schlamassel hast du dich eingelassen, Königin?« sagte José. Er neigte sich vor und verschränkte von neuem die Arme auf der Theke. Die Frau spürte den starken, leicht ammoniakhaltigen Hauch seines Atems, der wegen des Drucks der Theke auf den Magen des Mannes schwer ging.

»Ich meine es ernst, Königin. In was für einen Schlamassel hast du dich eingelassen?« sagte er.

Die Frau drehte ihren Kopf auf die andere Seite.

»In nichts«, sagte sie. »Ich hab' nur so geredet, um mich zu zerstreuen.«

Dann blickte sie ihn wieder an.

»Weißt du, daß du vielleicht gar niemand umbringen mußt?«

»Ich hab' nie daran gedacht, irgend jemanden umzubringen«, sagte José fassunglos.

»Nein, Mann«, sagte die Frau. »Ich meine niemanden, der mit mir ins Bett geht.«

»Ah!« sagte José. »Jetzt redest du Klartext. Ich habe immer geglaubt, daß du es nicht nötig hast, so ein Leben zu führen. Ich garantiere dir, daß ich, wenn du das sein läßt, dir jeden Tag noch ein größeres Beefsteak brate, ohne dir einen Centavo abzuknöpfen.«

»Danke, José«, sagte die Frau. »Aber es ist nicht deshalb. Es ist, weil ich mit niemandem mehr ins Bett gehen *kann.*«

»Schon wieder bringst du alles durcheinander«, sagte José. Er wirkte langsam ungeduldig.

»Ich bringe überhaupt nichts durcheinander«, sagte die Frau. Sie streckte sich auf dem Stuhl, und José sah ihre schlaffen traurigen Brüste unter der Korsage.

»Morgen gehe ich fort und verspreche dir, daß ich dich nie mehr belästigen werde. Ich verspreche dir, daß ich nie mehr mit einem ins Bett gehen werde.«

»Und woher kommt dir plötzlich die Hast?« sagte José.

»Ich hab' mich vor einem Weilchen entschlossen«, sagte die Frau. »Erst vor einem Augenblick ist mir klar geworden, daß es eine Schweinerei ist.«

José packte von neuem den Lappen und rieb wieder die Glasplatte neben ihr. Er redete, ohne sie anzublicken.

Er sagte: »Klar, so wie du's machst, ist es eine Schweinerei. Das hätte dir schon eine Zeitlang klar sein müssen.«

»Schon eine Zeitlang war ich mir im klaren darüber«, sagte die Frau. »Doch erst seit einem Weilchen bin ich davon überzeugt. Die Männer widern mich an.«

José lächelte. Er hob den Kopf, um sie anzublicken, noch immer lächelnd, aber er sah sie konzentriert, bestürzt, redend, mit hochgezogenen Schultern; sie wiegte sich auf ihrem Drehstuhl mit schweigsamer Miene, das Gesicht von frühzeitig herbstlichem Schein vergoldet.

»Meinst du nicht, daß man eine Frau in Ruhe lassen sollte, die einen Mann umbringt, weil sie, nachdem sie mit ihm zusammen gewesen ist, von ihm und von all den anderen, die mit ihr zusammen gewesen sind, angewidert ist?«

»So weit braucht man nun wieder nicht gehen«, sagte José bewegt, mit einem Anflug von Mitleid in der Stimme.

»Und wenn die Frau zu dem Mann sagt, er widert sie an, wenn sie ihm beim Anziehen zusieht, weil sie sich daran erinnert, daß sie sich den ganzen Nachmittag mit ihm herumgewälzt hat und fühlt, daß sie weder mit Seife noch Waschlappen seinen Geruch loswird?«

»Das geht vorüber, Königin«, sagte José, etwas gleichgültig geworden, und rieb die Theke blank. »Man braucht ihn deshalb nicht umzubringen. Man läßt ihn einfach laufen.«

Aber die Frau redete weiter, und ihre Stimme war ein einförmiger, entfesselter, leidenschaftlicher Strom.

»Und wenn nun die Frau zu ihm sagt, daß er sie anwidert, und der Mann aufhört, sich anzuziehen, und wieder zu ihr hinläuft und anfängt, sie zu küssen und ...?«

»Sowas tut kein anständiger Mann«, sagte José.

»Aber wenn er es tut?« sagte die Frau mit verzweifeltem Drängen. »Wenn der Mann nicht anständig ist und es doch tut und die Frau fühlt, daß er sie so sehr anwidert, daß sie sterben könnte, und sie weiß, die einzige Möglichkeit, Schluß zu machen mit all dem, ist, ihm ein Messer in den Wanst zu jagen?«

»Das ist einfach barbarisch«, sagte José. »Zum Glück gibt es keinen Mann, der tut, was du da erzählst.«

»Schön«, sagte die Frau, nunmehr völlig verzweifelt. »Und wenn er es tut? Nimm an, er tut's.«

»Jedenfalls ist es nicht so schlimm«, sagte José. Noch immer putzte er die Theke, ohne sich von der Stelle zu bewegen und schenkte der Unterhaltung jetzt weniger Beachtung. Die Frau schlug mit den Fingerknöcheln auf das Glas. Wieder wurde sie aggressiv und heftig.

»Du bist ein Urwaldmensch, José«, sagte sie. »Du begreifst überhaupt nichts.« Sie packte ihn gewalttätig am Ärmel. »Los, sag, daß die Frau ihn natürlich umbringen mußte.«

»Ist gut«, sagte José einlenkend und versöhnlich. »Alles wird schon so sein, wie du sagst.«

»Ist das nicht Selbstschutz?« sagte die Frau und zupfte ihn am Ärmel.

José warf ihr jetzt einen warmen, freundlichen Blick zu.

»Fast, fast«, sagte er. Und zwinkerte ihr mit einem Auge zu, mit einer Gebärde, die herzliches Verstehen und zugleich fragwürdige Komplizenschaft war. Doch die Frau blieb ernst; sie ließ ihn los.

»Würdest du die Unwahrheit sagen, um eine Frau zu verteidigen, die das tut?« sagte sie.

»Kommt drauf an«, sagte José.

»Kommt worauf an?« sagte die Frau.

»Kommt auf die Frau an«, sagte José.

»Nimm an, es ist eine Frau, die du sehr gerne magst«, sagte die Frau. »Nicht, um mit ihr zusammen zu sein, weißt du? Sondern die du, wie du sagst, sehr gerne magst.«

»Schön, wie du willst, Königin«, sagte José lasch und gelangweilt.

Wieder entfernte er sich. Er hatte auf die Uhr gesehen. Er hatte gesehen, daß es gleich halb sieben war. Er hatte gedacht, daß sich in wenigen Minuten das Restaurant füllen würde, und vielleicht polierte er deshalb das Glas kräftiger und blickte dabei durch die Fensterscheibe auf die Straße. Die Frau blieb auf ihrem Stuhl sitzen, schweigsam, konzentriert, und schaute mit dem Ausdruck sinkender Traurigkeit den Bewegungen des Mannes zu. Sie sah ihn, wie eine allmählich verlöschende Lampe einen Mann sehen mochte. Plötzlich, ohne sichtliches Zeichen, sprach sie von neuem, mit salbungsvoller, sanftmütiger Stimme.

»José!«

Der Mann blickte sie mit trauriger, vager Zärtlichkeit an, wie eine Mutterkuh. Er blickte sie nicht an, um ihr zuzuhören, sondern nur um sie zu sehen, um zu wissen, daß sie da war, und wartete auf einen Blick, der nicht unbedingt beschirmend oder mitfühlend sein mußte. Nur einen spielerischen Blick.

»Ich habe dir gesagt, daß ich morgen fortgehe, und du hast darauf nichts zu mir gesagt«, sagte die Frau.

»Doch«, sagte José. »Du hast mir aber nicht gesagt, wohin du gehst.«

»Irgendwohin«, sagte die Frau. »Wo es keine Männer gibt, die mit einem ins Bett gehen wollen.«

Wieder lächelte José.

»Gehst du wirklich?« fragte er, als werde ihm plötzlich das Leben bewußt, und veränderte jäh seinen Gesichtsausdruck.

»Das hängt von dir ab«, sagte die Frau. »Wenn du mir genau sagen kannst, zu welcher Zeit ich gekommen bin, gehe ich morgen fort und mische mich nie mehr in diese Dinge. Einverstanden?«

José bejahte mit dem Kopf, lächelnd und positiv. Die Frau beugte sich zu ihm hinüber.

»Wenn ich eines Tages wieder hierher komme, werde ich eifersüchtig sein, wenn ich, zu dieser Stunde und auf diesem Stuhl, eine andere Frau mit dir reden sehe.«

»Wenn du wiederkommst, mußt du mir was mitbringen«, sagte José.

»Ich verspreche dir, daß ich überall das Aufziehbärchen suche, um's dir zu bringen«, sagte die Frau.

José lächelte und fuhr mit dem Lappen durch die Luft, die ihn von der Frau trennte, als reinige er eine unsichtbare Scheibe. Auch die Frau lächelte, nun mit einem Anflug von Herzlichkeit und Koketterie. Dann schob sich der Mann fort und rieb die Glasplatte am äußersten Ende der Theke ab.

»Was?« sagte José, ohne sie anzublicken.

»Du wirst doch jedem, der dich fragt, zu welcher Zeit ich gekommen bin, sagen, um Viertel vor sechs?« sagte die Frau.

»Wozu?« sagte José und blickte sie noch immer nicht an, als habe er sie eben erst gehört.

»Spielt keine Rolle«, sagte die Frau. »Hauptsache, du tust es.« Jetzt sah José den ersten Stammgast, der durch die Schwingtür hereinkam und auf einen Ecktisch zuging. Er blickte auf die Uhr. Es war Punkt halb sieben.

»Ist gut, Königin«, sagte er zerstreut. »Wie du willst. Ich mache immer alles, wie du's willst.«

»Schön«, sagte die Frau. »Dann brat mir jetzt mein Beefsteak.«

Der Mann ging zum Kühlschrank, holte einen Teller mit Fleisch heraus und stellte ihn auf den Tisch. Dann zündete er den Herd an. »Ich werde dir ein anständiges Abschiedsbeefsteak braten«, sagte er.

»Danke, Pepillo«, sagte die Frau.

Sie versank in Nachdenken, als sei sie plötzlich in eine seltsame Unterwelt getaucht, bevölkert von trüben, unbekannten Formen. Auf der anderen Seite der Theke war das Geräusch des frischen Fleischs in der siedenden Butter nicht zu hören. Nachher hörte sie auch nicht das trockene, brodelnde Knistern, als José das Lendenstück in der Pfanne umdrehte und der saftige Geruch des gewürzten Fleischs allmählich die Luft des Restaurants sättigte. Gesammelt, übermäßig gesammelt saß sie da, bis sie endlich blinzelnd den Kopf hob, als sei sie von einem sekundenlangen Tod zurückgekehrt. Dann sah sie den Mann, der, vom fröhlich lodernden Feuer erleuchtet, vor dem Herd stand.

»Pepillo.«

»Ah!«

»Woran denkst du?« sagte die Frau.

»Ich dachte, ob du irgendwo das Aufziehbärchen finden könntest«, sagte José.

»Klar kann ich das«, sagte die Frau. »Aber ich will, daß du mir sagst, ob du mir alles gibst, was ich mir zum Abschied von dir wünsche.«

José blickte vom Herd auf.

»Bis wann soll ich dir das sagen?« sagte er. »Willst du noch mehr als das beste Beefsteak?«

»Ja«, sagte die Frau.

»Was?« sagte José.

»Ich will noch eine Viertelstunde.«

José lehnte den Körper zurück, um auf die Uhr zu sehen. Dann blickte er auf den Stammgast, der still in seiner Ecke wartete, und schließlich auf das Fleisch, das in der Pfanne bräunte. Erst dann sprach er.

»Im Ernst, ich verstehe nicht, Königin«, sagte er.

»Sei nicht blöd, José«, sagte die Frau. »Denk daran, daß ich seit halb sechs hier bin.«

Nabo. Der Neger, der die Engel warten ließ . . .

Nabo lag auf dem Gesicht im Heu. Er spürte den Uringeruch des Stalls, der über seinen Körper strich. Er fühlte auf der grauen glänzenden Haut die lauwarme Lohe der letzten Pferde, aber er fühlte nicht seine Haut. Nabo fühlte nichts. Es war, als habe er seit dem letzten Schlag des Hufs gegen seine Stirn geschlafen und seither nur dieses eine Gefühl. Ein doppeltes Gefühl, das ihm den Geruch nach feuchtem Stall und zugleich das unzählige Gewusel der unsichtbaren Insekten im Heu anzeigte. Er öffnete die Augen. Er schloß sie wieder und verharrte ruhig, ausgestreckt, hart, wie er es den ganzen Nachmittag getan hatte, und er fühlte sich zeitlos wachsen, bis jemand hinter ihm sagte: »Los, Nabo. Du hast genug geschlafen.« Er drehte sich um und sah nicht die Pferde, obwohl die Tür geschlossen war. Nabo mußte sich sagen, daß die Tiere irgendwo in der Dunkelheit waren, obwohl er nicht ihr ungeduldiges Ausschlagen hörte. Er sagte sich, daß der, der mit ihm sprach, wohl außerhalb des Pferdestalls war, denn die Tür war von innen verschlossen und verriegelt. Wieder sagte die Stimme hinter ihm: »Ganz recht, Nabo, du hast genug geschlafen. Du schläfst seit gut drei Tagen.« Erst jetzt öffnete Nabo die Augen ganz und erinnerte sich: Ich bin hier, weil ein Pferd mir einen Hufschlag versetzt hat.

Er wußte nicht, in welcher Stunde er lebte. Die Tage waren zurückgeblieben. Es war, als habe jemand mit einem feuchten Schwamm über die fernen Samstagabende gewischt, an denen er auf den Dorfplatz gegangen war. Er vergaß sein weißes Hemd. Er vergaß, daß er einen grünen Hut besaß, aus grünem Stroh, und eine dunkle Hose. Er vergaß, daß er keine Schuhe besaß. Nabo ging Samstag abends auf den Platz, setzte sich in eine Ecke, stumm, aber nicht um die Musik zu hören, sondern um den Neger zu sehen. Er sah ihn jeden Samstag. Der Neger trug eine Hornbrille, die an den Ohren festgebunden war, und spielte an einem der hinteren Notenpulte Saxophon. Nabo sah den Neger, aber der Neger sah Nabo nicht. Jedenfalls, hätte jemand gewußt, daß Nabo Samstag abends auf den Platz ging, um den Neger zu sehen, und ihn gefragt (nicht jetzt, weil er sich nicht daran erinnern konnte), ob der Neger ihn denn einmal gesehen habe, hätte Nabo nein gesagt. Es war das einzige, was er nach dem Pferdestriegeln tat: den Neger sehen.

Eines Samstags stand der Neger nicht hinter seinem Notenpult der Musikkapelle. Nabo dachte wohl zunächst, er würde nicht mehr bei den Volkskonzerten mitspielen, obwohl das Notenpult noch dort stand. Und trotzdem, gerade weil das Notenpult da stand, dachte er später, würde der Neger am kommenden Samstag wieder spielen. Doch am kommenden Samstag kam er nicht wieder, und auch das Notenpult stand nicht mehr an seinem Platz.

Nabo drehte sich auf die Seite und sah den Mann, der mit ihm sprach. Zunächst erkannte er ihn nicht, ausgelöscht, wie jener von der Dunkelheit des Pferdestalls war. Der Mann saß auf einer vorspringenden Bodenplanke, redete und hämmerte sich auf die Knie. »Ein Pferd hat nach mir ausgeschlagen«, sagte Nabo wieder, bemüht, den Mann zu erkennen. »Stimmt«, sagte der Mann. »Aber die Pferde sind nicht mehr da, und wir erwarten dich im Chor.« Nabo schüttelte den Kopf. Er hatte noch nicht angefangen zu denken, glaubte aber bereits, den Mann irgendwo gesehen zu haben. Der Mann sagte, sie erwarteten Nabo im Chor. Nabo verstand nicht, wunderte sich aber nicht, daß jemand das zu ihm sagte, denn jeden Tag, während er die Pferde striegelte, erfand er Lieder, um diese zu unterhalten. Dann sang er dieselben Pferdelieder in der Stube, um die stumme Kleine zu unterhalten. Wenn jemand ihm während des Singens gesagt hätte, er wolle ihn zu einem Chor mitnehmen, er wäre nicht verwundert gewesen. Jetzt war er noch weniger verwundert, weil er nicht verstand.

Er war erschöpft, benommen, vertiert. »Ich will wissen, wo die Pferde sind«, sagte er. Der Mann sagte: »Ich habe dir doch gesagt, daß die Pferde nicht hier sind. Uns interessiert nur, eine Stimme wie die deine mitzubringen.« Vielleicht hörte Nabo mit dem Gesicht im Heu, aber er konnte den Schmerz, den der Huf auf seiner Stirn hinterlassen hatte, nicht von den anderen ungeordneten Empfindungen unterscheiden. Er wandte den Kopf im Heu und schlief ein.

Nabo ging dennoch zwei oder drei Wochen auf den Platz, obwohl der Neger nicht mehr in der Kapelle spielte. Vielleicht würde jemand Nabo geantwortet haben, wenn er gefragt hätte, was mit dem Neger passiert sei. Aber er fragte nicht, sondern hörte sich die Konzerte an, bis ein anderer Mann mit einem anderen Saxophon hinter dem Pult des Negers stand. Jetzt war Nabo überzeugt davon, daß der Neger nicht wieder kommen würde, und beschloß auch, nicht wieder auf den Platz zu gehen. Als er erwachte, glaubte er nur sehr kurz geschlafen zu haben. Noch immer brannte der Geruch nach feuchtem Heu in seiner Nase. Noch immer war die Dunkelheit vor seinen Augen und rings um ihn her. Doch noch immer war der Mann in der Ecke. Die dunkle friedliche Stimme des Mannes, der sich auf die Knie hämmerte, sagte: »Wir erwarten dich, Nabo. Du hast fast zwei Jahre lang geschlafen und willst immer noch nicht aufstehen.« Nabo schloß die Augen, öffnete sie, blickte in die Ecke und sah von neuem den Mann, verwirrt, ratlos. Erst jetzt erkannte er ihn.

Hätten wir im Haus gewußt, was Nabo Samstag abends auf dem Platz tat, wir hätten gedacht, daß er dann deshalb nicht mehr hinging, weil er bereits Musik im Haus hatte. Nämlich als wir das Grammophon brachten, um die Kleine zu unterhalten. Da jemand nötig war, um es den ganzen Tag aufzuziehen, schien es das nächstliegende, daß Nabo dieser Jemand sei. Er konnte es ja tun, wenn er nicht mit den Pferden beschäftigt war. Die Kleine saß und hörte die Platten. Mitunter, wenn die Musik spielte, rutschte die Kleine vom Stuhl, ohne den Blick von der Wand zu wenden, sabbelnd, und schleppte sich in den

Hausgang. Nabo hob die Nadel und begann zu singen. Anfangs, als er ins Haus gekommen war und wir ihn fragten, was er könne, sagte Nabo, er könne singen. Aber das interessierte niemanden. Was benötigt wurde, war ein Bursche zum Striegeln der Pferde. Nabo blieb, sang aber weiter, als hätten wir ihn aufgenommen, damit er singe, und als sei das Pferdestriegeln nur eine Unterhaltung, die die Arbeit leichter machte. Das ging so über ein Jahr, bis wir im Haus uns an den Gedanken gewöhnt hatten, daß die Kleine nie mehr gehen würde, nie mehr jemanden erkennen würde und die einsame tote Kleine bleiben würde, die Grammophon hörte, kalt auf die Wand blickte, bis wir sie vom Stuhl hoben und sie ins Schlafzimmer brachten. Jetzt tat sie uns nicht mehr weh, aber Nabo blieb ihr treu und zog stets pünktlich das Grammophon auf. Es war in den Tagen, als Nabo noch Samstag abends auf den Platz ging. Eines Tages, als der Bursche im Pferdestall war, sagte jemand am Grammophon: »Nabo.« Wir waren auf der Veranda, kümmerten uns nicht um das, was niemand gesagt haben konnte. Doch als wir zum zweiten Mal »Nabo« hörten, hoben wir den Kopf und fragten: »Wer ist bei der Kleinen?« Und jemand sagte: »Ich habe niemand reingehen sehen.« Und ein anderer sagte: »Ich bin sicher, eine Stimme gehört zu haben, die ›Nabo‹ gesagt hat.« Doch als wir nachsahen, fanden wir nur die Kleine auf dem Fußboden an der Wand lehnen.

Nabo kam früh wieder und legte sich zu Bett. Am darauffolgenden Samstag kehrte er nicht auf den Dorfplatz zurück, weil der Neger bereits ersetzt worden war. Und drei Wochen später, an einem Montag, begann das Grammophon zu spielen, während Nabo im Stall war. Anfangs kümmerte sich niemand darum. Erst später, als wir den Negerjungen kommen sahen, singend und vom Pferdewasser triefend, fragten wir: »Wie bist du herausgekommen?« Er sagte: »Durch die Tür. Ich war seit Mittag im Stall.« »Das Grammophon spielt. Hörst du es nicht?« fragten wir. Nabo sagte ja. Und wir fragten: »Wer hat es aufgezogen?« Und er, mit den Achseln zukkend: »Die Kleine. Sie zieht es schon lange auf.«

So standen die Dinge bis zu dem Tag, an dem wir ihn mit dem Gesicht im Heu liegen sahen, eingeschlossen im Stall und die Kante des Hufs in die Stirn gegraben. Als wir ihn an den Schultern hochhoben, sagte Nabo: »Ich bin hier, weil ein Pferd mich geschlagen hat.« Aber niemand interessierte sich für das, was er sagen mochte. Uns interessierten die kalten toten Augen und der mit grünem Schaum bedeckte Mund. Er weinte die ganze Nacht, fieberheiß, irre redend und von dem Kamm phantasierend, der im Heu des Stalls verlorengegangen war. Das war am ersten Tag. Am darauffolgenden, als er die Augen öffnete und sagte: »Ich habe Durst« und wir ihm Wasser brachten und er es in einem Zug austrank und er noch zweimal um etwas mehr bat, fragten wir ihn, wie er sich fühle, und er sagte: »Ich fühle mich, als hätte mich ein Pferd geschlagen.« Und er redete den ganzen Tag weiter und die ganze Nacht. Schließlich setzte er sich im Bett auf, deutete mit dem Zeigefinger nach oben und sagte, wegen der galoppierenden Pferde habe er die ganze Nacht kein Auge zugetan. Doch seit der vergangenen Nacht hatte er kein Fieber mehr. Auch redete er nicht mehr irre, sondern redete einfach weiter, bis wir ihm ein Taschentuch in den Mund stopften. Nun fing Nabo hinter dem Taschentuch zu singen an, sagte, neben seinem Ohr höre er das Atmen der blinden Pferde, die über der verschlossenen Tür nach Wasser suchten. Als wir ihn von dem Taschentuch befreiten, damit er etwas aß, drehte er sich zur Wand, und wir glaubten alle, er sei eingeschlafen, vielleicht schlief er auch kurze Zeit. Als er erwachte, lag er nicht mehr im Bett. Seine Füße und seine Hände waren an einem Stützbalken angebunden. Gefesselt begann Nabo zu singen.

Als er ihn erkannte, sagte Nabo zu dem Mann: »Ich habe Sie schon gesehen.« Und der Mann sagte: »Jeden Samstag hast du mich auf dem Platz gesehen.« Und Nabo sagte: »Stimmt, aber ich glaubte, ich hätte Sie gesehen, und Sie hätten mich nicht gesehen.« Und der Mann sagte: »Ich habe dich nie gesehen, aber nachher, als ich nicht mehr hinging, fühlte ich, als hätte mich jemand samstags nicht mehr gesehen.« Und Nabo sagte:

»Sie sind nicht mehr hingegangen, aber ich bin noch drei oder vier Wochen hingegangen.« Und der Mann, der sich noch immer nicht von der Stelle rührte, sich aber auf die Knie hämmerte: »Ich konnte nicht mehr auf den Platz gehen, obwohl es das einzige war, was sich lohnte.« Nabo versuchte sich aufzurichten, schüttelte den Kopf im Heu und hörte weiterhin der kalten beharrlichen Stimme zu, bis ihm nicht mal mehr Zeit blieb zu wissen, daß er von neuem einschlief. Das geschah immer, seitdem das Pferd ihn geschlagen hatte. Und immer hörte er die Stimme: »Wir erwarten dich, Nabo. Wir können schon nicht mehr nachrechnen, wie lange du geschlafen hast.«

Vier Wochen nachdem der Neger nicht mehr zur Kapelle zurückgekehrt war, kämmte Nabo den Schweif eines der Pferde. Das hatte er nie getan. Er striegelte sie nur, und dabei konnte man singen. Doch am Mittwoch war er auf den Markt gegangen, hatte einen Kamm gesehen und sich gesagt: Dieser Kamm da, zum Kämmen der Pferdeschweife. Dann geschah das mit dem Pferd, das nach ihm ausschlug und ihn fürs ganze Leben verblödete, vor zehn oder fünfzehn Jahren. Jemand im Haus sagte: »Besser, er wäre an dem Tag gestorben, statt durchzudrehen und das ganze Leben lang Unsinn zu reden.« Aber niemand hatte ihn wiedergesehen seit dem Tag, an dem wir ihn einsperrten. Wir wußten nur, daß er da war, eingesperrt im Schlafzimmer, und daß die Kleine nie wieder das Grammophon aufgezogen hatte. Aber im Haus legten wir kaum Wert darauf, das zu wissen. Wir hatten ihn eingesperrt, als sei er ein Pferd, als hätte der Schlag des Hufs ihm dessen Unbeholfenheit eingeimpft und ihm die ganze Sturheit der Pferde in die Stirn gegraben: die Vertiertheit. Und wir isolierten ihn in vier eigenen Wänden, als hätten wir beschlossen, ihn hinter Schloß und Riegel sterben zu lassen, weil wir nicht kaltblütig genug waren, ihn auf andere Weise zu töten. So vergingen vierzehn Jahre, bis eines von den Kindern heranwuchs und sagte, es verspüre Lust, sein Gesicht zu sehen. Und es öffnete die Tür.

Nabo sah wieder den Mann an. »Ein Pferd hat mich geschlagen«, sagte er. Und der Mann sagte: »Das sagst du seit Jahrhunderten, und dabei erwarten wir dich im Chor.« Nabo schüttelte wieder den Kopf, vergrub wieder die verletzte Stirn im Heu und glaubte sich plötzlich daran zu erinnern, wie alles gekommen war. »Es war das erste Mal, daß ich einem Pferd den Schweif kämmte«, sagte er. Und der Mann sagte: »Wir wollten es so, damit du bei uns im Chor singst.« Und Nabo sagte: »Ich hätte den Kamm nicht kaufen sollen.« Und der Mann sagte: »Du hättest ihn auf jeden Fall gefunden. Wir hatten beschlossen, daß du den Kamm findest und den Pferden die Schweife kämmst.« Und Nabo sagte: »Ich war nie hinter ihnen stehengeblieben.« Und der Mann, noch immer ruhig, noch immer ohne ungeduldig zu werden: »Aber du bist hinter ihm stehengeblieben, und das Pferd hat ausgeschlagen. Nur so konntest du zu uns in den Chor kommen.« Und die Unterhaltung, die unerbittliche, tägliche, ging so weiter, bis jemand im Haus sagte: »Es muß fünfzehn Jahre her sein, daß jemand diese Tür aufgemacht hat.« Die Kleine (sie war nicht gewachsen; sie war über die Dreißig hinaus und begann in den Lidern traurig zu werden) saß und blickte auf die Wand, als man die Tür öffnete. Sie wandte den Kopf und schnupperte nach der anderen Seite hin. Als man die Tür schloß, sagten sie wieder: »Nabo ist ruhig. Er bewegt sich schon nicht mehr dort drinnen. Eines Tages wird er sterben, und wir werden es nur durch den Gestank erfahren.« Und jemand sagte: »Wir werden es durch das Essen erfahren. Er hat nie aufgehört zu essen. Es geht ihm gut, so eingesperrt, ohne daß ihn jemand stört. Er kriegt gutes Licht von der Hinterseite.« Und so blieb alles; nur daß die Kleine weiterhin zur Tür blickte und den warmen Dunst witterte, der durch die Spalte drang. So verharrte sie bis zu dem Morgengrauen, als wir im Wohnzimmer ein metallisches Geräusch hörten und uns einfiel, daß es das gleiche Geräusch war, das fünfzehn Jahre früher zu hören gewesen war, als Nabo das Grammophon aufzog. Wir standen auf, zündeten die Lampe an und hörten die ersten Takte des vergessenen Liedes, des traurigen Liedes, das seit so vielen Jahren tot war auf der Platte. Das Geräusch ertönte weiter, immer unnatürlicher, bis ein trockener Knall zu hören war in dem Augenblick, als wir in die Stube traten und fühlten, daß die Platte noch klang, und wir die Kleine in der Ecke sahen, vor dem Grammophon, auf die Wand blickend, in der Hand die aus der Musiktruhe gelöste Kurbel. Wir rührten uns nicht. Die Kleine rührte sich nicht, sondern stand da, ruhig, steif, die Wand anblickend und die Kurbel in der Hand. Wir sagten nichts, sondern gingen ins Schlafzimmer zurück, und uns fiel ein, daß uns einmal jemand gesagt hatte, die Kleine wisse, wie man das Grammophon aufzieht. Daran dachten wir jetzt und konnten nicht einschlafen, wir hörten die kleine Melodie der abgespielten Platte, die sich noch dank der verbliebenen Kraft der gesprungenen Feder drehte.

Tags zuvor, als man die Tür öffnete, roch es drinnen nach biologischem Abfall, nach einem toten Körper. Derjenige, der geöffnet hatte, schrie: »Nabo! Nabo!« Aber niemand antwortete von drinnen. Vor dem Spalt stand der leere Teller. Dreimal am Tag schob man den Teller unter der Tür durch, und dreimal kam der Teller ohne Essen wieder heraus. Dadurch wußten wir, daß Nabo am Leben war. Aber nur dadurch. Er rührte sich nicht mehr drinnen, er sang nicht mehr. Es war wohl auch, nachdem man die Tür verschlossen hatte, daß Nabo zu dem Mann sagte: »Ich kann nicht zum Chor kommen.« Und der Mann fragte warum. Und Nabo sagte: »Weil ich keine Schuhe habe.« Und der Mann sagte, die Füße hebend: »Das macht nichts. Hier trägt niemand Schuhe.« Und Nabo sah die gelbliche harte Sohle der nackten Füße, die der Mann hochgehoben hatte. »Eine Ewigkeit schon warte ich auf dich«, sagte der Mann. »Vor einem Augenblick erst hat mich das Pferd geschlagen«, sagte Nabo. »Jetzt will ich mir etwas Wasser über den Kopf gießen, und dann will ich sie ausführen.« Und der Mann sagte: »Die Pferde brauchen dich nicht mehr. Es sind keine Pferde mehr da. Du sollst mit uns kommen.« Und Nabo sagte: »Die Pferde müßten hier sein.« Er richtete sich halb auf und vergrub die Hände im Heu, während der Mann sagte: »Fünfzehn Jahre schon haben sie niemand, der sie pflegt.« Aber Nabo scharrte auf dem Boden unter dem Heu und sagte: »Aber der Kamm muß noch da sein.« Und der Mann sagte: »Man hat den Pferdestall vor fünzehn Jahren geschlossen. Jetzt ist er voller Abfall.« Und Nabo sagte: »Abfall sammelt sich nicht in einem Nachmittag an. Bis ich den Kamm nicht gefunden habe, gehe ich hier nicht raus.«

Am darauffolgenden Tag, nachdem sie die Tür verriegelt hatten, hörten sie wieder drinnen das mühsame Treiben. Diesmal rührte sich niemand. Niemand sagte wieder etwas, als sie das erste Knarren hörten und die Tür langsam, unter äußerstem Druck, nachgab. Drinnen hörte man etwas wie das Keuchen eines eingepferchten Tiers. Endlich hörte man das Kreischen der verrosteten Angeln, die barsten, als Nabo wieder den Kopf schüttelte. »Solange ich nicht den Kamm finde, gehe ich nicht zum Chor«, sagte er. »Er muß hier sein.« Und er grub im Heu, riß es auseinander und scharrte auf dem Boden, bis der Mann sagte: »In Ordnung, Nabo. Wenn du erst zum Chor kommen kannst, nachdem du den Kamm gefunden hast, dann suche ihn eben.« Dabei beugte er sich vor, das Gesicht von geduldigem Hochmut verdunkelt. Er stützte die Hände auf das Gatter und sagte: »Los, Nabo. Ich werde dafür sorgen, daß dich keiner davon abhält.«

Und dann gab die Tür nach, und der riesige vertierte Neger mit der tiefen rauhen Narbe auf der Stirn (trotz der verstrichenen fünfzehn Jahre) kam heraus, über die Möbel stolpernd, hob drohend die Fäuste, an denen noch die Stricke hingen, mit denen man ihn vor fünfzehn Jahren festgebunden hatte (als er ein Negerbursche war, der die Pferde pflegte), und stürzte (bevor er in den Hinterhof gelangte) an der Kleinen vorbei, die sitzenblieb, noch immer, seit der vergangenen Nacht, die Kurbel des Grammophons in der Hand (als sie die entfesselte schwarze Gewalt sah, erinnerte sie sich an etwas, was einmal Wort gewesen sein mußte), und gelangte in den Hinterhof (bevor er den Stall fand), nachdem er mit der Schulter den Wohnzimmerspiegel mitgerissen hatte, doch ohne die Kleine zu sehen (weder am Grammophon noch im Spiegel), und stand mit dem Gesicht zur Sonne, mit geschlossenen Augen, blind (während drinnen noch der zersplitterte Spiegel krachte), und lief ziellos wie ein Pferd mit verbundenen Augen auf der Suche nach der Tür des Stalls, den fünfzehn Jahre des Eingesperrtseins aus seinem Gedächtnis, aber nicht aus seinen Instinkten getilgt hatten (seit jenem fernen Tag, an dem er dem Pferd den Schweif gekämmt hatte und fürs ganze Leben verblödet worden war), und wie ein Stier mit verbundenen Augen in einem Zimmer voller Lampen Verwüstung hinter sich lassend, Verhängnis und Wirrsal, gelangte er schließlich in den Hinterhof (noch immer ohne den Stall zu finden) und scharrte über den Boden mit dem wütenden Ungestüm, mit dem er den Spiegel umgerissen hatte, vielleicht mit der Vorstellung, daß beim Aufwühlen des Heus der Geruch von Stutenurin wieder aufsteigen würde, bevor er an die Türen des Pferdestalls gelangte und sie zu früh aufstieß und drinnen aufs Gesicht fiel, vielleicht im Todeskampf, aber noch betäubt von jener wilden Vertiertheit, die ihm vor einer halben Sekunde verwehrt hatte, die Kleine zu hören, die die Kurbel hob, als sie ihn vorbeistürzen sah und sich sabbelnd erinnerte, doch ohne sich von ihrem Stuhl zu bewegen, ohne den Mund zu bewegen und, nur die Grammophonkurbel in der Luft drehend, sich an das einzige Wort erinnerte, das sie in ihrem Leben zu sprechen gelernt hatte, und es aus dem Wohnzimmer schrie: »Nabo! Nabo!«

Jemand bringt diese Rosen in Unordnung

Da Sonntag ist und es aufgehört hat zu regnen, denke ich daran, einen Strauß Rosen auf mein Grab zu legen. Rote und weiße Rosen, solche, die sie für Altäre und Kränze züchtet. Heute vormittag ist sie wegen dieses stummen, bedrückenden Winters, der mich an den Hügel erinnert hat, auf den die Leute vom Dorf ihre Toten betten, betrübt gewesen. Es ist ein kahler, baumloser Ort, reingefegt von den durch die Vorsehung bestimmten Brosamen, die zurückkehren, wenn der Wind vorbei ist. Jetzt, da es aufgehört hat zu regnen und der verschlammte Hang durch die Mittagssonne hart geworden ist, könnte ich bis zum Grab gelangen, in dessen Tiefe mein Kinderleib ruht, vermengt jetzt und zwischen Schnecken und Wurzeln zerstückelt.

Sie liegt vor ihren Heiligen auf den Knien. Sie ist versunken, seit ich aufgehört habe, mich im Zimmer zu bewegen, nachdem mein erster Versuch, zum Altar zu gelangen und die frischesten, rotglühendsten Rosen einzusammeln, gescheitert ist. Vielleicht hätte ich es heute tun können; aber das Lämpchen blinzelte, und sie, aus ihrer Ekstase erwachend, hob den Kopf und blickte zur Ecke, wo der Stuhl steht. Sie mußte wohl denken: »Wieder der Wind«, denn in der Tat knackte etwas neben dem Altar, und das Zimmer bewegte sich eine Sekunde in Wellen, als sei der Stand der in ihr seit so langer Zeit gestauten Erinnerungen schwankend geworden. Dann begriff ich, daß ich eine neue Gelegenheit abwarten müsse, um die Rosen einzusammeln, denn sie war noch immer wach und blickte auf den Stuhl und hätte neben ihrem Gesicht das Geräusch meiner Hände hören können. Jetzt muß ich warten, bis sie in ein paar Sekunden das Zimmer verläßt und im

Nebenraum ihren wohlbemessenen, unveränderlichen Sonntagnachmittagsschlaf hält. Dann kann ich möglicherweise mit den Rosen hinausgehen und zurück sein, bevor sie ins Zimmer zurückkehrt und wieder den Stuhl ansieht.

Am letzten Sonntag war es schwieriger. Ich mußte fast zwei Stunden warten, bis sie in Ekstase fiel. Sie wirkte unruhig, verhärmt, als quäle sie die Gewißheit, daß ihre Einsamkeit im Haus plötzlich weniger ausschließlich geworden war. Sie ging mehrere Male mit dem Strauß Rosen im Zimmer umher, bevor sie ihn auf dem Altar niederlegte. Dann trat sie in den Durchgang hinaus, bog nach innen ab und betrat den Nachbarraum. Ich wußte, daß sie die Lampe suchte. Und dann, als sie wieder an der Tür vorüberging und ich sie in der Helle des Korridors in dem dunklen Jäckchen und den rosaroten Strümpfen sah, schien sie mir dieselbe zu sein, die sich vor vierzig Jahren als kleines Mädchen in diesem selben Zimmer über mein Bett beugte und sagte: »Jetzt, durch die Zahnstocher, hat er offene und harte Augen.« Es war, als sei keine Zeit verflossen seit jenem zurückliegenden Augustabend, an dem die Frauen sie ins Schlafzimmer gebracht, ihr den Leichnam gezeigt und zu ihr gesagt hatten: »Weine. Er war wie ein Bruder von dir«, und sie lehnte sich an die Wand, gehorchte und weinte, noch vom Regen durchnäßt.

Seit drei oder vier Sonntagen versuche ich bis zu den Rosen vorzudringen, doch sie ist wachsam vor dem Altar sitzen geblieben; sie bewacht die Rosen mit schreckhaftem Eifer, den ich an ihr im Verlauf der zwanzig Jahre, die sie schon im Hause wohnt, nie erlebt habe. Am vergangenen Sonntag, als sie hinausging, um die Lampe zu holen, gelang es mir, einen Strauß aus den besten Rosen zu binden. In keinem Augenblick bin ich der Verwirklichung meines Wunsches näher gewesen. Doch als ich mich anschickte, zum Stuhl zurückzukehren, hörte ich von neuem ihre Schritte im Durchgang und ordnete eilends die Rosen auf dem Altar; dann sah ich sie mit der hochgehaltenen Lampe im Türausschnitt erscheinen.

Sie hatte das dunkle Jäckchen angelegt und die rosaroten

Strümpfe, doch in ihrem Antlitz lag etwas wie der Widerschein einer Offenbarung. Sie glich jetzt nicht der Frau, die seit zwanzig Jahren Rosen im Garten züchtete, sondern eben dem Kinde, das an jenem Augustabend ins Nachbarzimmer gebracht worden war, um sich umzuziehen, und das nun mit einer Lampe zurückkehrte, fett und gealtert, vierzig Jahre später.

Meine Schuhe haben noch immer die harte Lehmkruste, die sich an jenem Abend gebildet hatte, obwohl sie zwanzig Jahre lang neben dem erloschenen Herd trockneten. Eines Tages ging ich sie holen. Das war, nachdem sie die Türen schlossen und vom Türsturz das Brot herunterholten und den Aloezweig und die Möbel fortschafften. Alle Möbel mit Ausnahme des Eckstuhls, der mir während dieser ganzen Zeit als Aufenthaltsort gedient hat. Ich wußte, daß die Schuhe zum Trocknen hingestellt worden waren und daß sie sich nicht einmal daran erinnerten, als sie das Haus verließen. Daher ging ich sie holen.

Sie kehrte viele Jahre später zurück. Es war soviel Zeit verflossen, daß der Moschusgeruch des Zimmers sich mit dem Staubgeruch, mit dem trockenen minimalen Hauch von Insekten vermengt hatte. Ich war allein im Haus und saß in meinem Winkel, wartend. Ich hatte das Geräusch des modernden Holzes zu unterscheiden gelernt, das Flattern der in den verschlossenen Alkoven alternden Luft. Dann also kam sie. Sie war in der Tür mit einem Köfferchen in der Hand stehen geblieben, sie trug einen grünen Strohhut und das gleiche Baumwolljäckchen, das sie seitdem nicht mehr abgelegt hat. Sie war noch ein junges Mädchen. Sie hatte noch nicht begonnen, dick zu werden, noch waren ihre Fußknöchel unter den Strümpfen nicht wie heute geschwollen. Ich war mit Staub und Spinnweben bedeckt, als sie die Tür öffnete und die Zikade irgendwo im Zimmer verstummte, die zwanzig Jahre lang gezirpt hatte. Doch trotz alldem, trotz der Spinnweben und des Staubs, der plötzlichen Reue der Zikade und des neuen Alters der Neuangekommenen, erkannte ich in ihr das

Kind wieder, das mich an jenem stürmischen Augustabend begleitet hatte, um im Stall Nester auszunehmen. So wie sie da in der Tür stand, ihr Köfferchen in der Hand und den grünen Strohhut auf dem Kopf, sah es aus, als würde sie sogleich losschreien, dasselbe sagen, was sie gesagt hatte, als man mich im Stroh des Stalls auf dem Rücken liegen fand, den Querbalken der entzweigebrochenen Treppe fest umklammert. Als sie die Tür ganz geöffnet hatte, knirschten die Angeln, und der Staub fiel schubweise von der Decke herunter, als habe jemand hartnäckig gegen den Dachfirst geklopft, und dann zögerte sie auf der Schwelle zur Helligkeit, schob danach den Körper halb ins Zimmer hinein und sagte mit der Stimme eines Menschen, der einen Schlafenden ruft: »Kind! Kind!« Und ich verharrte still auf meinem Stuhl, starr, mit ausgestreckten Füßen.

Ich glaubte, sie käme nur, um das Zimmer zu sehen, doch sie blieb im Hause wohnen. Sie lüftete den Raum, und es war, als habe sie ihr Köfferchen geöffnet und ihr alter Moschusgeruch sei daraus entwichen. Die anderen hatten die Möbel und die Wäsche in den Truhen mitgenommen. Sie hatte nur die Gerüche des Schlafzimmers mitgenommen; und zwanzig Jahre später brachte sie sie wieder mit, verteilte sie an die richtigen Stellen und baute den kleinen Altar wieder auf; genau wie früher. Allein ihre Gegenwart genügte, um das wiederherzustellen, was der unerbittliche Arbeitseifer der Zeit zerstört hatte. Seit damals ißt und schläft sie im Raum nebenan, verbringt jedoch ihre Tage in diesem und hält stillschweigende Zwiesprache mit den Heiligen. Nachmittags setzt sie sich in den Schaukelstuhl neben der Tür und flickt Wäsche, während sie die Leute bedient, die Blumen bei ihr kaufen wollen. Sie schaukelt immer, während sie Wäsche flickt. Und wenn jemand wegen eines Straußes Rosen kommt, verwahrt sie die Münzen im Zipfel des Taschentuchs, das sie an ihren Gürtel verknotet und sagt jedes Mal: »Pflücken Sie welche an der rechten Seite, die auf der linken sind für die Heiligen.«

Und so sitzt sie seit zwanzig Jahren im Schaukelstuhl und

flickt ihre Sächelchen, sie schaukelt sich, blickt zum Stuhl hinüber, als habe sie nun nicht mehr für den kleinen Jungen zu sorgen, der mit ihr die Nachmittage der Kindheit geteilt hat, sondern für den invaliden Enkel, der hier ist und in der Ecke sitzt, seit die Großmutter fünf Jahre alt war.

Es wäre möglich, daß ich mich jetzt, wenn ich wieder den Kopf senke, den Rosen nähern kann. Wenn es mir gelingt, werde ich zum Hügel gehen, werde sie auf das Grabmal legen und zu meinem Sitz zurückkehren und auf den Tag warten, an dem sie nicht ins Schlafzimmer zurückkehrt und die Geräusche in den Nebenräumen verstummen.

An diesem Tag wird eine Veränderung in alldem vor sich gehen, denn dann werde ich wieder das Haus verlassen müssen, um jemand mitzuteilen, daß die Frau mit den Rosen, die allein in dem halbverfallenen Haus wohnt, vier Männer benötigt, die sie zum Hügel bringen. Dann werde ich endgültig allein im Zimmer bleiben. Doch dafür wird sie zufrieden sein. Denn an diesem Tag wird sie wissen, daß es nicht der unsichtbare Wind war, der jeden Sonntag zu ihrem Altar kam und die Rosen in Unordnung brachte.

Die Nacht der Rohrdommeln

Wir drei saßen um den Tisch, als jemand eine Münze in den Schlitz warf und die Wurlitzerorgel aufs neue die allabendliche Platte zu spielen begann. Das übrige zu bedenken hatten wir keine Zeit. Es geschah, bevor wir uns besinnen konnten, wo wir waren, und bevor wir unseren Ortssinn wiedergefunden hatten. Einer von uns streckte die Hand auf der Theke aus und tastete umher (wir sahen die Hand nicht, wir hörten sie), stieß gegen ein Glas und verhielt sich dann still, während beide Hände auf der harten Oberfläche ausruhten. Darauf suchten wir drei uns in der Dunkelheit und fanden einander an den Gelenken unserer dreißig Finger, die sich auf der Theke angesammelt hatten. Einer sagte: »Gehen wir.«

Und wir standen auf, als sei nichts geschehen. Noch hatten wir keine Zeit gehabt, die Fassung zu verlieren.

Im Gang hörten wir im Vorübergehen die nahe, uns entgegenklingende Musik. Wir spürten den Geruch von traurigen Frauen, die herumsitzen und warten. Wir spürten die lange Leere des Gangs vor uns, während wir auf die Tür zugingen und bevor uns der andere, saure Geruch der Frau empfing, die an der Tür saß. Wir sagten: »Wir gehen.«

Die Frau erwiderte nichts. Wir vernahmen das Knarren eines aufwärts nachgebenden Schaukelstuhls, als sie aufstand. Wir hörten die Tritte auf dem losen Holzboden und dann wieder das Rückkehren der Frau, als die Angeln der Tür von neuem knarrten und diese hinter uns ins Schloß fiel.

Wir kehrten um. Dort hinten war die Luft des unsichtbaren Morgens schneidend kalt, und eine Stimme sagte: »Gehen Sie weg, ich will hier mit etwas vorbei.« Wir traten zurück. Die Stimme sagte wieder: »Sie stehen noch immer vor der Tür.«

Erst jetzt, als wir nach allen Seiten ausgewichen waren und die Stimme ringsherum überall hörten, sagten wir: »Wir können hier nicht weg. Die Rohrdommeln haben uns die Augen ausgehackt.«

Dann hörten wir mehrere Türen aufgehen. Einer von uns löste sich von den Händen der anderen, und wir hörten ihn zögernd durch die Dunkelheit kriechen und an die Gegenstände stoßen, die uns umgaben. Er sprach von nirgendwoher in der Dunkelheit: »Wir müssen schon nahe daran sein«, sagte er. »Hier riecht es nach aufgestapelten Truhen.«

Wieder spürten wir die Berührung seiner Hände; wir lehnten uns an die Wand, und eine andere Stimme tönte vorbei, jedoch in entgegengesetzter Richtung.

»Es könnten Särge sein«, sagte einer von uns.

Der, der in die Ecke gekrochen war und jetzt neben uns atmete, sagte: »Es sind Truhen. Schon als Kind habe ich gelernt, den Geruch aufbewahrter Wäsche zu erkennen.«

Nun bewegten wir uns dorthin. Der Fußboden war nachgiebig und glatt wie festgetretene Erde. Jemand streckte eine Hand aus. Wir spürten die Berührung mit einer großen, lebendigen Hautfläche, spürten aber nicht mehr die Wand auf der anderen Seite.

»Das ist eine Frau«, sagten wir.

Der andere, jener, der von den Truhen gesprochen hatte, sagte: »Ich glaube, sie schläft.«

Der Körper zuckte unter unseren Händen zusammen; er zitterte; wir fühlten ihn entgleiten, aber nicht, als hätte er sich unserem Zugriff entzogen, sondern als hätte er aufgehört zu existieren. Doch nach einem Augenblick, während wir still blieben, starr, Schulter an Schulter gelehnt, hörten wir seine Stimme: »Wer ist da?« sagte sie.

»Wir sind es«, antworteten wir, ohne uns zu bewegen.

Man hörte die Bewegung im Bett; das Knarren und das Tasten der Füße, die die Pantoffeln im Dunkeln suchten. Dann stellten wir uns die Frau sitzend vor, wie sie uns halbwach anblickte.

»Was sucht ihr hier?« sagte sie.

Und wir sagten: »Wir wissen es nicht. Die Rohrdommeln haben uns die Augen ausgehackt.«

Die Stimme sagte, sie habe davon gehört. In den Zeitungen hätte gestanden, drei Männer hätten Bier in einem Hinterhof getrunken, in dem fünf oder sechs Rohrdommeln waren. Sieben Rohrdommeln. Einer der Männer habe wie eine Rohrdommel zu singen begonnen, habe sie nachgeahmt.

»Das Schlimmste war, daß es zu später Stunde geschehen ist«, sagte sie. »Dann sind die Rohrdommeln auf den Tisch gehüpft und haben ihnen die Augen ausgehackt.«

Sie sagte, das hätte in den Zeitungen gestanden, aber niemand habe es geglaubt. Wir sagten: »Wenn die Leute da waren, hätten sie die Rohrdommeln sehen müssen.«

Und die Frau sagte: »Sie waren da. Der Innenhof war am nächsten Tag voll mit Leuten, aber die Frau hatte die Rohrdommeln schon fortgeschafft.«

Als wir umkehrten, hörte die Frau zu sprechen auf. Wieder war da die Wand. Wir brauchten uns nur umzudrehen, um die Wand zu finden. Rings um uns, uns umzingelnd, war immer eine Wand. Wieder löste sich einer von unseren Händen. Wir hören ihn sich von neuem vorwärtstasten, den Fußboden beschnuppern, sagen: »Jetzt weiß ich nicht mehr, wo die Truhen stehen. Ich glaube, wir sind schon woanders.«

Und wir sagten: »Komm her. Hier ist jemand neben uns.«

Wir hörten ihn näherkommen. Wir spürten ihn neben uns aufstehen, und wieder traf uns sein lauwarmer Atem im Gesicht.

»Strecke die Hände dorthin aus«, sagten wir zu ihm. »Da ist jemand, der uns kennt.«

Er mußte die Hand ausstrecken; mußte sich zu der angedeuteten Stelle hin bewegen, denn einen Augenblick später kehrte er zurück und sagte zu uns: »Ich glaube, es ist ein Junge.«

Und wir sagten: »Gut, frag ihn, ob er uns kennt.«

Er stellte die Frage. Wir hörten die teilnahmslose, schlichte

Stimme des Jungen, der sagte: »Ja, ich kenne Sie. Sie sind die Männer, denen die Rohrdommeln die Augen ausgehackt haben.«

Dann sprach eine erwachsene Stimme. Die Stimme einer Frau, die sich hinter einer geschlossenen Tür aufzuhalten schien, und sie sagte: »Du sprichst ja schon mit dir allein.«

Und die kindliche Stimme sagte unbekümmert: »Nein. Die Männer sind wieder da, denen die Rohrdommeln die Augen ausgehackt haben.«

Man hörte Angeln knarren und gleich darauf die erwachsene Stimme, näher als beim ersten Mal.

»Bring sie nach Hause«, sagte sie.

Und der Junge sagte: »Ich weiß nicht, wo sie wohnen.«

Und die erwachsene Stimme sagte: »Sei nicht so ungefällig. Jedermann weiß seit der Nacht, in der die Rohrdommeln ihnen die Augen ausgehackt haben, wo sie wohnen.«

Dann sprach sie in verändertem Tonfall, als wendete sie sich an uns: »Es ist nämlich so, daß niemand es glauben wollte, und es heißt, es sei eine Falschmeldung der Zeitungen gewesen, um die Auflagen hochzutreiben. Niemand hat die Rohrdommeln gesehen.« Und sie sagte: »Aber mir würde niemand glauben, wenn ich Sie durch die Straße führte.«

Wir bewegten uns nicht; wir waren still, wir lehnten an der Wand und hörten ihr zu. Und die Frau sagte: »Wenn der da Sie führen will, ist es etwas anderes. Schließlich würde niemand etwas darauf geben, was ein Junge sagt.«

Die kindliche Stimme unterbrach: »Wenn ich mit denen auf die Straße gehe und sage, es sind die Männer, denen die Rohrdommeln die Augen ausgehackt haben, würden die Jungen mit Steinen nach mir werfen. Alle auf der Straße sagen, daß so etwas nicht passiert.«

Einen Augenblick trat Stillschweigen ein. Dann ging die Tür wieder zu, und der Junge sprach wieder: »Außerdem lese ich gerade ›Terry und die Piraten‹.«

Jemand sagte uns ins Ohr: »Ich werde ihn überzeugen.«

Er kroch dorthin, wo die Stimme war.

»Das gefällt mir«, sagte er. »Sag uns wenigstens, was Terry in dieser Woche erlebt hat.«

Er will sein Vertrauen gewinnen, dachten wir. Aber der Junge sagte: »Das interessiert mich nicht. Das einzige, was mir gefällt, sind die Farben.«

»Terry war in einem Labyrinth!« sagten wir.

Und der Junge sagte: »Das war Freitag. Heute ist Sonntag, und was mich interessiert, sind die Farben.« Und er sagte es mit kalter, leidenschaftsloser, gleichgültiger Stimme.

Als der andere zurückkehrte, sagten wir: »Wir irren schon seit etwa drei Tagen umher und haben uns nicht ein einziges Mal ausgeruht.«

Und einer sagte: »Gut. Ruhen wir uns eine Weile aus, aber ohne uns mit den Händen loszulassen.«

Wir setzten uns. Eine unsichtbare, lauwarme Sonne begann unsere Schultern zu wärmen. Aber nicht einmal die Gegenwart der Sonne interessierte uns. Wir spürten sie irgendwo, hatten das Gefühl für die Entfernungen, die Stunde, die Himmelsrichtungen verloren. Mehrere Stimmen wanderten vorüber. »Die Rohrdommeln haben uns die Augen ausgehackt«, sagten wir.

Und eine der Stimmen sagte: »Die haben die Zeitungen ernst genommen.«

Die Stimmen verschwanden. Und wir blieben sitzen, Schulter an Schulter, und warteten darauf, daß im Vorüberfluten der Stimmen, der Bilder ein bekannter Geruch oder eine bekannte Stimme auftauchte. Die Sonne wärmte weiterhin unsere Köpfe.

Dann sagte jemand: »Gehen wir wieder zur Wand.«

Und die anderen, regungslos, die Köpfe der unsichtbaren Helligkeit entgegengehoben, sagten: »Noch nicht. Warten wir solange, bis die Sonne uns ins Gesicht brennt.«

Isabels Monolog beim Betrachten des Regens in Macondo

Eines Sonntags nach der Messe brach überstürzt der Winter herein. Samstag nacht war es noch erstickend heiß gewesen. Noch am Sonntagmorgen glaubte niemand, daß es regnen würde. Nach der Messe, bevor die Frauen die Druckfeder ihrer Schirme finden konnten, blies ein dichter dunkler Wind, der den Staub und den harten Zunder des Mai in weitem Bogen auseinanderfegte. Jemand sagte neben mir: »Das ist Regenwind.« Ich wußte es schon vorher. Seit wir in den Vorhof hinausgegangen waren und ich mich von dem qualligen Gefühl im Bauch durchschauert gefühlt hatte. Die Männer rannten auf die nächsten Häuser zu, und eine Hand am Hut, ein Taschentuch in der anderen, schützten sie sich gegen den Wind und das Staubgestöber. Dann regnete es. Und der Himmel wurde eine sülzeartige graue Masse, die dicht über unseren Köpfen hing.

Den Rest des Vormittags saßen meine Stiefmutter und ich am Terrassengeländer, froh, daß der Regen den Rosmarin und die Narde wieder belebte, die nach sieben Monaten siedenden Sommers und sengenden Staubs in ihren Töpfen verdorrten. Gegen Mittag verstummte das Trommeln auf die Erde, und ein Geruch von gewendeter Scholle, von erwachtem, erneuertem Wachstum vermengte sich mit dem frischen, gesunden Duftgemisch aus Regen und Rosmarin. Mein Vater sagte beim Mittagessen: »Wenn's im Mai regnet, so bedeutet es, daß gute Regen kommen.« Lächelnd, von der Leuchtkraft der neuen Jahreszeit durchdrungen, sagte meine Stiefmutter zu mir: »Das hast du in der Predigt gehört.« Und mein Vater lächelte und aß mit Appetit zu Mittag und verbrachte sogar seine Siesta am Terrassengeländer, schweigsam, die Augen geschlossen, doch ohne zu schlafen, wie um uns glauben zu machen, daß er wachend träume.

Es regnete den ganzen Nachmittag ununterbrochen. Man hörte das Wasser mit einförmiger friedlicher Eindringlichkeit fallen, wie wenn man einen ganzen Nachmittag in einem Zug fährt. Doch ohne daß wir es merkten, drang der Regen tief in unsere Sinne ein. Montag im Morgengrauen, als wir die Tür schlossen, um den aus dem Innenhof wehenden, schneidenden, eiskalten Wind einzusperren, waren unsere Sinne von Regen bis an den Rand gefüllt. Am Montagmorgen vermochten sie ihn nicht mehr zu halten. Wieder betrachteten meine Stiefmutter und ich den Garten. Die rauhe braune Maierde hatte sich über Nacht in eine dunkle teigige Masse verwandelt, Schmierseife ähnlich. Zwischen den Blumentöpfen brach sich ein Wasserbach Bahn. »Ich glaube, sie haben die ganze Nacht über mehr als genug Wasser bekommen«, sagte meine Stiefmutter. Ich merkte, daß sie nicht mehr lächelte und daß aus ihrer Freude vom Vortag erschöpfter, verdrossener Ernst geworden war. »Ich glaube auch«, sagte ich. »Es wäre besser, die Indio-Arbeiter stellten sie in den Gang, bis es aufhört.« Die Guajiros taten es, während der Regen wuchs wie ein riesiger Baum über den Bäumen. Mein Vater saß am selben Platz, den er am Sonntagnachmittag eingenommen hatte, sprach aber nicht vom Regen. Sagte: »Ich muß gestern nacht schlecht geschlafen haben, denn beim Erwachen tat mir das Rückgrat weh.« Und saß gegen das Geländer gelehnt, die Füße auf einem Stuhl und das Gesicht zum leeren Garten hingewandt. Erst gegen Abend, nachdem er das Mittagessen zurückgewiesen hatte, sagte er: »Es sieht aus, als ob es überhaupt nicht mehr aufhörte.« Und ich erinnerte mich an die Monate der Hitze. Erinnerte mich an den August, an den langen benommenen Mittagsschlummer, in dem wir uns unter dem Gewicht der Stunde zum Sterben legten, während unsere Kleider vom Schweiß klebten und wir draußen das beharrliche taube Summen der stillstehenden Stunde hörten. Ich sah die vom Wasser abgewaschenen Wände, die gequollenen Holzfugen. Ich sah das Gärtchen, leer zum ersten Mal, den Jasminstrauch vor der Mauer, getreu dem Andenken meiner Mutter. Ich sah meinen Vater im Schaukelstuhl, den schmerzenden Rücken an ein Kissen gelehnt und seine traurigen Augen verirrt im Labyrinth des Regens. Ich erinnerte mich an die Augustnächte, in deren betörendem Schweigen man nichts hört als das tausendjährige Geräusch der Erde, die sich um ihre rostige ungeölte Achse dreht. Plötzlich fühlte ich mich von bedrückender Wehmut überwältigt.

Es regnete den ganzen Montag, wie am Sonntag. Doch nun schien es, als regnete es auf andere Weise, weil etwas Neues, Bitteres in meinem Herzen geschah. Gegen Abend sagte eine Stimme neben meinem Stuhl: »Langweilig, dieser Regen.« Ohne mich umzublicken, erkannte ich Martíns Stimme. Ich wußte, daß er auf dem Nachbarstuhl sprach, mit dem gleichen kalten benommenen Ausdruck, der sich seit jenem düsteren Morgengrauen im Dezember, als er mein Mann wurde, nicht einmal geändert hatte. Seitdem waren fünf Monate vergangen. Jetzt sollte ich ein Kind bekommen. Und Martín saß neben mir und sagte, der Regen sei langweilig. »Langweilig nicht«, sagte ich. »Was ich einfach trostlos finde, ist der leere Garten und die armen Bäume, die man nicht aus dem Innenhof nehmen kann.« Dann blickte ich mich nach ihm um, aber Martín war nicht mehr da. Nur eine Stimme, die zu mir sagte: »Es scheint nie mehr aufhören zu wollen«, und als ich nach der Stimme blickte, fand ich nur den leeren Stuhl.

Dienstag morgen war eine Kuh im Garten. Sie sah aus wie ein Kreidefelsvorsprung, in ihrer harten, widerspenstigen Unbeweglichkeit, die Hufe im Lehm versunken und den Kopf vornübergefallen. Während des Vormittags versuchten die Guajiros sie mit Stecken und Backsteinen zu vertreiben. Aber die Kuh blieb unerschütterlich im Garten, hart, unverletzlich, die Hufe im Lehm versunken und der riesige Kopf vom Regen erniedrigt. Die Guajiros setzten ihr zu, bis mein Vater mit seiner geduldigen Nachsicht ihr zu Hilfe kam: »Laßt sie in Ruhe«, sagte er. »Sie wird abziehen, wie sie gekommen ist.«

Dienstag gegen Abend drückte und schmerzte das Wasser wie ein Leichentuch ums Herz. Die Frische des ersten Morgens begann sich in heiße, zähe Feuchtigkeit zu verkehren. Die Temperatur war weder kalt noch warm; es war die Temperatur des Schüttelfrostes. Die Füße schwitzten in den Schuhen. Man wußte nicht, was unangenehmer war, die nackte Haut oder die Berührung der Haut mit den Kleidern. Im Hause hatte jede Tätigkeit aufgehört. Wir setzten uns auf die Terrasse, betrachteten aber nicht mehr den Regen wie am ersten Tag. Wir fühlten ihn nicht mehr fallen. Wir sahen nur noch die Umrisse der Bäume im Nebel, in einer traurigen, trostlosen Dämmerung, die auf den Lippen den gleichen Geschmack hinterließ, mit dem man erwacht, wenn man von einem Unbekannten geträumt hat. Ich wußte, daß Dienstag war, und erinnerte mich an die Zwillingsschwestern aus Sankt Hieronymus, die blinden Mädchen, die jede Woche ins Haus kommen und uns einfache Lieder vorsingen, traurig vom bitteren, wehrlosen Wunder ihrer Stimmen. Über das Regengeräusch hinweg hörte ich das Liedchen der blinden Zwillingsschwestern und stellte sie mir in ihrem Haus vor, zusammengekauert darauf wartend, daß der Regen aufhörte, damit sie ausgehen und singen könnten. An solch einem Tag würden weder die Zwillinge aus Sankt Hieronymus kommen, dachte ich, noch würde das Bettelweib nach dem Mittagsschlaf auf der Terrasse erscheinen und wie jeden Dienstag um das ewige Zweiglein Melisse bitten.

An jenem Tag vergaßen wir die Reihenfolge der Mahlzeiten. Zur Stunde der Siesta trug meine Stiefmutter einen Teller einfache Suppe und ein Stück ranziges Brot auf. Aber in Wirklichkeit aßen wir seit Montagabend nicht mehr, und ich glaube, wir dachten seit diesem Zeitpunkt nicht mehr nach. Wir waren vom Regen gelähmt, betäubt, dem Zusammenbruch der Natur ausgeliefert in einer Haltung friedfertiger Entsagung. Nur die Kuh regte sich gegen Abend. Plötzlich schüttelte ein tiefes Geräusch ihre Eingeweide, und ihre Hufe gruben sich mit größerer Kraft in den Lehmboden. Dann blieb sie eine halbe Stunde lang reglos, als sei sie schon tot, doch konnte sie nicht fallen, denn die Gewohnheit, am Leben zu sein, hinderte sie daran, die Angewohnheit, in derselben Stellung im Regen zu verharren, bis die Gewohnheit schwächer war als der Körper. Nun bog sie die Vorderbeine (stemmte mit letzter Kraftanstrengung die dunklen, glänzenden Flanken hoch), grub das sabbernde Maul in den Schlamm und ergab sich schließlich dem Gewicht ihrer eigenen Masse in einer schweigsamen, allmählichen und würdigen Zeremonie völligen Zusammenbruchs. »Soweit ist sie nun«, sagte jemand hinter mir. Ich drehte mich um und sah auf der Schwelle die Dienstagsbettlerin, die durch das Unwetter gekommen war, um ihr Melissenzweiglein zu erbitten.

Vielleicht hätte der Mittwoch mich an diese beklemmende Umgebung gewöhnt, hätte nicht, als ich ins Wohnzimmer kam, der Tisch an der Wand gestanden, die Möbel darauf gestapelt, und auf der anderen Seite, auf einem nachts aufgestellten Behelfsgestell, die Truhen und Kisten mit dem Hausrat. Das Bild löste in mir ein schreckliches Gefühl der Leere aus. Etwas war während der Nacht geschehen. Das Haus war aus den Fugen geraten; die Guajiros, ohne Hemd und barfuß, schleppten die Möbel ins Eßzimmer. Im Gesichtsausdruck der Männer, ja in dem Eifer, mit dem sie arbeiteten, äußerte sich die Grausamkeit der gescheiterten Auflehnung, der aufgezwungenen demütigenden Unterwerfung unter den Regen. Ich bewegte mich richtungslos, willenlos. Ich fühlte mich in trostloses Ödland verwandelt, besät mit Algen und Flechten, quallig weichen Pilzen, befruchtet vom widerwärtigen Wachstum der Feuchtigkeit und Düsternis. Ich stand im Wohnzimmer und betrachtete das wüste Schauspiel der aufgestapelten Möbel, als ich die Stimme meiner Stiefmutter in der Kammer hörte, die mich warnte, ich könne mir eine Lungenentzündung holen. Jetzt erst merkte ich, daß das Wasser mir bis zu den Knöcheln reichte, daß das Haus überschwemmt und der Fußboden mit einer dicken Schicht schleimig-toten Wassers bedeckt war.

Am Mittwochmittag war es noch nicht Tag. Und vor drei Uhr nachmittags war die Nacht voll eingebrochen, vorzeitig und kränklich, mit dem gleichen langsamen, eintönigen und erbarmungslosen Rhythmus des Regens im Innenhof. Es war eine verfrühte, sanfte und todesdüstere Abenddämmerung, die mitten im Stillschweigen der Guajiros wuchs, die auf den Stühlen an den Wänden kauerten, ergeben und machtlos angesichts der Verwirrung in der Natur. Nun begannen Nachrichten von der Straße einzutreffen. Niemand brachte sie. Sie kamen einfach, selbständig, wie herbeigebracht vom fließendem Lehm, der durch die Gassen kroch und Hausrat mitführte, Dinge und Aberdinge, Trümmer einer fernen Katastrophe, Gerümpel und tote Tiere. Am Sonntag geschehene Ereignisse, als der Regen noch die Ankündigung einer verheißungsvollen Jahreszeit war, gelangten erst nach zwei Tagen zu uns. Und am Mittag kamen die Nachrichten, wie angetrieben vom eigenen Kraftkern des Unwetters. Nun erfuhr man, daß die Kirche überschwemmt war, man erwartete ihren Einsturz. Jemand, der es eigentlich kaum wissen konnte, sagte an jenem Abend: »Seit Montag kann der Zug nicht mehr über die Brükke. Es scheint, der Fluß hat die Schienen mitgerissen.« Auch erfuhr man, eine kranke Frau sei aus ihrem Bett verschwunden und nachmittags im Innenhof schwimmend gefunden worden.

Schreckgebannt und besessen von Entsetzen und der Sintflut, setzte ich mich mit hochgezogenen Beinen in den Schaukelstuhl, die Augen starr auf die feuchte, von düsteren Vorahnungen angefüllte Finsternis geheftet. Meine Stiefmutter trat in die Tür mit hochgehaltener Lampe und hocherhobenem Kopf. Sie erschien mir als vertrautes Gespenst, vor dem ich nicht zusammenzuckte, weil ich selbst ihren übernatürlichen Zustand teilte. Sie kam auf mich zu. Noch immer hielt sie den Kopf erhoben und die Lampe hoch und patschte durch das Wasser des Gangs. »Jetzt müssen wir beten«, sagte sie. Ich sah ihr vertrocknetes, gefurchtes Gesicht, als sei sie aus menschenfremdem Stoff gemacht. Sie stand vor mir, den Rosenkranz in der Hand, und sagte: »Jetzt müssen wir beten. Das Wasser hat die Gräber aufgebrochen, und die armen Toten schwimmen im Friedhof umher.«

Vielleicht hatte ich in der letzten Nacht ein wenig geschlafen, als ich von einem säuerlich aufsässigen Geruch wie von verwesenden Leibern aufgefahren war. Ich schüttelte kräftig Martín, der neben mir schnarchte. »Riechst du's nicht?« fragte ich, und er sagte: »Was?« Und ich sagte: »Den Geruch. Das müssen die Toten sein, die durch die Gassen schwimmen.« Ich fühlte mich von diesem Gedanken überwältigt, doch Martín drehte sich zur Wand und sagte mit schläfrig-heiserer Stimme: »Das sind so deine Manien. Schwangere Frauen bilden sich immer wunder was ein.«

Im Morgengrauen des Donnerstags hörten die Gerüche auf, und das Gefühl für Entfernungen ging verloren. Der seit dem Vortag gestörte Zeitbegriff schwand vollends. Wir hatten überhaupt keinen Donnerstag. Was Donnerstag hätte sein sollen, war eine erstarrte, sülzeartige Masse, die man mit der Hand hätte wegschieben können, um den Freitag zu erreichen. Männer und Frauen waren nicht mehr zu unterscheiden. Meine Stiefmutter, mein Vater, die Arbeiter waren fettleibige, unwahrscheinliche Körper, die sich im Morast des Winters bewegten. Mein Vater sagte: »Rühr dich nicht von der Stelle, bis ich dir sage, was zu tun ist«, und seine Stimme kam fern und auf Umwegen und schien weniger mit dem Gehör zu erfassen zu sein als mit dem Tastsinn, dem einzigen noch funktionierenden Sinn.

Aber mein Vater kehrte nicht wieder: er verirrte sich in der Zeit. Als die Nacht kam, rief ich daher meine Stiefmutter und bat sie, mich ins Schlafzimmer zu begleiten. Ich schlief friedlich, ruhig die ganze Nacht hindurch. Am nächsten Tag blieb die Atmosphäre die gleiche, geruchlos, temperaturlos. Sobald ich erwachte, sprang ich auf einen Stuhl und verharrte reglos, denn etwas sagte mir, eine Zone meines Bewußtseins sei noch nicht völlig erwacht. Nun hörte ich den Pfiff des Zugs. Den gedehnten, trostlosen Pfiff des vor dem Unwetter fliehenden

Zugs. »Irgendwo muß es aufgehört haben«, dachte ich, und eine Stimme hinter mir schien meinen Gedanken zu antworten: »Wo ...« – »Wer ist da?« sagte ich und blickte mich um. Ich sah meine Stiefmutter, die einen langen knochigen Arm zur Wand streckte. »Ich bin's«, sagte sie. Und ich sagte: »Hörst du sie?« Sie sagte ja, vielleicht hätte es in der Umgebung aufgehört und sie hätten den Schienenstrang ausgebessert. Sie reichte mir ein Tablett mit dem dampfenden Frühstück. Es roch nach Knoblauchsauce und heißer Butter. Es war ein Suppengericht. Fassungslos fragte ich meine Stiefmutter nach der Zeit. Seelenruhig, mit einer nach hilfloser Entsagung klingenden Stimme sagte sie: »Es muß etwa halb drei sein. Der Zug hat nicht mal Verspätung.« Ich sagte: »Halb drei! Wie habe ich so lange schlafen können?« Und sie: »Du hast nicht lange geschlafen. Es ist höchstens drei.« Und ich, während ich den Teller meinen zitternden Händen entgleiten fühlte: »Freitag halb drei ...« Und sie, ungeheuer ruhig: »Donnerstag halb drei, Kind. *Noch immer* Donnerstag halb drei.«

Ich weiß nicht, wie lange ich versunken war in jenem Schlafwandel, in dem alle Sinne ihren Wert verloren. Ich weiß nur, daß ich nach vielen zahllosen Stunden eine Stimme im Nachbarzimmer hörte. Eine Stimme, die sagte: »Jetzt kannst du das Bett hierher rücken.« Es war eine müde Stimme, doch nicht die einer Kranken, sondern einer Genesenden. Dann hörte ich das Geräusch der Backsteine im Wasser. Ich blieb steif, bevor ich merkte, daß ich mich in waagerechter Lage befand. Nun fühlte ich die riesige Leere. Ich fühlte die bebende gewaltsame Stille des Hauses, die unglaubliche Reglosigkeit, die auf alle Dinge überging. Und plötzlich fühlte ich mein Herz in einen eisigen Stein verwandelt. »Ich bin tot«, dachte ich. »Gott, ich bin tot.« Ich fuhr im Bett auf, schrie: »Ada, Ada!« Martíns tonlose Stimme antwortete mir von der anderen Seite: »Sie können doch nicht hören, weil sie draußen sind.« Erst jetzt merkte ich, daß es aufgehört hatte und daß sich um uns eine Stille verbreitete, eine Ruhe, eine geheimnisvoll tiefe Glückseligkeit, ein vollkommener Zustand, der dem Tod sehr ähnlich sein mußte. Dann hörte man Stimmen im Gang. Man hörte eine helle, sehr lebendige Stimme. Gleich darauf rüttelte ein frischer Windstoß an der Tür, brachte das Schloß zum Kreischen, und ein fester, jäh aufleuchtender Körper wie eine reife Frucht fiel tief in den Brunnen des Innenhofs. Etwas in der Luft verriet die Gegenwart eines unsichtbaren Menschen, der im Dunkeln lächelte. Mein Gott, dachte ich, verstört von der Wirrnis der Zeit. Jetzt würde ich mich nicht wundern, wenn sie mich zur Messe vom vergangenen Sonntag riefen.

An einem dieser Tage

Der Montag erwachte lau und regnerisch. Don Aurelio Escobar, Zahnarzt ohne Diplom und Frühaufsteher, öffnete seine Praxis um sechs. Er holte aus dem Glasschrank eine noch im Gipsabguß liegende Prothese und legte auf den Tisch eine Handvoll Instrumente, die er wie bei einer Ausstellung der Größe nach aneinanderreihte. Er trug ein kragenloses, am Hals mit einem vergoldeten Knopf geschlossenes Hemd, seine Hosen hielt ein Hosenträger. Er war steif, hager, und wie der Blick von Schwerhörigen entsprach sein Blick selten der Situation.

Als er alle Gegenstände auf dem Tisch angeordnet hatte, drehte er die Bohrmaschine zum Drehstuhl und setzte sich, um die Prothese zu polieren. Er schien nicht an das zu denken, was er tat, arbeitete jedoch beharrlich und bediente das Pedal der Bohrmaschine auch, wenn er sie nicht benutzte.

Nach acht machte er eine Pause, um durchs Fenster zum Himmel aufzublicken, und sah zwei nachdenkliche Aasgeier, die sich auf dem Dachfirst des Nachbarhauses in der Sonne trockneten. Er arbeitete weiter im Gedanken, daß es vor dem Mittagessen wieder regnen würde. Die rauhe Stimme seines elfjährigen Sohnes riß ihn aus seiner Versunkenheit. »Papa.«

»Was?«

»Der Bürgermeister sagt, daß du ihm einen Backenzahn ziehen sollst.«

»Sag ihm, ich bin nicht da.«

Er polierte einen Goldzahn, hielt ihn in Armesweite von sich weg und prüfte ihn mit halbgeschlossenen Augen. Im Wartezimmerchen schrie wieder sein Sohn. »Er sagt, daß du da bist, weil er dich hört.«

Der Zahnarzt prüfte weiter den Zahn. Erst als er ihn auf den Tisch zu den fertigen Arbeiten legte, sagte er: »Um so besser.«

Wieder ließ er den Bohrer surren. Aus einer kleinen Pappschachtel, in der er die unfertigen Sachen verwahrte, holte er eine mehrkronige Brücke und begann das Gold zu polieren.

»Papa.«

»Was?«

Noch immer war sein Gesichtsausdruck unverändert.

»Er sagt, wenn du ihm nicht den Backenzahn ziehst, knallt er dich über den Haufen.«

Ohne sich zu beeilen, nahm er mit einer seelenruhigen Bewegung den Fuß vom Pedal, schob die Bohrmaschine vom Stuhl weg und zog die unterste Schublade des Tischs ganz auf. Dort lag der Revolver. »Gut«, sagte er. »Sag ihm, er soll mich über den Haufen knallen.«

Er ließ den Stuhl kreisen, bis er der Tür gegenüberstand, und legte die Hand auf den Rand der Schublade. Der Bürgermeister erschien im Türrahmen. Er hatte sich die linke Wange rasiert, die andere jedoch, die geschwollene, schmerzende, bedeckte ein fünf Tage alter Bart. Der Zahnarzt sah in seinen welken Augen viele verzweifelte Nächte. Er drückte die Schublade mit den Fingerspitzen zu und sagte sanft: »Setzen Sie sich.«

»Guten Morgen«, sagte der Bürgermeister.

»Morgen«, sagte der Zahnarzt.

Während die Instrumente ausgekocht wurden, lehnte der Bürgermeister seinen Schädel an die Kopfstütze des Stuhles und fühlte sich besser. Er atmete eisigen Geruch. Es war eine armselige Praxis: ein alter Holzstuhl, Bohrmaschine mit Pedal und ein Glasschrank mit Porzellandosen. Dem Stuhl gegenüber ein Fenster mit einem mannshohen Wandschirm. Als er fühlte, daß der Zahnarzt näher trat, klemmte der Bürgermeister die Hacken zusammen und sperrte den Mund auf.

Don Aurelio Escovar drehte ihm das Gesicht zum Licht. Nachdem er den schadhaften Backenzahn geprüft hatte, befühlte er mit behutsamem Fingerdruck die Kinnlade.

»Es muß ohne Betäubung sein«, sagte er.

»Warum?«

»Weil Sie einen Abszeß haben.«

Der Bürgermeister blickte ihm in die Augen.

»Gut«, sagte er und versuchte zu lächeln. Der Zahnarzt lächelte nicht. Er stellte die Schale mit den ausgekochten Instrumenten auf den Arbeitstisch, und noch immer ohne sich zu beeilen fischte er diese mit einer kalten Pinzette aus dem Wasser. Dann schob er den Spucknapf mit der Fußspitze näher und ging, um sich die Hände im Waschbecken zu waschen. Doch der Bürgermeister verlor ihn nicht aus den Augen.

Es war ein unterer Weisheitszahn. Der Zahnarzt spreizte die Beine und setzte die heiße Zange an den Backenzahn. Der Bürgermeister klammerte sich an die Armlehnen, preßte seine ganze Kraft in die Füße und fühlte eisige Leere in den Nieren, gab aber keinen Ton von sich. Der Zahnarzt bewegte lediglich das Handgelenk. Ohne Groll, eher mit bitterer Zärtlichkeit sagte er: »Damit zahlen Sie uns für zwanzig Tote, Leutnant.«

Der Bürgermeister spürte ein Knirschen der Knochen im Kinnbacken, und seine Augen füllten sich mit Tränen. Aber er gab keinen Ton von sich, bevor er nicht den Backenzahn herauskommen fühlte. Dann sah er ihn durch seine Tränen hindurch. Er kam ihm so fremd vor in seinem Schmerz, daß er die Marter seiner fünf vergangenen Nächte nicht fassen konnte. Über den Spucknapf gebeugt, schwitzend, keuchend, knöpfte er sich den Waffenrock auf und tastete in der Hosentasche nach seinem Taschentuch. Der Zahnarzt reichte ihm einen sauberen Lappen.

»Trocknen Sie sich die Tränen ab«, sagte er.

Der Bürgermeister tat es. Er zitterte. Während der Zahnarzt sich die Hände wusch, sah er die durchlöcherte Zimmerdecke und ein staubiges Spinnennetz mit Spinneneiern und toten Insekten. Der Zahnarzt kehrte sich die Hände abtrocknend zurück. »Legen Sie sich hin«, sagte er, »und spülen Sie mit Salzwasser.« Der Bürgermeister stellte sich auf die Füße, verabschiedete sich mit einem mürrischen militärischen Gruß und ging mit staksenden Beinen auf die Tür zu, ohne den Waffenrock wieder zuzuknöpfen.

»Schicken Sie mir die Rechnung«, sagte er.

»An Sie oder an die Gemeinde?«

Der Bürgermeister drehte sich nicht um. Schloß die Tür hinter sich und sagte durch das Drahtnetz hindurch: »Eines so lästig wie's andere.«

In diesem Dorf gibt es keine Diebe

Dámaso kehrte beim ersten Hahnenschrei in seine Behausung zurück. Ana, seine Frau, im sechsten Monat, erwartete ihn auf dem Bett sitzend, angezogen und in Schuhen. Die Petroleumlampe war am Verlöschen. Dámaso begriff, daß seine Frau jede Minute der Nacht auf ihn gewartet hatte und noch in diesem Augenblick wartete, als sie ihn vor sich sah. Er machte eine beruhigende Gebärde, auf die sie nicht reagierte. Sie hielt die erschrockenen Augen auf das rote Tuchbündel geheftet, das er in der Hand hielt, preßte die Lippen aufeinander und begann zu zittern. Dámaso packte sie mit stummer Heftigkeit um das Mieder. Sein Atem roch säuerlich.

Ana ließ sich fast in die Luft heben. Dann warf sie sich mit ihrem ganzen Körpergewicht schluchzend gegen das gestreifte Flanellhemd ihres Mannes und hielt seine Lenden umklammert, bis sie ihren Weinkrampf zu beherrschen vermochte.

»Ich bin im Sitzen eingeschlafen«, sagte sie. »Plötzlich haben sie die Tür eingeschlagen und dich blutüberströmt hereingestoßen.«

Dámaso schob sie wortlos von sich und setzte sie wieder aufs Bett. Dann legte er ihr das Bündel auf den Schoß und ging in den Hinterhof urinieren. Sie löste die Knoten und sah: drei Billardkugeln, zwei weiße und eine rote, stumpf und zerstoßen.

Als er ins Zimmer zurückkehrte, sah Dámaso sie in neugieriger Betrachtung versunken.

»Was sollen wir damit?« fragte Ana.

Er zuckte mit den Achseln.

»Billard spielen.«

Er verknotete wieder das Bündel und verwahrte es mitsamt

dem selbstgemachten Dietrich, der Taschenlampe und dem Messer unten in der Truhe. Ana, ohne sich auszuziehen, legte sich mit dem Gesicht zur Wand nieder. Dámaso zog nur die Hose aus. Auf dem Bett ausgestreckt, im Dunkeln rauchend, versuchte er in dem undeutlichen Gesumm des Morgengrauens irgendeine Spur seines Abenteuers zu erkennen, bis er merkte, daß seine Frau wach war.

»Woran denkst du?«

»An nichts«, sagte er.

Die sonst so baritonhafte Stimme wirkte dumpf vor Ärger. Dámaso tat einen letzten Zug aus seiner Zigarette und drückte den Stummel auf dem Lehmfußboden aus.

»Mehr war nicht da«, seufzte er. »Ich war fast eine Stunde drin.«

»Dann haben sie dich reingelegt«, sagte sie.

Dámaso zuckte zusammen. »Verdammt«, sagte er und hämmerte mit den Fingerknöcheln gegen das hölzerne Bettgestell. Er tastete auf dem Boden nach Zigaretten und Streichhölzern.

»Du hast Kutteln wie ein Maulesel«, sagte Ana. »Hättest doch wissen müssen, daß ich hier wach lag und nicht schlafen konnte, weil ich beim geringsten Straßengeräusch dachte, sie würden dich tot hereinschleppen.« Und fügte seufzend hinzu: »Und all die Aufregung wegen drei Billardkugeln.«

»In der Schublade waren nur fünfundzwanzig Centavos.«

»Dann hättest du nichts mitnehmen sollen.«

»Es war so schwer reinzukommen«, sagte Dámaso. »Drum wollte ich nicht mit leeren Händen heimkommen.«

»Hättest irgendwas anderes mitgehen lassen sollen.«

»Was anderes war nicht da«, sagte Dámaso.

»Nirgendwo gibt's so viel Zeug wie im Billardsalon.«

»Das meint man«, sagte Dámaso. »Aber ist man erstmal drin, schaut sich um und durchsucht alles, dann merkt man, daß nichts Brauchbares vorhanden ist.«

Sie schwieg lange. Dámaso stellte sich vor, wie sie mit offenen Augen versuchte, im Dunkel ihrer Erinnerung irgendeinen Wertgegenstand zu entdecken.

»Vielleicht«, sagte sie.

Dámaso rauchte wieder. Der Alkohol verließ ihn in konzentrischen Wellen, so daß er das Gewicht, den Umfang und die Beherrschung seines Körpers zurückgewann.

»Ein Kater war da«, sagte er. »Ein riesiger weißer Kater.« Ana drehte sich um, lehnte den massigen Bauch an den Bauch ihres Mannes und schob ihr Bein zwischen seine Knie. Sie roch nach Zwiebeln. »Hattest du Angst?«

»Ich?«

»Du«, sagte Ana. »Man sagt, auch Männer haben Angst.« Er spürte, wie sie lächelte, und lächelte.

»Etwas«, sagte er. »Ich konnte kaum den Urin halten.« Er ließ sich küssen, ohne den Kuß zu erwidern. Dann, der überstandenen Gefahr eingedenk, aber ohne Gewissensbisse, als rufe er Reiseerinnerungen wach, erzählte er die Einzelheiten seines Abenteuers.

Nach langem Stillschweigen sagte sie: »Das war reiner Wahnsinn.«

»Es kommt nur auf den Anfang an«, sagte Dámaso und schloß die Augen. »Überdies ist es fürs erste Mal gar nicht schlecht gelaufen.«

Die Sonne wurde spät heiß. Als Dámaso erwachte, war seine Frau bereits eine Weile auf. Er ging in den Innenhof und hielt den Kopf mehrere Minuten unter den Wasserstrahl, bis er richtig wach war. Die Kammer gehörte zu einer Galerie gleicher, abgeschlossener Wohnungen mit einem von Wäscheleinen durchzogenen gemeinsamen Innenhof. An der hinteren Wand, durch eine Blechwand vom übrigen Hof getrennt, hatte Ana einen tragbaren Ofen zum Kochen und Erhitzen von Bügeleisen sowie ein Tischchen zum Essen und Bügeln aufgestellt. Als sie ihren Mann näher kommen sah, legte sie die gebügelte Wäsche beiseite und nahm die Bügeleisen vom Herd, um den Kaffee aufzuwärmen. Sie war älter als er, mit sehr bleicher Haut, und ihre Bewegungen verrieten die geschmeidige Geschicklichkeit von Menschen, die sich im Leben auskennen.

Trotz seines schmerzvernebelten Kopfes begriff Dámaso, daß seine Frau ihm etwas mit dem Blick sagen wollte. Bis dahin hatte er nicht auf die Stimmen des Hinterhofs geachtet.

»Den ganzen Morgen haben sie von nichts anderem geredet«, murmelte Ana und schenkte den Kaffee ein. »Die Männer sind schon vor einer Weile hingelaufen.«

Dámaso stellte fest, daß Männer und Kinder aus dem Hof verschwunden waren. Während er seinen Kaffee trank, verfolgte er schweigend die Unterhaltung der Frauen, die Wäsche in der Sonne aufhängten. Schließlich zündete er sich eine Zigarette an und ging aus der Küche.

»Teresa«, rief er.

Ein Mädchen, dem feuchte Wäsche am Leib klebte, antwortete auf den Ruf.

»Sei vorsichtig«, sagte Ana. Das Mädchen trat näher.

»Was ist denn los?« fragte Dámaso.

»Sie haben im Billardsalon eingebrochen und alles mitgenommen«, sagte das Mädchen.

Sie schien genau im Bild zu sein. Erklärte, wie sie das Lokal Stück für Stück ausgeräumt und sogar den Billardtisch fortgeschleppt hätten. Sie sprach mit solcher Überzeugungskraft, daß Dámaso nicht glauben konnte, daß es nicht wahr sei.

»Scheiße«, sagte er und betrat wieder die Küche. Ana begann zwischen den Zähnen zu singen. Dámaso stellte einen Stuhl an die Hofwand und versuchte seine Beklommenheit zu verdrängen. Seit drei Monaten, seit er zwanzig geworden war, verlieh sein strichartiger Schnurrbart, den er nicht nur aufopfernd, sondern auch zärtlich pflegte, seinem von Pockennarben versteinerten Gesicht einen Anflug von Reife. Seither fühlte er sich erwachsen. An jenem Morgen aber, während die Erinnerungen der Nacht im Morast seiner Kopfschmerzen schwammen, wußte er nicht, wo er zu leben beginnen sollte.

Als Ana mit Bügeln fertig war, teilte sie die frische Wäsche in zwei gleich große Bündel und machte sich zum Ausgehen fertig.

»Bleib nicht zu lang«, sagte Dámaso.

»Wie immer.«

Er folgte ihr bis ins Zimmer.

»Hier, dein kariertes Hemd«, sagte Ana. »Zieh lieber nicht wieder das Flanellhemd an.« Sie blickte in die durchsichtigen Katzenaugen ihres Mannes.

»Man weiß nie, ob dich jemand gesehen hat.« Dámaso wischte die verschwitzten Hände an seiner Hose ab.

»Es hat mich niemand gesehen.«

»Wir wissen es nicht«, wiederholte Ana. Sie lud sich ein Wäschebündel auf jeden Arm. »Überhaupt ist es besser, du gehst nicht aus. Warte, bis ich dort vorbeigeschlendert bin, als ginge es mich gar nichts an.«

Im Dorf wurde von nichts anderem gesprochen. Ana mußte die Einzelheiten des Vorfalls in verschiedenen widersprüchlichen Fassungen anhören. Als sie ihre Wäsche ausgetragen hatte, ging sie, statt wie jeden Samstag zum Markt, unmittelbar zum Platz. Sie traf vor dem Billardsalon nicht so viele Menschen, wie sie sich vorgestellt hatte. Einige Männer redeten im Schatten der Mandelbäume. Die Syrer hatten beim Mittagessen ihre bunten Fetzen anbehalten, und die Läden schienen unter ihren Segeltuchplanen eingenickt zu sein. Im Hoteleingang, in einen Schaukelstuhl geräkelt, Mund, Arme und Beine weit geöffnet, schlief ein Mann. Alles war gelähmt in der Zwölfuhrhitze.

Ana ging in weitem Abstand am Billardsalon vorbei, und als sie das unbebaute Gelände vor dem Hafen überquerte, stieß sie auf die Menschenmenge. Jetzt fiel ihr etwas ein, was Dámaso ihr erzählt hatte, was aller Welt bekannt war, aber nur die Stammkunden wissen konnten: die Hintertür des Billardsalons ging auf das unbebaute Gelände. Einen Augenblick später stand sie mitten in der Menge, rasch schützte sie ihren Bauch mit den Armen und starrte dabei auf die aufgebrochene Tür. Das Hängeschloß war unversehrt, aber einer der Ringe war herausgerissen wie ein Backenzahn. Einen Augenblick lang betrachtete Ana den Schaden der einsamen, bescheidenen Arbeit und dachte voller Mitleid an ihren Mann.

»Wer war das?« Sie wagte nicht, sich umzublicken.

»Man weiß es nicht«, antwortete man ihr. »Es heißt, ein Fremder sei's gewesen.«

»Muß es gewesen sein«, sagte eine Frau hinter ihr. »In diesem Dorf gibt es keine Diebe. Hier kennt jeder jeden.«

Ana wandte den Kopf.

»So ist es«, sagte sie lächelnd. Sie war in Schweiß gebadet. Neben ihr stand ein uralter Mann mit tiefen Nackenrunzeln.

»Haben sie alles mitgenommen?« fragte sie.

»Zweihundert Pesos und die Billardkugeln«, sagte der Alte. Er musterte sie mit ungewöhnlicher Aufmerksamkeit. »Bald wird man mit offenen Augen schlafen müssen.«

Ana wandte den Blick ab.

»So ist es«, sagte sie wieder. Sie legte sich ein Stück Stoff auf den Kopf und entfernte sich, ohne den Eindruck loszuwerden, daß der Alte ihr nachschaute.

Eine Viertelstunde lang verhielt sich die auf dem Baugelände zusammengedrängte Menge in achtungsvoller Stille, als läge hinter der aufgebrochenen Tür ein Toter. Dann geriet sie in Bewegung, ins Kreisen und strömte auf den Platz.

Der Besitzer des Billardsalons stand mit dem Bürgermeister und zwei Polizisten in der Tür. Untersetzt, kugelrund, die Hose vom bloßen Druck des Magens gehalten, auf der Nase eine Brille, wie Kinder sie basteln, schien er mit verzehrender Würde bekleidet.

Die Menge umringte ihn. An die Mauer gelehnt, lauschte Ana seinen Erklärungen, bis die Menge sich verlief. Dann kehrte sie in ihre Behausung zurück, hochrot von der erdrükkenden Hitze, mitten durch eine aufgeregte Ansammlung von Nachbarn hindurch.

Auf dem Bett ausgestreckt, hatte Dámaso sich mehrmals gefragt, wie Ana es in der vergangenen Nacht angestellt hatte, ohne zu rauchen auf ihn zu warten. Als er sie lächelnd eintreten und das schweißgetränkte Tuch vom Kopf nehmen sah, drückte er die kaum angerauchte Zigarette in einer Rinne voller Stummel auf dem Boden aus und wartete ängstlich.

»Nun?«

Ana kniete vor dem Bett nieder.

»Daß du außer einem Dieb auch noch ein Lügner bist«, sagte sie.

»Wieso?«

»Weil du mir gesagt hast, es sei nichts in der Schublade gewesen.«

Dámaso runzelte die Stirn.

»Es waren 200 Pesos drin«, sagte Ana.

»Gelogen«, erwiderte er, die Stimme hebend. Er setzte sich im Bett auf und fand zum vertraulichen Ton zurück. »Es waren nur fünfundzwanzig Centavos da.«

Er überzeugte sie.

»Er ist ein alter Halunke«, sagte Dámaso, die Fäuste ballend. »Der treibt's so weit, bis ihm einer die Maske zerbeult.«

Ana lachte freimütig. »Sei nicht blöd.«

Schließlich lachte er auch. Während er sich rasierte, erzählte seine Frau, was sie erkundet hatte. Die Polizei suchte einen Fremden.

»Es heißt, daß er am Donnerstag gekommen ist und daß er gestern abend gesehen wurde, wie er sich im Hafen herumtrieb«, sagte sie. »Es heißt, man hat ihn nirgends finden können.« Dámaso dachte an den Fremden, den er nie gesehen hatte, und einen Augenblick hatte er ihn ernstlich im Verdacht.

»Vielleicht ist er schon fort«, sagte Ana.

Wie immer brauchte Dámaso drei Stunden, um sich fertigzumachen. Zuerst kam die millimeterscharfe Rasur des Schnurrbarts. Dann das Bad unter dem Wasserstrahl im Innenhof. Mit einer seit dem Abend ihrer ersten Begegnung unverminderten Inbrunst verfolgte sie Zug um Zug die mühsame Prozedur des Frisierens. Als sie ihn in seinem rotkarierten Hemd einen letzten Blick in den Spiegel werfen sah, kam Ana sich überreif und schlampig vor. Mit der Gelenkigkeit des Profis führte er vor ihr ein Boxerdribbling aus. Sie packte ihn an den Handgelenken.

»Hast du Geld?«

»Ich bin reich«, erwiderte Dámaso gutgelaunt. »Ich habe doch die zweihundert Pesos.«

Ana wandte sich zur Wand, holte aus ihrem Busenausschnitt ein Röllchen Banknoten und gab ihrem Mann einen Peso: »Da, Jorge Negrete.«

An jenem Abend war Dámaso mit seinen Kumpanen auf dem Platz. Die Leute vom Land, die ihre Erzeugnisse auf dem Sonntagsmarkt zu verkaufen gedachten, hatten mitten zwischen den Bratfischständen und Lotterietischen ihre Planen aufgespannt und schnarchten bereits beim Dunkelwerden. Dámasos Freunde schienen sich für den Einbruch im Billardsalon kaum mehr zu interessieren als für die Radioübertragung der Baseball-Meisterschaft, die sie wegen des geschlossenen Lokals nicht hören konnten. Während sie noch über Baseball redeten, ohne sich einig werden zu können oder sich nach dem Programm zu erkundigen, betraten sie das Kino.

Es lief ein Film mit *Cantinflas.* In der ersten Reihe der Galerie sitzend lachte Dámaso ohne Gewissensbisse. Er fühlte sich von den Aufregungen genesen. Es war ein schöner Juniabend, und in den leeren Augenblicken, in denen nur das Schnurren des Projektors zu hören war, lastete auf dem dachlosen Kino das Schweigen der Sterne.

Plötzlich verblaßten die Bilder auf der Leinwand, und Lärm brach im hinteren Parkett aus. In der jähen Helligkeit fühlte Dámaso sich entdeckt, angeprangert und wollte loslaufen. Doch schon sah er das Publikum im Parkett wie gelähmt und einen Polizisten, der, das aufgerollte Koppel in der Faust, mit dem schweren Kupferschloß wütend auf einen Mann einschlug. Es war ein riesenhafter Neger. Die Frauen schrien, und der Polizist, der den Neger verprügelte, überschrie jetzt die schreienden Frauen: »Gauner! Gauner!« Der Neger wälzte sich zwischen den Sitzreihen, verfolgt von zwei Polizisten, die auf seine Nieren einhieben, bis sie ihn von hinten festhalten konnten. Sofort fesselte der, der auf ihn eingeschlagen hatte, ihm die Ellbogen mit dem Riemen auf dem Rücken, und zu dritt stießen sie ihn zur Tür. Alles verlief so blitzschnell, daß Dámaso erst begriff, was geschehen war, als der Neger in zerrissenem Hemd, das Gesicht verschmiert von einem Gemisch aus Staub, Schweiß und Blut, an ihm vorüberlief und schluchzte: »Mörder, Mörder.« Dann gingen die Lichter wieder aus, und der Film lief weiter. Dámaso lachte nicht mehr. Er sah nur noch Fetzen einer zusammenhanglosen Geschichte und rauchte pausenlos, bis das Licht anging und die Zuschauer, wie erschreckt von der Wirklichkeit, einander anblickten. »Prima«, rief jemand neben ihm. Dámaso drehte sich nicht um.

»*Cantinflas* ist ganz prima«, sagte er.

Der Menschenstrom trug ihn zum Ausgang. Beladen mit ihrem Kram, machten die Imbißverkäuferinnen sich auf den Heimweg. Es war elf vorbei, trotzdem warteten viele Leute auf der Straße, daß die Kinobesucher herauskämen, um etwas über die Festnahme des Negers zu erfahren.

In jener Nacht betrat Dámaso seine Behausung so leise, daß er im Bett bereits die zweite Zigarette rauchte, ehe Ana zwischen zwei Träumen seine Anwesenheit bemerkte.

»Das Essen steht in der Loderasche«, sagte sie.

»Ich hab' keinen Hunger«, sagte Dámaso.

Ana seufzte.

»Ich habe geträumt, daß Nora Butterhörnchen gebacken hat«, sagte sie noch im Halbschlaf. Plötzlich fiel ihr ein, daß sie gegen ihren Willen eingeschlafen war, und sie drehte sich zu Dámaso um und rieb sich geblendet die Augen.

»Sie haben den Fremden gefaßt«, sagte sie.

Dámaso sprach lange nicht.

»Wer hat das gesagt?«

»Sie haben ihn im Kino gefaßt«, sagte Ana. »Alle Welt ist jetzt dort.«

Sie erzählte eine entstellte Fassung der Festnahme. Dámaso berichtigte sie nicht. »Armer Kerl«, seufzte Ana.

»Wieso armer Kerl«, entgegnete Dámaso aufgeregt. »Wär's dir lieber, ich säße jetzt im Kittchen?«

Sie kannte ihn zu gut, um zu antworten. Sie hörte, wie er rauchte und wie ein Asthmatiker keuchte bis zum ersten Hahnenschrei. Dann hörte sie, wie er aufstand und wohl eher tastend als sehend sich im Zimmer zu schaffen machte. Sie hörte, wie er darauf über eine Viertelstunde den Erdboden unter dem Bett aufscharrte; danach hörte sie, wie er sich in der Dunkelheit auszog, bemüht, keinen Lärm zu machen, ahnungslos, daß sie, um ihm zu helfen, ihn die ganze Zeit im Glauben gelassen hatte, sie schliefe. Etwas regte sich im Kern ihrer Instinkte. Ana wußte nun, daß Dámaso im Kino gewesen war, und sie begriff, warum er soeben die Billardkugeln unter dem Bett vergraben hatte.

Am Montag wurde der Salon wiedereröffnet und von einer aufgeregten Kundschaft belagert. Der Billardtisch war mit einem violetten Tuch zugedeckt, und das verlieh dem Lokal etwas von einem Beerdigungsinstitut. An der Wand hing ein Schild: »Mangels Bällen Spielen unmöglich.« Beim Eintreten lasen die Leute den Anschlag wie eine Sensationsnachricht. Einige blieben eine geraume Weile davor stehen und lasen ihn immer wieder mit unergründlicher Andacht.

Dámaso war unter den ersten Stammgästen. Er hatte einen Teil seines Lebens auf den Zuschauerbänken verbracht, und dort saß er wieder, sobald sich die Türen öffneten. Es war ein peinlicher Augenblick, doch ebenso rasch überstanden wie eine Beileidsbezeigung. Er schlug dem Besitzer über die Theke hinweg leicht auf die Schulter und sagte: »So ein Pech, Don Roque.«

Der Billardbesitzer schüttelte den Kopf mit bekümmertem Lächeln und seufzte: »Da siehst du's!« Und bediente seine Kunden weiter, während Dámaso von seinem Barhocker aus den gespenstischen Tisch unter seinem violetten Leichentuch betrachtete.

»So was«, sagte er.

»Stimmt«, bestätigte der Mann auf dem Nachbarhocker. »Wie in der Karwoche.«

Als die meisten Stammgäste zum Mittagessen gingen, steckte Dámaso eine Münze in die Musikbox und drückte einen mexikanischen Corrido, dessen Platz auf der Wählscheibe er auswendig kannte. Don Roque trug Tischchen und Stühle in den hinteren Teil des Salons.

»Was machen Sie da?« fragte Dámaso.

»Ich stelle Spieltische auf«, erwiderte Don Roque. »Es muß ja was geschehen, bis die Kugeln kommen.«

Wie er sich so halb tastend bewegte, einen Stuhl in jedem Arm, wirkte er wie ein neugebackener Witwer.

»Wann kommen sie?« fragte Dámaso.

»Vor Ablauf eines Monats, hoffe ich.«

»Bis dahin sind die anderen wieder aufgetaucht«, sagte Dámaso.

Befriedigt musterte Don Roque die Reihe der Tischchen.

»Sie tauchen nicht wieder auf«, sagte er und trocknete sich die Stirn mit dem Ärmel. »Seit Samstag kriegt der Neger nichts zu beißen, und trotzdem sagt er nicht, wo sie sind.« Er maß Dámaso durch seine schweißbeschlagene Brille. »Er hat sie bestimmt in den Fluß geschmissen.«

Dámaso biß sich auf die Lippen.

»Und die zweihundert Pesos?«

»Auch nicht«, sagte Don Roque. »Man hat nur dreißig bei ihm gefunden.«

Sie blickten sich in die Augen. Dámaso hätte nicht zu erklären vermocht, warum er das Gefühl hatte, daß der Blickwechsel etwas wie Komplizität schaffte. An jenem Nachmittag sah Ana ihn vom Waschtrog aus wie einen Boxer näher tänzeln. Sie folgte ihm ins Zimmer.

»Erledigt«, sagte Dámaso. »Der Alte hat sich abgefunden und neue Bälle bestellt. Jetzt brauchen wir nur zu warten, bis kein Mensch mehr daran denkt.«

»Und der Neger?«

»Hat nichts zu sagen«, sagte Dámaso achselzuckend. »Wenn sie die Kugeln nicht bei ihm finden, müssen sie ihn laufenlassen.«

Nach dem Essen setzten sie sich vor die Haustür auf die

Straße und redeten mit den Nachbarn, bis der Kinolautsprecher verstummte. Als es Zeit war zum Schlafengehen, war Dámaso erregt.

»Mir ist gerade das beste Geschäft von der Welt eingefallen«, sagte er.

Ana begriff, daß er seit Einbruch der Dunkelheit keinen anderen Gedanken gewälzt hatte.

»Ich gehe von Dorf zu Dorf«, fuhr Dámaso fort. »Ich klaue die Billardkugeln im einen und verkaufe sie im nächsten. Billardsalons gibt's in jedem Dorf.«

»Bis sie dich über den Haufen knallen.«

»Was heißt hier über den Haufen knallen«, sagte er. »Sowas gibt's nur im Kintopp.« Er hatte sich mitten im Zimmer aufgepflanzt und berauschte sich an seiner eigenen Begeisterung. Ana begann sich auszuziehen, anscheinend gleichgültig, doch in Wirklichkeit hörte sie mit mitleidiger Aufmerksamkeit zu.

»Ich kauf' mir eine Stange Anzüge«, sagte Dámaso und deutete mit dem Zeigefinger auf einen imaginären Kleiderschrank von der Größe der Wand. »Von hier bis dorthin. Außerdem fünfzig Paar Schuhe.«

»Möge Gott dich erhören«, sagte Ana.

Dámaso heftete einen finsteren Blick auf sie.

»Du interessierst dich nicht für meine Angelegenheiten«, sagte er.

»Sie sind mir fern«, sagte Ana. Sie löschte die Lampe, legte sich an die Wand und fügte mit einem Anflug von Bitterkeit hinzu: »Wenn du dreißig bist, bin ich siebenundvierzig.«

»Sei nicht blöd«, sagte Dámaso.

Er betastete seine Taschen nach Streichhölzern.

»Dann brauchst du dich auch nicht mehr mit der Wäsche abzurackern«, sagte er halb ratlos. Ana gab ihm Feuer. Sie blickte in die Flamme, bis das Streichholz verlöschte und warf das Ende fort. Auf dem Bett ausgestreckt, redete Dámaso weiter.

»Weißt du, woraus Billardkugeln gemacht werden?« Ana antwortete nicht.

»Aus Elefantenzähnen«, fuhr er fort. »Sie sind so schwer aufzutreiben, daß es einen Monat braucht, bis sie hier sind. Kannst du dir das vorstellen?«

»Schlaf lieber«, unterbrach ihn Ana. »Ich muß um fünf Uhr raus.«

Dámaso war wieder der alte. Er verbrachte den Vormittag rauchend im Bett und begann nach der Mittagsruhe mit der Toilette für den Ausgang. Er besaß die Tugend, seine Pläne mit der gleichen Begeisterung zu vergessen, die er gebraucht hatte, um sie zu ersinnen.

»Hast du Kies?« fragte er seine Frau am Samstag.

»Elf Pesos«, antwortete sie. Und fügte sanft hinzu: »Es ist der Kies für die Miete.«

»Ich schlag' dir ein Geschäft vor.«

»Welches?«

»Leih sie mir.«

»Ich muß doch das Zimmer bezahlen.«

»Zahlen wir später.«

Ana schüttelte den Kopf. Dámaso packte sie am Handgelenk und hinderte sie am Aufstehen vom Tisch, an dem sie gerade zu Mittag gegessen hatten.

»Nur für ein paar Tage«, sagte er und streichelte ihr mit zerstreuter Zärtlichkeit den Arm. »Wenn ich die Bälle verkaufe, haben wir Kies für alles.«

Ana gab nicht nach. An jenem Abend im Kino ließ Dámaso auch dann nicht die Hand von ihrer Schulter, wenn er in der Pause mit seinen Freunden sprach. Sie sahen den Film nur in Bruchstücken. Schließlich wurde Dámaso ungeduldig.

»Dann muß ich mir den Kies eben klauen«, sagte er. Ana zuckte mit den Achseln.

»Dem ersten, der mir über den Weg läuft, haue ich eines über den Schädel«, sagte Dámaso und schubste sie durch die Menge, die aus dem Kino strömte. »Dann werfen sie mich wegen Mord ins Kittchen.«

Ana lächelte innerlich. Ließ sich aber nicht erweichen. Am nächsten Morgen, nach einer stürmischen Nacht, zog Dámaso sich mit sichtlicher, bedrohlicher Eile an. Trat zu seiner Frau ans Bett und knurrte: »Ich komm' nie wieder.«

Ana erschrak unwillkürlich.

»Gute Reise«, schrie sie.

Nachdem Dámaso die Tür hinter sich zugeschlagen hatte, begann für ihn ein leerer, endloser Sonntag. Die bunten Töpfereien des Wochenmarkts und die farbenfroh gekleideten Frauen, die mit ihren Kindern aus der Achtuhrmesse kamen, gaben dem Platz einen heiteren Anstrich, aber die Luft wurde bereits hart vor Hitze. Er verbrachte den Tag im Billardsalon. Eine Gruppe von Männern spielte vormittags Karten, und kurz vor dem Mittagessen füllte sich vorübergehend der Raum. Doch offensichtlich hatte das Lokal seine Anziehungskraft verloren. Erst gegen Abend, als die Baseballübertragung begann, gewann es etwas von seinem alten Leben zurück.

Nachdem der Salon geschlossen hatte, fand Dámaso sich ziellos auf einem Platz wieder, von dem alles Leben zu weichen schien. Eine Parallelstraße zum Hafen entlanggehend folgte er der Spur einer fröhlich-fernen Musik. Am Ende der Straße lag ein riesiges, schmuckloses, mit verblichenen Papiergirlanden geschmücktes Tanzlokal, im hinteren Teil spielte auf einem Podium eine Tanzkapelle. Drinnen hing ein beklemmender Duft von Lippenrot.

Dámaso nahm an der Theke Platz. Als das Musikstück zu Ende war, sammelte der junge Mann, der Schlagzeug spielte, Münzen bei den Männern ein, die getanzt hatten. Ein Mädchen ließ einen Tänzer mitten im Saal stehen und kam auf Dámaso zu.

»Was war los, Jorge Negrete?«

Dámaso setzte sie neben sich. Der Barmann, gepudert, eine Nelke hinter dem Ohr, fragte mit Kehlkopfstimme: »Was nehmen Sie?«

Das Mädchen wandte sich an Dámaso.

»Was nehmen wir?«

»Nichts.«

»Es geht auf meine Rechnung.«

»Darum geht es nicht«, sagte Dámaso. »Ich habe Hunger.«

»Schade«, sagte der Barmann. »Mit solchen Augen.« Sie gingen nach hinten in den Speiseraum. Seiner Figur nach war das Mädchen blutjung, aber die Schicht aus Puder und Schminke und der Lippenstift ließen ihr wahres Alter nicht erkennen. Nach dem Essen ging Dámaso mit ihr aufs Zimmer am Ende eines dunklen Innenhofs, wo das Atmen schlafender Tiere zu hören war. Im Bett lag ein wenige Monate altes Kind auf bunten Fetzen. Das Mädchen legte die Fetzen in eine Holzkiste, bettete das Kind hinein und stellte die Kiste auf den Fußboden.

»Die Ratten werden's dir wegfressen«, sagte Dámaso.

»Das werden sie nicht tun«, sagte sie.

Sie vertauschte ihr rotes Kleid mit einem ausgeschnitteneren mit großen gelben Blumen.

»Wer ist der Papa?« fragte Dámaso.

»Keine Ahnung«, sagte sie. Dann, von der Tür aus: »Bin gleich wieder da.«

Er hörte, wie sie das Vorhängeschloß vorlegte. Angezogen auf dem Rücken liegend rauchte er mehrere Zigaretten. Das Bettuch bebte zum Takt des Mambo. Er wußte nicht, wann er einschlief. Beim Erwachen schien ihm das Zimmer in der musikleeren Luft gewachsen zu sein.

Das Mädchen zog sich vor dem Bett aus.

»Wie spät?«

»Gegen vier«, sagte sie. »Hat das Kind nicht geweint?«

»Glaub' nicht«, sagte Dámaso.

Das Mädchen legte sich dicht neben ihn und musterte ihn mit leicht verdrehten Augen, während sie ihm das Hemd aufknöpfte. Dámaso begriff, daß sie ziemlich betrunken war. Er versuchte, die Lampe zu löschen.

»Laß doch«, sagte sie. »Ich schau dir so gern in die Augen.«

Im Morgengrauen füllte sich das Zimmer mit ländlichen Geräuschen. Das Kind weinte. Das Mädchen nahm es zu sich ins Bett und gab ihm die Brust, dabei summte es ein Lied aus drei Tönen, bis alle wieder einschliefen. Dámaso merkte nicht, daß das Mädchen gegen sieben erwachte, das Zimmer verließ und ohne Kind zurückkam.

»Alle Leute gehen in den Hafen«, sagte sie.

Dámaso hatte das Gefühl, die ganze Nacht nicht länger als eine Stunde geschlafen zu haben.

»Wozu?«

»Um den Neger zu sehen, der die Kugeln gestohlen hat«, sagte sie. »Heute schaffen sie ihn fort.«

Dámaso zündete sich eine Zigarette an.

»Armer Teufel«, seufzte das Mädchen.

»Wieso arm?« sagte Dámaso. »Kein Mensch hat ihn gezwungen, ein Gauner zu sein.«

Das Mädchen lehnte den Kopf an seine Brust und dachte einen Moment nach. Sagte ganz leise: »Er war es nicht.«

»Wer sagt das?«

»Ich weiß es«, sagte sie. »In der Nacht, als sie im Billardsalon eingebrochen haben, war der Neger bei Gloria und ist den ganzen nächsten Tag in ihrem Zimmer geblieben, bis zum Abend. Dann sind sie gekommen und haben gesagt, sie hätten ihn im Kino geschnappt.«

»Gloria kann ja zur Polizei gehen und es sagen.«

»Der Neger hat es bereits gesagt«, sagte sie. »Der Bürgermeister ist zu Gloria gekommen, hat das ganze Zimmer auf den Kopf gestellt und gesagt, er würde sie als Hehlerin ins Kittchen stecken. Schließlich ist sie mit zwanzig Pesos davongekommen.«

Dámaso stand vor acht Uhr auf.

»Bleib«, sagte das Mädchen. »Ich schlachte ein Huhn zum Mittagessen.«

Dámaso klopfte seinen Taschenkamm auf der Handfläche aus, bevor er ihn in die Gesäßtasche steckte.

»Ich kann nicht«, sagte er und zog das Mädchen an den Handgelenken zu sich. Sie hatte sich das Gesicht gewaschen und war tatsächlich sehr jung, mit großen schwarzen Augen, die ihr ein schutzloses Aussehen verliehen. Sie faßte ihn um die Taille.

»Bleib.«

»Für immer?«

Sie errötete leicht und schob ihn weg.

»Betrüger«, sagte sie.

Ana fühlte sich an jenem Morgen erschöpft. Aber sie ließ sich von der Erregung des Dorfs anstecken. Eiliger als gewöhnlich holte sie die in dieser Woche zu waschende Wäsche ab und lief in den Hafen, um den Abtransport des Negers mitzuerleben. Eine ungeduldige Menge wartete bei den abfahrtsbereiten Barkassen. Dort stand Dámaso.

Ana stach ihn mit beiden Zeigefingern in die Nieren.

»Was suchst du hier?« fragte Dámaso zusammenzuckend.

»Ich bin gekommen, um dich abzuschieben«, sagte Ana. Dámaso schlug mit den Fingerknöcheln gegen einen Laternenpfahl.

»Verdammt nochmal«, sagte er.

Dann zündete er sich eine Zigarette an und warf die leere Schachtel in den Fluß. Ana zog eine neue aus ihrem Mieder und steckte sie ihm in die Hemdtasche. Dámaso lächelte zum erstenmal.

»Du bist blöd«, sagte er.

»Ha ha ha«, machte Ana.

Gleich darauf wurde der Neger an Bord gebracht. Flankiert von zwei Polizisten mit geschultertem Gewehr, wurde er an einem Strick, der seine Hände auf den Rücken fesselte, von einem dritten Polizisten quer über den Platz geführt. Der Neger war ohne Hemd, seine Unterlippe war geplatzt, eine Braue geschwollen wie bei einem Boxer. Mit ergebener Würde vermied er die Blicke der Menge. In der Tür des Billardsalons, vor der sich das meiste Publikum versammelt hatte, um von hier aus die beiden Gegenspieler des Dramas beobachten zu können, sah der Besitzer ihn mit stummem Kopfschütteln vorbeigehen. Die übrigen Leute schauten mit einer Art Feuereifer zu.

Dann fuhr die Barkasse ab. Der Neger hockte an Deck, Füße und Hände an ein Petroleumfaß gefesselt. Als die Barkasse in der Flußmitte wendete und zum letzten Mal pfiff, leuchtete der Rücken des Negers auf.

»Armer Teufel«, murmelte Ana.

»Verbrecher«, sagte jemand in ihrer Nähe. »Kein menschliches Wesen verträgt so viel Sonne.«

Dámaso fand die Stimme: sie gehörte einer ungewöhnlich fetten Frau; dann bewegte er sich langsam zum Platz. »Du quatschst zuviel«, brummte er Ana ins Ohr. »Es fehlt nur noch, daß du die Geschichte laut herausschreist.« Sie begleitete ihn zur Tür des Billardsaals.

»Geh und zieh sich wenigstens um«, sagte sie, als sie ihn verließ. »Siehst aus wie ein armer Schlucker.«

Die Neuigkeit hatte eine aufgeregte Kundschaft in den Salon gelockt. Bemüht, allen gerecht zu werden, bediente Don Roque an mehreren Tischen zugleich. Dámaso wartete, bis er zu ihm kam.

»Kann ich Ihnen was helfen?«

Don Roque stellte ein Dutzend Flaschen Bier mit darübergestülpten Gläsern vor ihn hin. »Danke, Sohn.«

Dámaso trug die Flaschen zu dem Tisch. Nahm mehrere Bestellungen entgegen und trug Flaschen hin und her, bis die Kunden zum Mittagessen gingen. Gegen Morgen, als er in sein Zimmer zurückkehrte, merkte Ana, daß er getrunken hatte. Sie nahm seine Hand und legte sie auf ihren Bauch.

»Fühl mal«, sagte sie. »Spürst du was?«

Dámaso zeigte keinerlei Begeisterung.

»Er lebt schon«, sagte Ana. »Die ganze Nacht gibt er mir drinnen kleine Fußtritte.«

Doch er verriet keinerlei Regung. Auf sich selbst konzentriert, ging er am nächsten Tag in aller Frühe aus und kehrte nicht vor Mitternacht heim. So verlief die Woche. In den seltenen Augenblicken, die er zu Hause verbrachte, wich er, auf dem Bett rauchend, jeder Unterhaltung aus. Ana überbot sich in Fürsorge. Einmal, zu Anfang ihres Zusammenlebens, hatte er sich ähnlich aufgeführt; doch damals kannte sie ihn noch nicht gut genug, um nicht aufzubegehren. Dámaso hatte sich rittlings im Bett auf sie gesetzt und auf sie eingeschlagen, bis sie blutete. Diesmal wartete sie. Gegen Abend legte sie eine Schachtel Zigaretten neben die Lampe, weil sie wußte, daß er ohne Essen und Trinken auskam, doch nicht ohne Rauchbares. Endlich, gegen Mitte Juli, kehrte Dámaso schon gegen Abend ins Zimmer zurück. Ana war beunruhigt, sie dachte, er müsse völlig verstört sein, wenn er zu dieser Tageszeit zu ihr kam. Sie aßen wortlos. Aber vor dem Schlafengehen war Dámaso erloschen und matt und sagte mit einemmal: »Ich will fort.«

»Wohin?«

»Irgendwohin.«

Ana musterte das Zimmer. Die Titelblätter der Zeitschriften, die sie selber ausgeschnitten und an die Wände geklebt hatte, bis diese völlig mit Abbildungen von Filmschauspielern tapeziert waren, wirkten verbraucht und verblichen. Sie hatte vergessen, wie viele Männer, die sie vom Bett aus angestaunt hatte, sich nach und nach ins Farblose verflüchtigt hatten.

»Du hast mich satt«, sagte sie.

»Es ist nicht das«, sagte Dámaso. »Es ist das Dorf.«

»Es ist ein Dorf wie alle anderen.«

»Man kann die Kugeln nicht verkaufen«, sagte Dámaso.

»Laß die Kugeln Kugeln sein«, sagte Ana. »Solange Gott mir Kraft gibt, um die Wascherei auszuhalten, brauchst du dich nicht in Abenteuer zu stürzen.« Und sie fügte nach einer Pause sanft hinzu: »Ich versteh' nicht, wie du dich in sowas einlassen konntest.«

Dámaso rauchte seine Zigarette auf, bevor er sprach.

»Es war so einfach, daß ich mich wunderte, warum niemand darauf gekommen ist«, sagte er.

»Wegen dem Kies, ja«, gab Ana zu. »Aber niemand wäre so blöd gewesen, die Kugeln mitzunehmen.«

»Ich hab' gar nicht darüber nachgedacht«, sagte Dámaso. »Ich wollte schon umkehren, als ich sie in der Schachtel hinter der Theke sah und dachte, das Ganze sei eigentlich viel zuviel Arbeit, um mit leeren Händen nach Hause zu gehen.«

»Böse Stunde«, sagte Ana.

Dámaso fühlte sich erleichtert.

»Und nun kommen die neuen nicht«, sagte er. »Man hat ihm sagen lassen, daß sie jetzt teurer sind, und jetzt sagt Don Roque, daß es so kein Geschäft mehr ist.« Er steckte sich eine neue Zigarette an, und während er sprach, fühlte er, daß ihm ein Stein vom Herzen fiel.

Er erzählte, der Besitzer habe beschlossen, den Billardtisch zu verkaufen. Der Tisch war nicht viel wert. Das von achtlosen Anfängern zerrissene Tuch war mit Zwickeln unterschiedlicher Farbe geflickt worden, so daß es vollständig ersetzt werden mußte. Inzwischen hatten die Kunden des Salons, die beim Billard ergraut waren, keine andere Unterhaltung mehr als die Radioübertragungen der Baseball-Wettkämpfe.

»Kurzum«, schloß Dámaso, »ohne es zu wollen, haben wir das Dorf getroffen.«

»Ohne jeden Nutzen«, sagte Ana.

»Nächste Woche ist die Meisterschaft zu Ende«, sagte Dámaso.

»Das ist nicht das Schlimmste. Das Schlimmste ist der Neger.«

Wie in ihrer ersten Zeit an seine Schulter gelehnt, wußte sie, woran ihr Mann dachte. Sie wartete, bis er ausgeraucht hatte. Dann, mit behutsamer Stimme, sagte sie: »Dámaso.«

»Was ist?«

»Bring sie wieder hin.«

Er zündete sich eine neue Zigarette an.

»Daran denke ich seit Tagen«, sagte er. »Das Blöde ist nur, ich weiß nicht wie.«

So beschlossen sie, die Kugeln irgendwo offen liegenzulassen. Ana dachte sofort, damit sei zwar die Frage des Billardsalons gelöst, doch nicht die des Negers. Die Polizei würde den Fund auf vielerlei Art deuten können, ohne jenen deshalb schon freizusprechen. Damit war auch nicht die Gefahr behoben, daß jemand die Kugeln finden und sie verkaufen könnte, statt sie zurückzugeben.

»Da wir die Sache einmal bereinigen wollen«, schloß sie, »lieber gleich richtig.«

Sie gruben die Kugeln aus. Ana wickelte sie in Zeitschriften, achtete dabei darauf, daß die Verpackung nicht die Form des Inhalts verriet, und verwahrte die Kugeln in der Truhe.

»Jetzt brauchen wir nur auf die richtige Gelegenheit zu warten«, sagte sie.

Doch in Erwartung der richtigen Gelegenheit vergingen zwei Wochen. Am Abend des zwanzigsten August – zwei Monate nach dem Einbruch – traf Dámaso Don Roque, wie er hinter der Theke saß und die Mücken mit einem Palmwedel verscheuchte. Seine Verlassenheit schien bei abgestelltem Radio noch tiefer.

»Ich hab's dir gesagt«, rief Don Roque fast frohlockend, daß seine Vorhersage eingetroffen war. »Nun ist alles zum Teufel.«

Dámaso steckte eine Münze in die Musikbox. Die laute Musik und die kreisenden Farben des Automaten kamen ihm vor wie ein lärmender Beweis für seine Treue. Doch hatte er den Eindruck, daß Don Roque das nicht merkte. Nun zog er einen Stuhl heran und suchte ihn mit wirren Beweisgründen zu trösten, die der Besitzer im lässigen Takt seine Gewedels unerschütterlich zunichte machte.

»Nichts zu machen«, sagte er. »Die Baseball-Meisterschaft kann nicht das ganze Leben dauern.«

»Aber die Kugeln können wieder auftauchen.«

»Tauchen aber nicht wieder auf.«

»Der Neger hat sie bestimmt nicht gegessen.«

»Die Polizei hat alles abgesucht«, sagte Don Roque mit aufreizender Sicherheit. »Er hat sie in den Fluß geschmissen.«

»Es kann aber ein Wunder geschehen.«

»Keine Illusionen, Sohn«, erwiderte Don Roque. »Das Unglück ist wie eine Schnecke. Glaubst du an Wunder?«

»Manchmal«, sagte Dámaso.

Als er das Lokal verließ, war das Kino noch nicht aus. Die bellenden, abgehackten Dialoge des Lautsprechers hallten in dem stillen dunklen Dorf wider, und an den wenigen offengebliebenen Häusern haftete etwas Vorläufiges. Dámaso trieb sich einen Augenblick beim Kino herum. Dann ging er in den Tanzsaal. Die Kapelle spielte für einen einzelnen Gast, der mit zwei Frauen gleichzeitig tanzte. Die anderen, artig an der Wand sitzend, schienen auf einen Brief zu warten. Dámaso setzte sich an einen Tisch, winkte dem Barmann, ihm ein Bier zu bringen, und trank es mit kleinen Atempausen aus der Flasche, während er wie durch eine Glasscheibe den mit zwei Frauen tanzenden Mann beobachtete. Er war kleiner als sie.

Gegen Mitternacht kamen die Frauen, die im Kino gewesen waren, und hinter ihnen eine Gruppe von Männern. Dámasos Freundin, die zu der Gruppe gehört hatte, sonderte sich ab und setzte sich an seinen Tisch.

Dámaso sah sie nicht an. Er hatte ein halbes Dutzend Flaschen Bier getrunken und starrte noch immer auf den Mann, der jetzt mit drei Frauen tanzte, doch ohne sich um sie zu kümmern, da er ganz mit den Figuren seiner eigenen Füße beschäftigt war. Er schien glücklich, und es war offensichtlich, daß er noch glücklicher gewesen wäre, wenn er außer Beinen und Armen einen Schwanz gehabt hätte.

»Der Kerl gefällt mir nicht«, sagte Dámaso.

»Dann schau halt nicht hin«, sagte das Mädchen. Sie bestellte beim Barmann einen Schnaps. Die Tanzfläche füllte sich langsam mit Paaren, aber der Mann mit den drei Frauen fühlte sich nach wie vor allein im Saal. Bei einer Drehung begegnete er Dámasos Blick, legte sich stärker ins Zeug und zeigte lächelnd seine Hasenzähne. Dámaso hielt den Blick ohne Wimperzucken aus, bis der Mann ernst wurde und ihm den Rükken kehrte.

»Er hält sich für sehr lustig«, sagte Dámaso.

»Er ist sehr lustig«, sagte das Mädchen. »Immer wenn er ins Dorf kommt, belegt er die Musik mit Beschlag wie alle Handelsreisenden.«

Dámaso wandte ihr seine verdrehten Augen zu.

»Dann geh doch zu ihm«, sagte er. »Wo drei essen, essen auch vier.«

Ohne zu antworten, drehte sie das Gesicht zur Tanzfläche, wobei sie ihren Schnaps langsam schlürfte. Ihr blaßgelbes Kleid betonte ihre Schüchternheit.

Sie tanzten den nächsten Tanz. Zum Schluß war Dámaso gänzlich durcheinander.

»Ich sterbe vor Hunger«, sagte das Mädchen und zog ihn am Arm zur Theke. »Auch du mußt was essen.« Der lustige Mann kam ihnen mit den drei Frauen entgegen.

»Hören Sie mal«, sagte Dámaso zu ihm.

Der Mann lächelte, ohne stehenzubleiben. Dámaso löste sich vom Arm seiner Begleiterin und vertrat ihm den Weg.

»Ihre Zähne gefallen mir nicht.«

Der Mann erbleichte, lächelte aber noch.

»Mir auch nicht«, sagte er.

Bevor das Mädchen ihn daran hindern konnte, gab Dámaso ihm einen Faustschlag ins Gesicht, und der Mann fiel auf der Tanzfläche aufs Gesäß. Keiner der Gäste griff ein. Kreischend umschlangen die drei Frauen Dámaso am Gürtel, während seine Begleiterin ihn in die Saalecke schob. Der Mann richtete sich mit zerschundenem Gesicht auf. Sprang wie ein Affe in die Mitte der Tanzfläche und schrie: »Weiterspielen!«

Gegen zwei Uhr war der Saal fast leer, und die Frauen ohne Kunden begannen zu essen. Es war heiß. Das Mädchen brachte einen Teller Reis mit Bohnen und gebratenem Fleisch zum Tisch und aß alles mit einem Löffel. Dámaso schaute wie betäubt zu. Sie hielt ihm einen Löffel voll Reis hin.

»Mund auf.«

Dámaso drückte das Kinn auf die Brust und schüttelte den Kopf.

»Das ist was für Frauen«, sagte er. »Wir Männer essen nicht.«

Er mußte die Hände auf den Tisch stützen, um aufzustehen. Als er sein Gleichgewicht wiedergewonnen hatte, stand der Barmann mit verschränkten Armen vor ihm.

»Es hat dreizehn geschlagen«, sagte er. »Das ist kein staatliches Kloster.«

Dámaso schob ihn beiseite.

»Ich kann Tunten nicht ausstehen«, sagte er.

Der Barmann packte ihn am Arm, aber auf ein Zeichen des Mädchens ließ er ihn los und sagte: »Du weißt eben nicht, was dir entgeht.«

Dámaso stolperte hinaus. Der geheimnisvolle Glanz des Flusses im Mondlich hieb einen Keil von Hellsicht in sein Gehirn. Doch ebenso rasch verdunkelte es sich wieder. Als er die Tür seines Zimmers am anderen Ende des Dorfs vor sich sah, war Dámaso sicher, im Gehen geschlafen zu haben. Er schüttelte den Kopf. Auf wirre, aber eindringliche Weise wurde ihm klar, daß er von diesem Augenblick an jede einzelne Bewegung kontrollieren müsse. Behutsam, damit die Angeln nicht kreischten, drückte er die Tür auf.

Ana hörte ihn die Truhe durchwühlen. Sie drehte sich zur Wand, um nicht vom Lampenschein geblendet zu werden, merkte aber bald, daß ihr Mann sich nicht auszog. In plötzlicher Hellsicht setzte sie sich im Bett auf. Dámaso stand vor der Truhe, in der Hand das Paket mit den Kugeln und die Stablampe.

Er legte den Zeigefinger auf die Lippen.

Ana sprang aus dem Bett. »Bist du wahnsinnig!« zischte sie und lief zur Tür. Rasch schob sie den Riegel vor. Dámaso steckte die Lampe, das Taschenmesser und die angeschliffene Feile in die Hosentasche und ging mit dem Paket unter dem Arm auf sie zu. Ana preßte den Rücken gegen die Tür.

»Hier kommst du nicht raus, solange ich lebe«, murmelte sie.

Dámaso versuchte sie beiseite zu schieben.

»Geh da weg«, sagte er.

Ana klammerte sich mit beiden Händen an den Türrahmen. Sie blickten einander an, ohne mit den Wimpern zu zucken.

»Du bist ein Esel«, antwortete Ana. »Was Gott dir an Augen geschenkt hat, hat er dir an Grips genommen.«

Dámaso packte sie am Haar und verdrehte ihr Handgelenk,

bis sie den Kopf senkte, dann stieß er durch zusammengebissene Zähne: »Ich hab' dir gesagt, du sollst da weggehen.«

Ana blickte ihn von der Seite an, das Auge verdreht wie das eines Ochsen im Joch. Einen Augenblick glaubte sie, unempfindlich gegen den Schmerz zu sein und stärker als ihr Mann, aber der verdrehte ihr den Haarschopf, bis ihr die Tränen kamen.

»Du bringst mir den Jungen um in meinem Bauch«, sagte sie. Halb zog, halb trug Dámaso sie zum Bett. Kaum fühlte sie sich frei, sprang sie auf seinen Rücken und hielt ihn mit Beinen und Armen fest, bis beide aufs Bett fielen. Vor Luftmangel gingen ihnen allmählich die Kräfte aus.

»Ich schreie«, keuchte Ana ihm ins Ohr. »Sowie du dich regst, schreie ich los.«

Dámaso schnaubte in dumpfem Zorn und hieb ihr mit dem Kugelpaket auf die Knie. Ana stieß ein Wimmern aus und lockerte die Beine, umklammerte aber desto härtnäckiger seine Taille. um ihn nicht zur Tür gelangen zu lassen. Dann flehte sie. »Ich verspreche dir, daß ich sie selber morgen hinbringe«, sagte sie. »Ich lege sie hin, ohne daß es einer merkt.«

Immer näher an die Tür, schlug Dámaso ihr mit den Kugeln auf die Hände. Sekundenlang, um den Schmerz loszuwerden, gab sie ihn frei. Dann umschlang sie ihn von neuem und flehte wieder.

»Ich kann sagen, ich bin's gewesen«, sagte sie. »In meinem Zustand können sie mich nicht einsperren.«

Dámaso riß sich los.

»Das ganze Dorf wird dich sehen«, sagte Ana. »Du bist so blöd und merkst nicht mal, daß der Mond scheint.«

Wieder umschlang sie ihn, bevor er den Riegel zurückschieben konnte. Dann hieb sie mit geschlossenen Augen auf Hals und Gesicht ein und schrie fast: »Biest, Biest.« Dámaso versuchte in Deckung zu gehen, rasch hing sie sich an den Riegel und entriß ihn seinen Händen. Holte damit gegen seinen Kopf aus. Dámaso duckte sich, und der Riegel klirrte wie Glas auf seinem Schulterblatt.

»Hure«, schrie er.

In diesem Augenblick war es ihm gleichgültig, ob er Lärm machte. Er schlug sie mit dem Faustrücken aufs Ohr und hörte ihren tiefen Wehlaut und den Prall ihres Körpers gegen die Wand, blickte jedoch nicht hin. Rannte aus der Tür, ohne sie zu schließen. Betäubt vom Schmerz, blieb Ana auf dem Fußboden liegen und wartete darauf, daß etwas in ihrem Bauch vor sich ging. Hinter der Wand rief sie jemand mit einer Stimme, die einem Begrabenen zu gehören schien. Sie biß sich auf die Lippen, um nicht zu weinen. Dann richtete sie sich auf und zog sich an. So wenig wie das erste Mal kam ihr jetzt der Gedanke, Dámaso könne noch vor der Tür stehen, weil er sich sagen mußte, daß der Plan gescheitert war, und darauf warten, daß sie schreiend herausstürzte. Zum zweiten Mal beging Ana den gleichen Irrtum: statt hinter ihrem Mann herzurennen, zog sie die Schuhe aus, lehnte die Tür an, setzte sich aufs Bett und wartete.

Erst als die Tür angelehnt wurde, begriff Dámaso, daß er nicht mehr zurückkonnte. Hundegebell verfolgte ihn bis ans Ende der Gasse, dann herrschte gespenstische Stille. Er vermied die Gehsteige, um dem Geräusch der eigenen Schritte zu entfliehen, die in dem schlafenden Dorf laut und fremd hallten. Er vergaß jede Vorsicht, bis er auf dem unbebauten Gelände vor der Hintertür des Billardsalons stand.

Diesmal brauchte er seine Lampe nicht. Die Tür war nur an der Stelle des beschädigten Rings ausgebessert worden. Man hatte ein Stück Holz von der Größe und Form eines Ziegelsteins herausgesägt, dieses durch ein neues ersetzt und wieder denselben Ring angebracht. Der Rest war gleich geblieben. Dámaso zog mit der linken Hand an dem Vorhängeschloß, setzte die Feile am Fuß des nicht reparierten Rings an und bewegte die Feile mehrmals wie einen Wagenheber kraftvoll, aber ohne Gewaltanwendung, bis das Holz kreischend und vermodertes Sägemehl versprühend nachgab. Bevor er die Tür aufstieß, hob er sie leicht an, damit ihre unebene Unterseite nicht auf den Bodenziegeln scharrte. Er öffnete nur halb.

Zuletzt zog er die Schuhe aus, schob diese mit dem Kugelpaket hindurch und schlich, das Kreuz schlagend, in den mondhellen Salon.

Gleich vorn begann ein finsterer, von Flaschen und Kisten verstopfter Gang. Dahinter, unter dem monddurchfluteten Oberlicht, stand der Billardtisch, dann kam die Rückseite der Schränke, endlich die kleinen Tische und Stühle als Bollwerk gegen den Haupteingang. Alles genau wie beim ersten Mal, mit Ausnahme der Mondlichtflut und der tiefen Stille. Dámaso, der bis dahin mühsam seine Nervosität bekämpft hatte, fühlte sich seltsam gebannt.

Diesmal achtete er nicht auf die losen Bodenziegel. Er stellte die Schuhe an die angelehnte Tür, und nachdem er den Mondlichtkegel durchschritten hatte, knipste er seine Stablampe an, um die kleine Kiste der Kugeln hinter der Theke zu suchen. Er verschmähte jede Vorsicht. Die Lampe nach links und rechts schwenkend, sah er einen Haufen staubiger Flaschen, ein Paar Steigbügel mit Sporen, ein mit Schmieröl beschmutztes zusammengerolltes Hemd und bald die kleine Kiste der Kugeln an derselben Stelle, an der er sie stehengelassen hatte. Aber er ließ den Lichtstrahl nicht weiterwandern. Dort saß der Kater. Das Tier blickte ihn geheimnisvoll durch das Licht hindurch an. Dámaso strahlte ihn an, bis ihm mit einer gelinden Gänsehaut einfiel, daß er ihn tagsüber nie im Salon gesehen hatte. Er schwenkte den Lichtkegel weiter und sagte »Husch«, aber das Tier blieb ungerührt sitzen. Dann platzte etwas lautlos in seinem Kopf, und der Kater schwand völlig aus seinem Bewußtsein. Als er begriff, was los war, hatte er die Lampe fallen lassen und drückte das Paket mit den Kugeln an die Brust. Der Salon war erleuchtet.

»Heda!«

Er erkannte Don Roques Stimme. Langsam, mit schrecklichem Müdigkeitsgefühl in den Nieren, richete er sich auf. Don Roque, in Unterhosen, eine Eisenstange in der Hand, kam aus dem Hintergrund des Salons näher, noch geblendet von der Helligkeit. Hinter den Flaschen und leeren Kisten hing nahe der Stelle, wo Dámaso vorbeigeschlichen war, eine Hängematte. Auch das war anders als beim ersten Mal.

Als er knapp zehn Meter entfernt stand, sprang Don Roque leicht zur Seite und ging in Abwehrstellung. Dámaso verbarg die Hand mit dem Paket. Don Roque rümpfte die Nase und steckte den Kopf vor, um ihn ohne Brille erkennen zu können.

»Junge«, rief er aus.

Dámaso hatte das Gefühl, als sei etwas Unendliches endlich zu Ende. Don Roque ließ die Stange sinken und kam mit offenem Mund näher. Ohne Augengläser und Gebiß glich er einer Frau.

»Was suchst du hier?«

»Nichts«, sagte Dámaso.

Mit einer unmerklichen Bewegung des Körpers wechselte er die Stellung.

»Was hast du da?« fragte Don Roque.

Dámaso wich zurück.

»Nichts«, sagte er.

Don Roque lief rot an und begann zu zittern. »Was hast du da«, schrie er und machte mit erhobener Stange einen Schritt vorwärts. Dámaso gab ihm das Paket. Don Roque nahm es mit der linken Hand, ohne ihn aus dem Auge zu lassen, und betastete es mit den Fingern. Erst jetzt begriff er.

»Nicht möglich!« sagte er.

Er war so verblüfft, daß er die Stange auf die Theke legte und Dámaso zu vergessen schien, während er das Paket öffnete. Stumm betrachtete er die Kugeln.

»Ich wollte sie wieder hinlegen«, sagte Dámaso.

»Versteht sich«, sagte Don Roque.

Dámaso war aschfahl. Der Alkohol war völlig aus seinem Körper gewichen, und nur ein erdiger Geschmack auf der Zunge war geblieben und ein wirres Gefühl von Einsamkeit.

»Das also war das Wunder«, sagte Don Roque, das Zeitungspapier übereinanderschlagend. »Ich kann's kaum glauben, daß du so blöd bist.« Als er den Kopf hob, war sein Gesichtsausdruck unverändert.

»Und die zweihundert Pesos?«

»Es war nichts in der Schublade«, sagte Dámaso. Leer kauend, blickte Don Roque ihn nachdenklich an, dann lächelte er.

»Es war nichts da«, wiederholte er mehrmals. »Es war nichts da.« Wieder griff er die Stange, sagte: »Wir wollen die Geschichte gleich mal dem Bürgermeister erzählen.«

Dámaso wischte sich den Schweiß von seinen Händen an der Hose ab.

»Sie wissen doch, daß nichts da war.«

Don Roque lächelte noch immer.

»Es waren zweihundert Pesos da«, sagte er. »Und die werden sie dir jetzt aus dem Fell ziehen, nicht weil du ein Dieb bist, sondern weil du blöd bist.«

Die Witwe Montiel

Als Don José Montiel starb, fühlte sich alle Welt gerächt, nur nicht seine Witwe; jedoch bedurfte es mehrerer Stunden, bis alle Welt glaubte, daß er wirklich gestorben war. Viele kamen ins Trauerhaus und zweifelten daran, nachdem sie den Leichnam im Sterbezimmer gesehen hatten, eingepackt in Kissen und Leinenlaken in einem gelben, melonenartig bauchigen Sarg. Er war glattrasiert, steckte in einem schneeweißen Anzug und Lackschuhen und sah so wohl aus, daß er nie lebendiger gewirkt hatte. Er war leibhaftig der Don Chepe Montiel von sonntags, wenn er die Achtuhrmesse hörte, nur daß er nun statt der Reitpeitsche ein Kruzifix in den Händen hielt. Erst mußte der Deckel des Sargs verschraubt und dieser in der prachtvollen Familiengruft verschlossen worden sein, um das ganze Dorf davon zu überzeugen, daß er nicht den Toten spielte.

Nach der Beerdigung erschien allen, nur nicht seiner Witwe, eines unglaublich, nämlich daß José Montiel eines natürlichen Todes gestorben war. Während alle Welt gehofft hatte, er würde aus einem Hinterhalt meuchlings durchlöchert werden, war seine Witwe stets sicher gewesen, ihn nach vollzogener Beichte ohne Todeskampf wie einen modernen Heiligen aus Altersschwäche im Bett sterben zu sehen. Sie irrte nur in einigen Einzelheiten. José Montiel starb eines Mittwochs gegen zwei Uhr nachmittags in seiner Hängematte an den Folgen seines Kinderzorns, den der Arzt ihm verboten hatte. Trotzdem hoffte seine Gattin, daß das ganze Dorf der Beerdigung beiwohnen und das Haus zu klein sein würde, um all die Blumen aufzunehmen. Übrigens wohnten nur seine Parteigänger und die religiösen Männervereine der Beerdigung bei, und außer den Kränzen der Stadtverwaltung kamen keine Kränze. Sein Sohn und seine zwei Töchter – er von seinem Konsulatsposten in Deutschland und sie von Paris aus – sandten dreiseitige Telegramme. Man sah der verschiedenen Tinte des Postamts an, daß sie die Telegramme stehend abgefaßt und viele Formulare zerrissen hatten, bevor sie Wörter für zwanzig Dollar gefunden hatten. Keiner von ihnen versprach heimzukehren. In jener Nacht, während sie im Alter von zweiundsechzig Jahren in das Kissen weinte, auf dem der Kopf des Mannes ruhte, der sie glücklich gemacht hatte, lernte die Witwe Montiel zum ersten Mal den Geschmack des Grolls kennen. Ich werde mich für immer zurückziehen, dachte sie. Es ist mir, als hätten sie mich mit José Montiel in denselben Sarg gesteckt. Ich will nichts mehr von dieser Welt wissen. Darin war sie aufrichtig.

Diese zarte Frau, zerrissen von Aberglauben, auf Wunsch ihrer Eltern im Alter von zwanzig Jahren mit dem einzigen Anwärter verehelicht, den aus zehn Meter Entfernung zu sehen sie ihr gestattet hatten, war nie in unmittelbare Berührung mit der Wirklichkeit gekommen. Drei Tage nachdem der Leichnam ihres Mannes aus dem Haus geschafft worden war, begriff sie durch ihre Tränen hindurch, daß sie sich wehren mußte, fand aber für ihr neues Leben keine Richtung. Sie mußte von vorne anfangen.

Zu den ungezählten Geheimnissen, die José Montiel mit ins Grab genommen hatte, gehörte die Geheimzahl des Safe. Der Bürgermeister nahm sich des Problems an. Er ließ den Safe in den Innenhof vor die Mauer stellen, und zwei Polizisten feuerten ihre Gewehre auf den Verschluß ab. Einen ganzen Vormittag lang hörte die Witwe im Schlafzimer die anhaltenden Feuerstöße unter den Brüllkommandos des Bürgermeisters. Das hat noch gefehlt, dachte sie. Fünf Jahre habe ich zu Gott gebetet, daß die Schießerei aufhört, und jetzt soll ich ihm danken, daß in meinem Haus geschossen wird. An jenem Tag rief sie mit Inbrunst den Tod herbei, aber niemand antwortete. Sie war gerade beim Einschlafen, als eine fürchterliche Explosion die Grundfesten ihres Hauses erschütterte. Die Männer hatten den Safe sprengen müssen.

Die Witwe Montiel stieß einen Seufzer aus. Der Oktober verewigte sich mit seinen sturzflutartigen Regenfällen, und sie fühlte sich verloren und schiffte ziellos durch José Montiels verwahrlostes, fabelhaftes Landgut. Señor Carmichael, uralter emsiger Diener der Familie, hatte die Verwaltung übernommen. Als sie sich schließlich der nackten Tatsache gegenübersah, daß ihr Mann gestorben war, verließ die Witwe Montiel ihr Schlafzimmer, um sich ihres Hauses anzunehmen. Sie entkleidete es allen Zierats, ließ die Möbel mit Trauerfarben überziehen und wand Trauerschleifen um die Bilder des Toten, die an den Wänden hingen. In zwei Monaten der Zurückgezogenheit hatte sie sich angewöhnt, auf den Nägeln zu kauen. Eines Tages fiel ihr – mit hochroten, vom vielen Weinen geschwollenen Augen – auf, daß Señor Carmichael das Haus mit aufgespanntem Regenschirm betrat.

»Machen Sie den Regenschirm zu, Señor Carmichael«, sagte sie. »Nach all dem Unglück, das wir haben, fehlte uns nur noch, daß Sie mit aufgespanntem Regenschirm ins Haus kommen.«

Señor Carmichael stellte den Regenschirm in die Ecke. Er war ein alter, weiß gekleideter Neger mit glänzender Haut und trug Schuhe, in die er mit dem Rasiermesser Schlitze geschnitten hatte, um seine Hühneraugen vom Druck zu entlasten.

»Nur bis er trocken wird.«

Zum ersten Mal seit dem Tod ihres Mannes öffnete die Witwe das Fenster. »Soviel Unglück und obendrein dieser Winter«, murmelte sie und kaute auf den Nägeln. »Es sieht so aus, als würde es nie aufhören.«

»Es wird nicht heute aufhören und auch nicht morgen«, sagte der Verwalter. »Gestern nacht haben mich meine Hühneraugen nicht schlafen lassen.«

Sie vertraute den Wettervorhersagen von Señor Carmichaels Hühneraugen. Sie betrachtete den verlassenen Platz, die stillen Häuser, deren Türen sich nicht geöffnet hatten, um José Montiels Leichenzug zu sehen, und nun war sie verzweifelt über ihre Fingernägel, über ihr grenzenloses Land und die unbegrenzten Verpflichtungen, die sie von ihrem Mann ererbt hatte und nie verstehen würde.

»Die Welt ist schlecht bestellt«, schluchzte sie. Wer sie in jenen Tagen besuchte, mußte allen Ernstes annehmen, sie habe den Verstand verloren. Doch sie war nie hellsichtiger als jetzt. Schon bevor das politische Gemetzel begonnen hatte, verbrachte sie die düsteren Oktobervormittage am Fenster ihres Zimmers, bemitleidete die Toten und dachte, hätte Gott nicht am Sonntag geruht, er hätte Zeit gefunden, die Welt zu beenden. »Er hätte diesen Tag nutzen sollen, dann wäre ihm nicht so vieles mißraten«, sagte sie. »Schließlich und endlich blieb ihm die ganze Ewigkeit zum Ausruhen.«

Der einzige Unterschied nach dem Tod ihres Mannes war der, daß sie jetzt einen wirklichen Grund hatte, auf düstere Gedanken zu kommen.

Während die Witwe Montiel sich so in Verzweiflung verzehrte, suchte Señor Carmichael den Schiffbruch zu verhüten. Die Dinge liefen nicht gut. Frei von der Bedrohung durch José Montiel, der den Handel des Ortes durch Terror monopolisiert hatte, schritt das Volk zu Vergeltungsmaßnahmen. In Erwartung von Kunden, die nicht kamen, wurde die Milch in den im Hof gestapelten Kannen sauer, gärte der Honig in den Schläuchen, und der Käse mästete Würmer in den dunklen Verschlägen des Lagerhauses. In seiner mit Glühbirnen und Erzengeln aus imitiertem Marmor geschmückten Gruft zahlte José Montiel für sechs Jahre voller Morde und Gewalttätigkeiten. Niemand war in der Geschichte des Landes in so kurzer Zeit so reich geworden. Als der erste Bürgermeister der Diktatur ins Dorf kam, war José Montiel ein diskreter Parteigänger aller Regimes gewesen, der die Hälfte seines Lebens damit verbracht hatte, in Unterhosen an der Tür seiner Reismühle zu sitzen. Eine Zeitlang genoß er einen gewissen Ruf als glücklicher Gottgläubiger, weil er mit lauter Stimme gelobt hatte, einen Sankt Josef in Lebensgröße für die Kirche zu stiften, wenn er das große Los ziehe, und zwei Wochen darauf zog er sechs Abschnitte und erfüllte sein Gelübde. In Schuhen wurde er das erste Mal gesehen, als der neue Bürgermeister kam, ein Polizeisergeant, linkisch und ungeschlacht, der ausdrückliche Weisungen besaß, die Opposition zu liquidieren. José Montiel wurde sein Geheimspitzel. Dieser bescheidene Kaufmann, dessen stiller Humor eines fetten Mannes nicht das geringste Mißtrauen weckte, teilte seine politischen Gegner in reich und arm ein. Die Armen durchlöcherte die Polizei auf dem öffentlichen Platz. Den Reichen wurden vierundzwanzig Stunden gewährt, um das Dorf zu verlassen. Für die Planung des Massenmords schloß José Montiel sich ganze Tage mit dem Bürgermeister in sein glutheißes Büro ein, während seine Frau die Toten bemitleidete. Als der Bürgermeister das Büro verließ, vertrat sie ihrem Mann den Weg.

»Dieser Mann ist ein Verbrecher«, sagte sie. »Mach deinen Einfluß bei der Regierung geltend, damit sie diese Bestie wegholt, die kein Menschenwesen in diesem Dorf am Leben lassen wird.«

Und der in jenen Tagen so beschäftigte José Montiel schob sie beiseite, ohne sie eines Blickes zu würdigen: »Sei kein Hasenfuß.« In Wirklichkeit war sein Geschäft nicht der Tod der Armen, sondern die Vertreibung der Reichen. Nachdem der Bürgermeister ihre Haustüren mit Kugeln durchlöchert und ihnen eine Frist zum Verlassen des Dorfes gesetzt hatte, kaufte José Montiel ihnen ihre Ländereien und Viehbestände zu einem Preis ab, den er selber festgesetzt hatte.

»Sei nicht blöd«, sagte seine Frau zu ihm. »Du wirst dich ruinieren, wenn du ihnen hilfst, anderswo nicht zu verhungern, und danken werden sie es dir nie.«

Und José Montiel, der nicht einmal mehr zum Lächeln Zeit fand, stieß sie beiseite und sagte: »Scher dich in deine Küche und geh mir nicht auf die Nerven.«

Bei diesem Tempo war die Opposition in weniger als einem Jahr liquidiert, und José Montiel war der reichste und mächtigste Mann des Dorfes. Schickte seine Töchter nach Paris, erwirkte für seinen Sohn ein Konsulat in Deutschland und widmete sich der Festigung seines Imperiums. Doch er konnte seinen gewaltsam erworbenen Reichtum keine sechs Jahre genießen.

Nach dem ersten Todestag ihres Mannes hörte die Witwe die Treppe nur noch unter dem Gewicht einer bösen Nachricht ächzen. Immer traf jemand gegen Abend ein. »Schon wieder die Straßenräuber«, hieß es. »Gestern haben sie eine Herde von fünfzig Jungstieren mitgenommen.« Regungslos in ihrem Schaukelstuhl, nährte sich die Witwe Montiel nur von Groll.

»Ich hab's dir gesagt, José Montiel«, sagte sie im Selbstgespräch. »Das ist ein undankbares Dorf. Du bist noch warm in deinem Grab, und schon kehrt uns alle Welt den Rücken.«

Kein Mensch kam mehr ins Haus. Das einzige Menschenwesen, das sie in jenen endlosen Monaten, in denen der Regen nicht aufhörte, zu Gesicht bekam, war der beharrliche Señor Carmichael, der das Haus nie mit geschlossenem Regenschirm betrat. Die Dinge liefen nicht besser. Señor Carmichael hatte mehrere Briefe an José Montiels Sohn geschrieben. Er hatte ihm empfohlen, die Leitung der Geschäfte zu übernehmen, und sich sogar einige persönliche Betrachtungen über die Gesundheit der Witwe gestattet. Stets erhielt er ausweichende Antworten. Zuletzt erwiderte José Montiels Sohn freimütig, er wage nicht zurückzukehren aus Angst, abgeknallt zu werden. Worauf Señor Carmichael zum Schlafzimmer der Witwe hinaufstieg und sich zu dem Geständnis genötigt sah, man sei ruiniert.

»Um so besser«, sagte sie. »Ich stecke bis zum Hals in Käse und Mücken. Wenn Sie wollen, nehmen Sie mit, was Sie brauchen, und lassen Sie mich ruhig sterben.«

Fortan waren ihre einzige Berührung mit der Welt die Briefe, die sie von ihren Töchtern an jedem Monatsende erhielt. »Das ist ein verfluchtes Dorf«, schrieb sie ihnen. »Bleibt, wo ihr seid und kümmert euch nicht um mich. Ich bin glücklich, wenn ich weiß, daß ihr glücklich sind.« Ihre Töchter antworteten ihr abwechselnd. Die Briefe waren stets fröhlich, man sah ihnen an, daß sie in lauwarmen, gutbeleuchteten Räumen geschrieben waren und daß die jungen Mädchen sich in vielen Spiegeln wiederholt sahen, wenn sie innehielten, um nachzudenken. Auch sie verspürten keine Lust zurückzukehren. »Hier ist Zivilisation«, sagten sie. »Da drüben ist keine Umgebung für uns. Man kann nicht in einem so wilden Land leben, wo man Leute aus politischen Gründen ermordet.« Wenn die Witwe Montiel diese Briefe las, fühlte sie sich wohler und nickte bei jedem Satz zustimmend mit dem Kopf.

Bei einer bestimmten Gelegenheit erzählten ihre Töchter von den Pariser Fleischmärkten. Sie sagten, da würden rosafarbene Schweine geschlachtet und im Stück, mit Kränzen und Blumengirlanden geschmückt, in der Tür aufgehängt. Am Schluß des Briefes hatte eine fremde Handschrift hinzugefügt: »Stell dir vor, sie stecken dem Schwein die größte und schönste Nelke in den Hintern.«

Als sie diesen Satz las, lächelte die Witwe Montiel zum ersten Mal seit zwei Jahren. Stieg in ihr Schlafzimmer hinauf, ohne die Lichter im Haus zu löschen, und bevor sie sich zur Ruhe legte, drehte sie den elektrischen Ventilator zur Wand. Dann holte sie aus der Nachttischschublade eine Schere, eine Heftpflasterrolle und den Rosenkranz und verband sich den vom Kauen entzündeten rechten Daumen. Daraufhin begann sie zu beten, doch beim zweiten Mysterium nahm sie den Rosenkranz in die linke Hand, denn sie spürte die Perlen nicht durch das Pflaster hindurch. Einen Augenblick lang hörte sie das Beben fernen Donners. Der Kopf sank ihr auf die Brust, und sie schlief ein. Die Hand mit dem Rosenkranz glitt an ihrer Seite herab, und nun sah sie die Große Mama im Hof, wie sie mit einem weißen Laken und einem Kamm im Schoß mit dem Daumen Läuse ausweidete. Sie fragte sie: »Wann werde ich sterben?«

Die Große Mama hob den Kopf.

»Wenn dein Arm müde wird.«

Ein Tag nach dem Samstag

Die Unruhe begann im Juli, als Señora Rebeca, eine verbitterte Witwe, die in einem riesigen Haus mit zwei Veranden und neun Schlafnischen wohnte, entdeckte, daß ihre Fliegenfenster zerrissen waren, als seien sie von der Straße aus mit Steinen beworfen worden. Zuerst stellte sie es in ihrem Schlafzimmer fest und dachte, sie müsse darüber mit Argénida reden, die seit dem Tod ihres Mannes ihre Dienerin und Vertraute war. Dann, Krimskrams räumend (denn seit langer Zeit tat Señora Rebeca nichts anderes als Krimskrams räumen), merkte sie, daß die Fliegenfenster nicht nur in ihrem Schlafzimmer, sondern im ganzen Haus beschädigt waren. Die Witwe hatte einen theoretischen Sinn für Autorität, ererbt vielleicht von ihrem Urgroßvater väterlicherseits, einem Kreolen, der im Unabhängigkeitskrieg auf seiten der Realisten gekämpft und anschließend eine beschwerliche Reise nach Spanien unternommen hatte mit der ausschließlichen Absicht, den Palast zu besuchen, den Carlos III. in San Ildefonso erbaut hatte. Als sie daher den Zustand der anderen Fliegenfenster entdeckte, dachte sie nicht mehr daran, mit Argénida zu sprechen, sondern setzte ihren mit winzigen Samtblumen verzierten Strohhut auf und begab sich zum Rathaus, um das Attentat zu melden. Als sie jedoch dort anlangte, sah sie, daß selbst der Bürgermeister, ohne Hemd, halbnackt und mit einer Vierschrötigkeit, die ihr bestialisch vorkam, mit der Instandsetzung der gleichfalls beschädigten städtischen Fliegenfenster beschäftigt war.

Señora Rebeca betrat das schmutzige, unordentliche Büro, und das erste, was sie sah, war ein Haufen toter Vögel auf dem Schreibtisch. Sie war jedoch teils durch die Hitze und teils durch die Empörung über ihre ruinierten Fliegenfenster so verstört, daß sie keine Zeit fand, angesichts des ungewöhnlichen Schauspiels der toten Vögel auf dem Schreibtisch zu erzittern. Auch ärgerte sie nicht einmal der Anblick der entwürdigten Autorität, die hoch auf einer Leiter die Metallgitter des Fensters mit einer Rolle Draht und einem Schraubenzieher instand setzte. In diesem Augenblick dachte sie an keine andere Würde als an ihre eigene, in Form ihrer Fliegenfenster verhöhnte Würde, und ihre Verstörung hinderte sie sogar daran, die Fenster ihres Hauses mit denen des Rathauses in Verbindung zu bringen. Mit zurückhaltender Feierlichkeit stellte sie sich zwei Schritt von der Tür entfernt im Büro auf und sagte, auf den großen, verzierten Griff ihres Sonnenschirms gestützt: »Ich möchte eine Beschwerde einreichen.«

Auf der Spitze der Leiter wandte der Bürgermeister das hitzegedunsene Gesicht zu ihr herab. Er bekundete keinerlei Gemütsbewegung angesichts des ungewöhnlichen Auftritts der Witwe in seiner Kanzlei. Mit mürrischer Nachlässigkeit löste er das zerrissene Maschennetz weiter ab und fragte von oben: »Worum handelt es sich?«

»Darum, daß die Straßenjungen der Nachbarschaft mir meine Fliegenfenster zerrissen haben.«

Nun blickte der Bürgermeister sie wieder an. Musterte sie eingehend von den bildschönen Samtblümchen bis zu den altsilberfarbenen Schuhen, und es war, als sehe er sie zum ersten Mal in seinem Leben. Mit sparsamen Schritten stieg er herab, ohne sie aus den Augen zu lassen, und als er festen Boden unter den Füßen hatte, legte er eine Hand an seinen Gürtel und deutete mit dem Schraubenzieher zum Schreibtisch.

»Das sind keine Straßenjungen, Señora. Das sind Vögel.«

Jetzt erst brachte sie die toten Vögel auf dem Schreibtisch mit dem auf die Leiter gekletterten Mann in Verbindung sowie mit den zerfetzten Fliegenfenstern ihrer Schlafnischen. Sie erzitterte bei der Vorstellung, daß alle Schlafzimmer ihres Hauses voller toter Vögel seien.

»Die Vögel!« rief sie aus.

»Die Vögel!« bestätigte der Bürgermeister. »Merkwürdig, daß Ihnen nicht schon vor drei Tagen aufgefallen ist, daß uns die Vögel die Fenster zerfetzen und in unseren Häusern sterben.« Als Señora Rebeca das Rathaus verließ, fühlte sie sich beschämt. Und war ein wenig böse auf Argénida, die zwar jeden Dorfklatsch mit nach Hause brachte, ihr aber nichts von den Vögeln erzählt hatte. Geblendet vom Glanz eines bevorstehenden August, spannte sie den Sonnenschirm auf, und während sie durch die glutheiße, verlassene Straße ging, hatte sie den Eindruck, daß die Bettnischen aller Häuser einen starken, aufsässigen Geruch nach toten Vögeln verströmten.

Es war in den letzten Julitagen, und nie im Leben des Dorfs war es so heiß gewesen. Doch seine Bewohner, beeindruckt von der Vogelsterblichkeit, merkten das nicht. Wenngleich das sonderbare Phänomen die Tätigkeiten des Dorfs nicht ernsthaft beeinflußt hatte, stand seine Mehrheit Anfang August gleichwohl unter seinem Bann. Eine Mehrheit, zu der nicht seine Hochwürden Antonio Isabel vom Heiligsten Altarsakrament Castañeda und Montero gehörte, der sanfte Gemeindepfarrer, der im Alter von nunmehr vierundneunzig Jahren beteuerte, den Teufel bei drei Gelegenheiten gesehen zu haben, aber nur zwei tote Vögel gesehen hatte, ohne ihnen die geringste Bedeutung beizumessen. Den ersten fand er eines Dienstags in der Sakristei nach der Messe und dachte, eine Katze aus der Nachbarschaft habe ihn hereingeschleppt. Den zweiten fand er am Mittwoch in der Veranda des Pfarrhauses und schob ihn mit dem Fuß auf die Straße, wobei er dachte: *Katzen dürfte es nicht geben.*

Am Freitag jedoch, als er zur Eisenbahnstation kam, fand er einen dritten toten Vogel auf der Bank, die er zum Ausruhen wählte. Es war wie ein Blitz in seinem Innern, als er den Leichnam an den Füßchen faßte, ihn auf Augenhöhe hob, ihn umdrehte, prüfte und erschrocken dachte: *Potztausend, das ist der dritte, den ich diese Woche finde.* Von diesem Augenblick an begann Pater Antonio Isabel sich klarzumachen, was im Dorf vorging, wiewohl auf sehr ungenaue Weise, war er doch teils durch sein Alter, teils weil er beteuerte, den Teufel bei drei Gelegenheiten gesehen zu haben (was dem Dorf etwas überspannt vorkam), unter seinen Pfarrkindern als guter, friedfertiger und diensteifriger Mensch angesehen, der aber für gewöhnlich in den Wolken schwebte. Zwar machte er sich klar, daß mit den Vögeln etwas nicht stimmte, hielt den Vorfall aber keiner Predigt für würdig. Er war der erste, der den Geruch wahrnahm. Er roch ihn Freitag nacht, als er bestürzt erwachte, nachdem sein leichter Schlaf von einem Pesthauch unterbrochen worden war, doch wußte er nicht, ob er ihn einem Alptraum oder einem neuen, originellen Kunstgriff Satans zuschreiben sollte, um seinen Schlaf zu stören. Er schnupperte umher und drehte sich im Bett um, wähnend, die Erfahrung könne ihm zu einer Predigt verhelfen. Das könnte, so dachte er, eine dramatische Predigt über Satans Geschicklichkeit werden, sich durch irgendeinen der fünf Sinne ins menschliche Herz einzuschleichen.

Als er am nächsten Tag vor der Messe den Vorhof durchschritt, hörte er zum ersten Mal von den toten Vögeln reden. Er dachte an seine Predigt, an Satan und die Sünden, die sich durch den Geruchssinn begehen lassen, als er jemand sagen hörte, der üble Geruch während der Nacht rühre von den während der Woche eingesammelten Vögeln her; und schon bildete sich in seinem Kopf ein wirrer Aufruhr von evangelischen Warnungen, von üblen Gerüchen und toten Vögeln. So mußte er am Sonntag einen besonderen Abschnitt über die Nächstenliebe aus dem Stegreif dichten, den er selbst nicht ganz verstand, und dabei vergaß er für immer die Beziehungen zwischen dem Teufel und den fünf Sinnen.

Übrigens ruhten wohl diese Erfahrungen in einem sehr fernen Winkel seines Denkens verborgen. Das war ihm schon immer so gegangen, nicht nur vor über siebzig Jahren im Seminar, sondern auch auf recht eigenartige Weise, seitdem er die neunzig erreicht hatte. Eines sehr hellen Nachmittags, als ein starker gewitterloser Regenguß niederging, las er im Seminar ein Stück Sophokles in der Originalsprache. Als der Regen nachließ, sah er durchs Fenster die ermüdeten Felder, den blankgewaschenen, neuen Nachmittag und vergaß ganz das griechische Theater und die Klassiker, die er nicht voneinander unterschied, sondern verallgemeinernd die »Alterchen von alterher« nannte. Eines regenlosen Nachmittags etwa dreißig, vierzig Jahre später überquerte er den gepflasterten Platz eines Dorfs, das er gerade besuchte, und sagte unwillkürlich die Sophokleische Strophe auf, die er im Seminar gelesen hatte. In derselben Woche unterhielt er sich ausgiebig über die »Alterchen von altersher« mit dem apostolischen Vikar, einem redseligen, leicht erregbaren Alten, Liebhaber etlicher verzwickter Rätsel für Gebildete, die er angeblich erfunden hatte und die später unter dem Namen Kreuzworträtsel beliebt wurden.

Diese Unterhaltung erlaubte ihm, mit einem Schlag all seine alte, innige Liebe zu den griechischen Klassikern wiederzufinden. Am Weihnachtstag jenes Jahres erhielt er einen Brief. Und da er nicht Bischof war, weil er sich schon zu jener Zeit den dauerhaften Ruf erwoben hatte, übertrieben phantasievoll, verwegen in seinen Auslegungen und ziemlich ungereimt in seinen Predigten zu sein, hätte man ihn bei dieser Gelegenheit zum Bischof ernannt.

Doch schon viele Jahre vor dem Krieg von Fünfundachtzig saß er in dem Dorf fest; und schon vor der Zeit, als die Vögel zum Sterben in die Schlafzimmer drangen, hatte man gebeten, ihn durch einen jüngeren Priester zu ersetzen, besonders als er behauptete, den Teufel gesehen zu haben. Seither nahm man ihn nicht mehr ernst, was er nur sehr vage wahrnahm, obwohl er noch immer die kleinen Buchstaben seines Breviers ohne Brille entziffern konnte.

Stets war er ein Mensch regelmäßiger Gewohnheiten gewesen. Klein, unscheinbar, von betont kräftigem Knochenbau, gelassenen Gebärden und einer schmerzstillenden Stimme fürs Gespräch, doch zu schmerzstillend für die Kanzel. Die Zeit bis zum Mittagessen verbrachte er in seiner Bettnische und drehte Papierkügelchen, in seinen Segeltuchsessel geräkelt und nur mit langen, an den Knöcheln festgebundenen Sergeunterhosen bekleidet. Seine einzige Tätigkeit bestand im Messelesen. Zweimal in der Woche setzte er sich in den Beichtstuhl, doch seit Jahren kam niemand mehr zur Beichte. Er glaubte schlichtweg, seine Pfarrkinder seien dabei, infolge der modernen Sitten den Glauben zu verlieren; deshalb hätte er es als höchst passendes Ereignis erachtet, den Teufel bei drei Gelgenheiten gesehen zu haben, wenngleich er wußte, daß die Leute seinen Worten wenig Vertrauen entgegenbrachten, und er war sich klar, nicht sehr überzeugend zu klingen, wenn er von diesen Erfahrungen sprach. Für ihn selbst wäre die Entdeckung, tot zu sein, keine Überraschung gewesen, nicht nur im Verlauf der letzten fünf Jahre, sondern auch in jenen außergewöhnlichen Augenblicken, da er die ersten zwei Vögel fand. Als er übrigens den dritten fand, kam er ein wenig zum Leben, dergestalt, daß er in den darauffolgenden Tagen mit beachtlicher Häufigkeit an den toten Vogel auf der Bahnhofsbank dachte.

Er wohnte zehn Schritte vom Gotteshaus entfernt in einem kleinen Haus ohne Fliegenfenster mit einer auf die Straße gehenden Veranda und zwei Kammern, die ihm als Arbeits- und Schlafzimmer dienten. In Augenblicken von geringer Klarheit hielt er es für möglich, das Glück auf Erden zu erlangen, wenn es nicht sehr heiß sei, und dieser Gedanke bereitete ihm ein Gran Ratlosigkeit. Es gefiel ihm nämlich, sich auf metaphysischen Holzwegen zu verirren. Das tat er, wenn er sich jeden Morgen bei halbgeöffneter Tür auf die Veranda setzte, die Augen schloß und die Muskeln entspannte. Übrigens wurde ihm nicht bewußt, daß sein Denken so feinsinnig geworden war, daß er bereits seit drei Jahren in Augenblicken der Meditation an nichts mehr dachte. Schlag zwölf durchschritt ein junger Mann die Veranda mit einem vierteiligen Essensträger, der jeden Tag das gleiche enthielt: Knochenbrühe mit einem Stück Yuccawurzel, weißen Reis, zwiebelloses Schmorfleisch, gebratene Banane oder Maiskuchen und etwas

Linsengemüse, das Pater Antonio Isabel vom Heiligsten Altarsakrament noch nie angerührt hatte.

Der junge Mann stellte den Essensträger neben den Stuhl, in dem der Priester ruhte, doch dieser öffnete die Augen erst, wenn er die Schritte auf der Veranda verhallen hörte. Daher glaubte man im Dorf, der Pater halte seinen Mittagsschlaf vor dem Mittagessen (was ebenfalls überspannt schien), während er in Wahrheit nicht einmal nachts richtig schlief.

Zu jener Zeit hatten sich seine Gewohnheiten bis zur Urwüchsigkeit vereinfacht. Er aß zu Mittag, ohne sich aus seinem Segeltuchstuhl zu rühren, ohne die Gerichte aus dem Essensträger zu nehmen, ohne Teller, Gabel oder Messer zu gebrauchen, ausgenommen den Löffel, mit dem er die Suppe aß. Dann stand er auf, schüttete sich etwas Wasser auf den Kopf, zog die weiße, mit großen viereckigen Flicken besetzte Soutane an und schritt zur Eisenbahnstation, genau in der Stunde, in der das übrige Dorf sich zum Mittagsschlaf niederlegte. Seit mehreren Monaten machte er diesen Weg und murmelte dabei das Gebet, das er das letzte Mal, als ihm der Teufel erschienen war, erfunden hatte.

Eines Samstags – neun Tage, seitdem tote Vögel herabfielen – machte sich Pater Antonio Isabel vom Allerheiligsten Altarsakrament zum Bahnhof auf den Weg, als ihm genau vor Señora Rebecas Haus ein sterbender Vogel vor die Füße fiel. Ein Blitz der Klarheit durchzuckte seinen Kopf, und ihm wurde bewußt, daß jener Vogel, im Gegensatz zu den anderen, zu retten war. Er hob ihn auf und klopfte an Señora Rebecas Tür, gerade als sie ihr Mieder löste, um sich zum Mittagsschlaf hinzulegen.

In ihrer Bettnische hörte die Witwe das Klopfen und wandte instinktiv den Blick zu den Fliegenfenstern. Seit zwei Tagen war kein Vogel in ihre Nische gedrungen. Doch der Maschendraht war noch immer zerfetzt. Solange die Vogelinvasion, die ihre Nerven in Aufruhr hielt, nicht aufhörte, hielt sie die Instandsetzung für eine nutzlose Ausgabe. Durch das Summen des elektrischen Ventilators hindurch hörte sie das Pochen an der Tür und erinnerte sich ärgerlich daran, daß Argénida ihren Mittagsschlaf in der letzten Bettnische der Veranda hielt. Sie kam nicht einmal auf den Gedanken, sich zu fragen, wer sie zu dieser Stunde stören könne. Sie knöpfte ihr Mieder wieder zu, schritt durch die Fliegentür, ging aufrecht und geziert die Veranda entlang, durchquerte das mit Möbeln und Zierat vollgestopfte Wohnzimmer, und bevor sie die Haustür öffnete, sah sie durch den Maschendraht Pater Antonio Isabel, der schweigsam, mit erloschenen Augen dort draußen stand, einen toten Vogel in der Hand hielt und (bevor sie die Tür öffnen konnte) sagte: »Wenn wir ihn mit etwas Wasser beträufeln und ihn unter einen Totumakürbis setzen, bin ich sicher, daß er wieder zu sich kommt.« Und als Señora Rebeca die Tür öffnete, fühlte sie, daß sie vor Schrecken verging.

Er blieb nicht länger als fünf Minuten. Señora Rebeca glaubte, sie sei es gewesen, die den Vorfall abgekürzt habe. In Wirklichkeit jedoch war es der Pater gewesen. Hätte die Witwe in diesem Augenblick nachgedacht, so hätte sie gemerkt, daß der Priester in den dreißig Jahren, die er im Dorf wohnte, nie mehr als fünf Minuten in ihrem Haus verweilt war. Ihm schien, daß in dem verschwenderischen Zierat des Wohnzimmers deutlich die Habsucht der Hausbesitzerin zutage trat, trotz ihrer entfernten, doch anerkannten Verwandtschaft mit dem Bischof. Außerdem war eine Legende (oder eine Geschichte) über Señora Rebecas Familie im Umlauf, die – so dachte der Pater – sicherlich nicht bis zum Bischofspalast gedrungen war, obschon Oberst Aureliano Buendía, Vetter väterlicherseits der Witwe, den sie für aus der Art geschlagen hielt, einmal versichert hatte, der Bischof habe das Dorf im neuen Jahrhundert nicht besucht, um den Besuch bei seinen Verwandten zu vemeiden. Doch mochte dies Geschichte sein oder Legende, fest stand, daß Pater Antonio Isabel vom Allerheiligsten Altarsakrament sich nicht wohl fühlte in diesem Haus, dessen einzige Bewohnerin nie Zeichen von Frömmigkeit gezeigt hatte und nur einmal im Jahr beichten ging, dafür aber mit Ausflüchten antwortete, sobald er sie auf den dunklen Tod ihres Mannes festnageln wollte. Wenn er jetzt da war und darauf wartete, daß sie ein Gefäß mit Wasser brachte, um einen Vogel in Todesqual zu baden, so wurde dies durch einen Umstand bestimmt, den er selber nie hervorgerufen hätte.

Während er auf die Rückkehr der Witwe wartete, spürte der in einem prachtvoll geschnitzten Schaukelstuhl sitzende Priester die merkwürdige Feuchtigkeit des Hauses, das nicht zur Ruhe gekommen war seit dem Augenblick vor über vierzig Jahren, als ein Pistolenschuß erschallt und José Arcadio Buendía, Bruder des Obersten, unter Schnallen- und Sporengeklirr mit dem Gesicht auf die noch warmen, soeben ausgezogenen Gamaschen gestürzt war. Als Señora Rebeca wieder ins Wohnzimmer trat, sah sie Pater Antonio Isabel im Schaukelstuhl sitzen mit jenem Anflug von Verträumtheit, der sie stets zu Tode erschreckte.

»Das Leben eines Tiers«, sagte der Pater, »ist unserem Herrgott ebenso teuer wie das eines Menschen.« Als er das sagte, dachte er nicht an José Arcadio Buendía. Noch dachte er an die Witwe. Sie hingegen war nicht gewohnt, den Worten des Paters Glauben zu schenken, seitdem er auf der Kanzel von den drei Malen gesprochen hatte, da ihm der Teufel erschienen war. Ohne ihn zu beachten, nahm sie den Vogel in die Hände, tauchte ihn im Gefäß unter und schüttelte ihn. Der Pater beobachtete, daß in ihrer Handlungsweise Unbarmherzigkeit lag, Nachlässigkeit, ein völliger Mangel an Rücksicht gegen das Leben des Tiers.

»Sie mögen Vögel nicht«, sagte er sanft, aber bestimmt. Ungeduldig, ja feindselig hob die Witwe die Lider.

»Wenn ich sie einmal gemocht habe«, sagte sie, »so sind sie mir jetzt zuwider, da sie darauf verfallen sind, in den Häusern zu sterben.«

»Es sind viele gestorben«, sagte er unerbittlich. Man hätte meinen mögen, in der Eintönigkeit seiner Stimme klinge viel Schlauheit mit.

»Alle«, sagte die Witwe. Und fügte hinzu, während sie das Tier widerwillig trocken drückte und unter eine Kürbisschale legte: »Es wäre mir gleichgültig, hätten sie mir nicht die Fliegenfenster zerrissen.« Ihm schien, als habe er nie so viel Härte des Herzens erlebt. Als der Priester im nächsten Augenblick den Vogel in der eigenen Hand hielt, gewahrte er, daß das Herz in dem winzigen wehrlosen Körper zu schlagen aufgehört hatte. Nun vergaß er alles, die Feuchtigkeit des Hauses, die Habsucht, den unerträglichen Pulvergeruch am Leichnam José Arcadio Buendías, und wurde sich der erstaunlichen Wahrheit bewußt, die ihn seit Beginn der Woche umgab. Genau hierselbst, während die Witwe ihn mit dem toten Vogel und einem bedrohlichen Gesichtsausdruck das Haus verlassen sah, erlebte er die wundersame Offenbarung: ein Regen toter Vögel fiel auf das Dorf, und er, der Diener Gottes, der Auserwählte, der das Glück gekannt hatte, wenn es nicht zu heiß war, hatte die Apokalypse völlig vergessen.

An jenem Tag ging er wie immer zur Eisenbahnstation, war sich aber seiner Handlungen nicht voll bewußt. Er wußte vage, daß etwas in der Welt geschah, doch fühlte er sich stumpf, blöd und des Augenblicks unwürdig. Auf der Bahnhofsbank sitzend, versuchte er sich zu erinnern, ob Vogelregen in der Apokalypse vorkam, hatte es aber völlig vergessen. Mit einemmal dachte er, daß er durch den Aufenthalt in Señora Rebecas Haus den Zug verpaßt hatte, hob den Kopf über die staubigen zerbrochenen Fensterscheiben und sah auf der Uhr des Stationsvorstehers, daß es zwölf Minuten vor eins war. Als er zur Bank zurückkehrte, hatte er einen Erstickungsanfall. In diesem Augenblick erinnerte er sich daran, daß es Samstag war. Eine Sekunde lang bewegte er, verirrt in seinem nebeldüsteren Innern, seinen Fächer aus geflochtenen Palmblättern. Dann geriet er in Verzweiflung über die Knöpfe seiner Soutane und die Knöpfe seiner Schuhe und seine langen engen Sergeunterhosen und erkannte bestürzt, daß ihm in seinem Leben nie so heiß gewesen war.

Ohne sich von der Bank zu rühren, knöpfte er den Kragen seiner Soutane auf, förderte aus dem Ärmel sein Taschentuch zutage, wischte sich das hitzegedunsene Gesicht und dachte dabei in einem Augenblick erleichterter Leidenschaftlichkeit, vielleicht wohne er der Entstehung eines Erdbebens bei. Das hatte er irgendwo gelesen. Übrigens war der Himmel wolkenlos, ein durchsichtiger, blauer Himmel, aus dem geheimnisvollerweise alle Vögel verschwunden waren. Pater Antonio wurde sich der Hitze und Durchsichtigkeit bewußt, vergaß sekundenlang die toten Vögel. Er dachte nun an anderes, an die Möglichkeit, daß Sturm aufkommen könne. Trotzdem war der Himmel durchscheinend und ruhig, als sei es der Himmel eines fernen andersgearteten Dorfs, wo er nie Hitze empfunden hatte, als schauten nicht seine, sondern andere Augen darauf. Dann blickte er gen Norden über die Dächer aus Palmblättern und verrostetem Blech hinweg und sah den kriechenden, den stummen, den gleichbleibenden Flecken der Aasgeier über dem Misthaufen.

Aus irgendeinem geheimnisvollen Grund fühlte der Pater, daß in diesem Augenblick Gemütsbewegungen in ihm auflebten, die er eines Sonntags im Seminar durchlebt hatte, kurz bevor er die niederen Weihen empfing. Der Rektor hatte ihm gestattet, seine Privatbibliothek zu benutzen; er brachte deshalb Stunden um Stunden (zumal an Sonntagen) dort zu, in die Lektüre einiger vergilbter Bücher vertieft, die nach altem Holz rochen und von lateinischen Anmerkungen in des Rektors winzig-steiler Kritzelschrift wimmelten. Eines Sonntags, nachdem er den ganzen Tag gelesen hatte, betrat der Rektor den Raum und hob hastig und bestürzt ein Kärtchen auf, das anscheinend aus den Seiten des Buches, in dem der Pater las, gefallen war. Dieser nahm die Verwirrung seines Vorgesetzten mit verschwiegener Gleichgültigkeit wahr, konnte aber noch gerade das Kärtchen lesen. Ein einziger Satz stand darauf in violetter, deutlicher, steiler Tintenschrift: *Madame Yvette est morte cette nuit.* Mehr als ein halbes Jahrhundert später, als er einen Flecken aus Aasgeiern über einem vergessen Dorf sah, fiel ihm der Rektor ein, der mit verschlossenem, dank der Abenddämmerung violettem Gesicht und unmerklich beschleunigtem Atem vor ihm gesessen hatte.

Unter dem Eindruck dieser Gedankenverbindung fühlte er jetzt keine Hitze mehr, sondern das Gegenteil, eiskaltes Kribbeln in Leisten und Fußsohlen. Er fühlte Entsetzen, ohne den genauen Grund für dieses Entsetzen zu kennen, gefangen wie es war in einem Gewirr verschlungener Gedanken, unter denen sich weder eine ekelerregende Empfindung wahrnehmen ließ noch der im Kot steckende Huf Satans, auch nicht ein auf die Welt einfallender Schwarm toter Vögel, während er, Antonio Isabel vom Allerheiligsten Altarsakrament, diesem Ereignis gegenüber gleichgültig blieb. Dann richtete er sich auf, hob eine erschrockene Hand wie als Andeutung eines im Leeren verschwebenden Grußes und rief tödlich erschrocken: »Der Ewige Jude.«

In diesem Augenblick pfiff der Zug. Zum ersten Mal in vielen Jahren hörte er ihn nicht. Er sah ihn rauchumhüllt in die Station einfahren und hörte den Kohlenstaubhagel auf dem verrosteten Wellblechdach. Doch das war wie ein ferner undeutlicher Traum, aus dem er erst gegen Abend vollständig erwachte, kurz nach vier Uhr, als er der gewaltigen Predigt, die er am Sonntag halten wollte, die letzten Glanzlichter aufsetzte. Acht Stunden später wurde er geholt, um einer Frau die Letzte Ölung zu spenden.

Somit erfuhr der Pater nicht, wer an jenem Nachmittag mit dem Zug angekommen war. Lange Zeit hatte er die vier ausgeleierten, ausgebleichten Waggons ein- und ausfahren sehen, erinnerte sich jedoch nicht, daß jemand zum Bleiben ausgestiegen wäre, zumindest nicht in den letzten Jahren. Früher war es anders gewesen, als man einen ganzen Nachmittag lang einen mit Bananen beladenen Zug vorbeifahren sehen konnte, einhundertundvierzig fruchtbeladene Waggons, vorüberfahrend ohne vorüberzufahren, bis nach bereits eingebrochener Nacht der letzte Waggon vorüberfuhr mit einem eine grüne Lampe schwenkenden Mann. Dann sah Pater Antonio das Dorf auf der anderen Seite des Schienenstrangs – schon mit angezündeten Lichtern –, und es schien ihm, als habe der Zug ihn allein im Vorbeifahrensehen in ein anderes Dorf mitgenommen. Vielleicht rührte daher seine Angewohnheit, jeden Tag zur Bahnstation zu gehen, besonders nachdem die Arbeiter durch Maschinengewehrfeuer niedergemäht worden und die Bananenpflanzungen eingegangen und mit ihnen die Eisenbahnzüge von einhundertundvierzig Waggons verschwunden waren, und nur jener vergilbte staubige Zug übriggeblieben war, der nie jemanden brachte und nie jemanden mitnahm.

Doch an jenem Samstag kam jemand an. Als Pater Antonio Isabel vom Allerheiligsten Altarsakrament sich von der Station entfernte, sah ein friedlicher junger Mann, an dem abgesehen von seinem Hunger nichts Besonderes war, ihn vom Fenster des letzten Wagens aus genau in dem Augenblick, als er sich daran erinnerte, daß er seit dem Vortag nichts gegessen hatte. Er dachte: *Wenn es einen Pfarrer gibt, muß es auch ein Hotel geben.* Und stieg aus, überquerte die von der metallenen Augustsonne weißglühende Straße und betrat das kühle Halbdunkel eines der Station gegenüberliegenden Hauses, aus dem ausgeleierte Grammophonmusik tönte. Sein von zweitägigem Hunger geschärfter Geruchssinn sagte ihm, daß es ein Hotel sei. Dort hinein ging er, ohne das Schildchen *Hotel Macondo* zu sehen, eine Aufschrift, die er im Leben nicht wieder lesen sollte.

Die Besitzerin war mindestens im fünften Monat. Sie war senffarben und sah aus, als sei sie identisch mit seiner Mutter, als diese mit ihm schwanger war. Er bat »um ein Mittagessen, so rasch wie möglich«, und sie, ohne sich zur Eile zu bequemen, trug ihm einen Teller Suppe auf sowie ein hartgekochtes Ei mit grünem Bananenhaschee. In diesem Augenblick pfiff der Zug. In den warmen, gesunden Suppendampf gehüllt, berechnete er den Abstand, der ihn von der Station trennte, und fühlte sich sofort von jener Panik gepackt, die das Verpassen eines Zugs auslöst. Er versuchte koszurennen. Kam bis zur Tür, angstgepeinigt, doch er hatte noch keinen Schritt über die Schwelle getan, als ihm klar wurde, daß er den Zug nicht mehr erreichen würde. Als er zum Tisch zurückkehrte, hatte er seinen Hunger vergessen; er sah am Grammophon ein Mädchen, das ihn mitleidlos ansah, mit dem fürchterlichen Gesichtsausdruck eines schwanzwedelnden Hundes. Zum ersten Mal an diesem ganzen Tag nahm er den Hut ab, den seine Mutter ihm vor zwei Monaten geschenkt hatte, und klemmte ihn zwischen die Knie, während er fertig aß. Als er vom Tisch aufstand, schien ihn weder der verpaßte Zug zu bekümmern noch die Aussicht, ein Wochenende in einem Dorf verbringen zu müssen, dessen Namen festzustellen ihn nicht interessierte. Er setzte sich in einen Winkel des Raums, das Rückgrat gegen einen harten steilen Stuhl gelehnt, und verharrte so eine geraume Weile, ohne die Schallplatte zu hören, bis das Mädchen, das sie aufgelegt hatte, sagte: »Auf der Veranda ist es kühler.«

Ihm war übel. Es kostete ihn Mühe, mit Unbekannten bekannt zu werden. Es ängstige ihn, Leuten ins Gesicht zu sehen, und wenn ihm nichts anderes übrigblieb als zu sprechen, kamen andere Worte, als er ausgedacht hatte. »Ja«, antwortete er. Und bekam eine Gänsehaut. Er wollte schaukeln und vergaß, daß er nicht in einem Schaukelstuhl saß.

»Die Leute, die hierherkommen, rücken einen Stuhl in die Veranda, wo es kühler ist«, sagte das Mädchen. Als er es reden hörte, wurde ihm zu seiner Beklemmung klar, daß das Mädchen unterhalten sein wollte. Er wagte es in dem Augenblick anzusehen, als es das Grammophon aufzog. Es schien seit Monaten, vielleicht seit Jahren dort zu sitzen und bekundete nicht den geringsten Wunsch, sich vom Fleck zu bewegen. Zwar zog es das Grammophon auf, doch sein Leben war daran gebunden. Es lächelte.

»Danke«, sagte er, bemüht aufzustehen, seine Bewegungen gelöst und unmittelbar erscheinen zu lassen. Das Mädchen blickte ihn unverwandt an. Sagte: »Die Leute hängen auch ihre Hüte an den kleinen Kleiderrechen.«

Diesmal bekam er heiße Ohren. Er zitterte bei dem Gedanken an ihre Art, auf Dinge aufmerksam zu machen. Er fühlte sich unbehaglich, in die Enge getrieben, wieder packte ihn

Panik wegen des verpaßten Zuges. Doch in diesem Augenblick trat die Besitzerin in den Raum.

»Was macht er?« fragte sie.

»Er rückt den Stuhl in die Veranda, wie es alle machen«, sagte das Mädchen.

Er glaubte einen Anflug von Spott aus ihren Worten zu hören.

»Bemühen Sie sich nicht«, sagte die Besitzerin. »Ich bringe Ihnen einen Schemel.«

Das Mädchen lachte, und er geriet aus der Fassung. Es war heiß. Eine trockene, glatte Hitze, er schwitzte. Die Besitzerin rollte einen Holzschemel mit lederner Rückenlehne auf die Veranda. Er wollte ihr folgen, als das Mädchen wieder sprach.

»Schlimm ist, daß die Vögel Sie erschrecken werden.«

Er erhaschte den scharfen Blick, den die Besitzerin dem Mädchen zuwarf. Es war ein rascher, aber durchdringender Blick.

»Den Mund halten sollst du«, sagte sie und wandte sich lächelnd an ihn. Nun fühlte er sich weniger allein und verspürte das Bedürfnis zu sprechen. »Was sagen Sie?« fragte er.

»Daß zu dieser Stunde tote Vögel auf die Veranda fallen«, sagte das Mädchen.

»Das sind so ihre Mätzchen«, sagte die Besitzerin. Sie beugte sich über das Tischchen in der Mitte und ordnete darauf einen Strauß aus künstlichen Blumen. Ihre Finger zitterten nervös.

»Keine Mätzchen von mir«, sagte das Mädchen. »Du selber hast vorgestern zwei fortgefegt.«

Gereizt blickte die Besitzerin es an. Sie hatte einen bekümmerten Gesichtsausdruck und den augenscheinlichen Wunsch, alles zu erklären, bis nicht die geringste Spur eines Zweifels übrig war.

»Es geht darum, Señor, daß vorgestern die jungen Leute zwei tote Vögel auf die Veranda geworfen haben, um sie zu belästigen, und dann haben sie zu ihr gesagt, es fielen tote Vögel vom Himmel. Sie schluckt alles, was man ihr erzählt.«

Er lächelte. Die Erklärung kam ihm komisch vor; er rieb sich die Hände und blickte wieder das Mädchen an, das ihn angstvoll betrachtete. Das Grammophon spielte nicht mehr. Die Besitzerin zog sich ins andere Zimmer zurück, und als er auf die Veranda hinaustrat, beharrte das Mädchen mit leiser Stimme: »Ich hab' sie fallen sehen. Glauben Sie mir. Alle Welt hat sie gesehen.«

Jetzt glaubte er ihre Vorliebe für das Grammophon wie auch die Gereiztheit der Besitzerin zu begreifen.

»Ja«, sagte er mitleidsvoll. Dann, auf die Veranda zugehend: »Auch ich habe sie gesehen.«

Draußen, im Schatten der Mandelbäume, war es weniger heiß. Er lehnte den Schemel an den Türrahmen, legte den Kopf zurück und dachte an seine Mutter, an seine im Schaukelstuhl liegende Mutter, die das Federvieh mit einem langen Besenstiel verscheuchte, während sie spürte, daß er zum ersten Mal nicht zu Hause war.

Noch in der vergangenen Woche hätte er geglaubt, sein Leben sei eine glatte, kerzengerade Saite, gespannt zwischen dem regnerischen Morgengrauen des letzten Krieges, da er zwischen den vier Lehm- und Bambusrohrwänden einer Landschule zur Welt gekommen war, und jenem Junimorgen, da er zweiundzwanzig Jahre alt geworden und seine Mutter an seine Hängematte getreten war, um ihm einen Hut mit einem Kärtchen zu schenken: »Meinem lieben Sohn zu seinem Geburtstag.« Gelegentlich schüttelte er den Rost des Müßiggangs ab und empfand Sehnsucht nach der Schule, nach der Schiefertafel und der von Mückenkot übersäten Landkarte sowie nach der langen Reihe von Bechern, die unter dem Namen jedes Schulkindes an der Wand hingen. Dort war es nicht heiß. Es war ein grünes, angenehmes Dorf mit lang- und aschfarbenbeinigen Hühnern, die das Klassenzimmer durchstelzten, um sich unter den Schrank mit den Krügen zu legen. Damals war seine Mutter eine traurige, verschlossene Frau gewesen. Gegen Abend setzte sie sich nieder, um den durch die Kaffeefelder gedämpften Wind zu empfangen, und sagte:

»Manaure ist das schönste Dorf der Welt«; dann wandte sie sich zu ihm, und wenn sie ihn dumpf in seiner Hängematte wachsen sah, sagte sie: »Wenn du groß bist, wirst du es merken.« Aber er merkte nichts. Er merkte es nicht mit fünfzehn Jahren, schon übergroß für sein Alter, strotzend von jener unverschämten, unbesonnenen Gesundheit, die der Müßiggang beschert. Als er zwanzig wurde, war sein Leben bis auf einige Positionswechsel in der Hängematte unverändert geblieben. Zu jener Zeit verließ seine Mutter wegen ihres Rheumas die Schule, der sie achtzehn Jahre gedient hatte, und sie bezogen ein zweizimmriges Haus mit riesigem Innenhof, wo sie Hühner mit aschfarbenen Beinen züchteten wie jene, die das Klassenzimmer durchstelzt hatten.

Die Versorgung der Hühner war seine erste Berührung mit der Wirklichkeit. Sie blieb auch die einzige bis zum Monat Juli, als seine Mutter an ihre Pensionierung dachte und meinte, ihr Sohn besitze genügend Scharfsinn, um diese zu betreiben. Folglich wirkte er tüchtig bei der Ausarbeitung der Schriftstücke mit und besaß sogar genügend Feingefühl, um den Gemeindepfarrer zu überreden, daß der den Tauftag der Mutter, die das Pensionsalter noch nicht erreicht hatte, um sechs Jahre vordatierte. Am Donnerstag erhielt er von seiner Mutter die letzten, dank ihrer pädagogischen Erfahrung eingehenden Anweisungen, dann unternahm er die Reise in die Stadt mit zwölf Pesos, einer Garnitur Wäsche, dem Stapel Schriftstücke und einer ersten Vorstellung von dem Wort »Pensionierung«, das er bündig als eine bestimmte Geldsumme deutete, die die Regierung ihm für die Schaffung einer Schweinezucht auszahlen sollte.

Hitzebenommen auf der Hotelveranda dösend, hatte er noch nicht über den Ernst seiner Lage nachgedacht. Er vermutete, die Mißlichkeit würde am nächsten Tag mit der Rückkehr des Zugs behoben sein, so daß er nur auf den Sonntag zu warten brauchte, um seine Reise fortzusetzen und nie mehr an dieses Dorf zu denken, wo es so unerträglich heiß war. Kurz vor vier fiel er in einen unbehaglich-klebrigen Schlaf und dachte schlafend, wie bedauerlich es sei, daß er seine Hängematte nicht mitgebracht hatte. Da fiel ihm ein, daß er sein Wäschebündel und die Pensionierungsunterlagen im Zug hatte liegenlassen. Jäh aus dem Schlaf auffahrend, dachte er an seine Mutter und wurde wiederum von Panik gepackt.

Als er seinen Stuhl ins Wohnzimmer zog, waren die Lichter im Dorf angegangen. Er kannte elektrische Beleuchtung nicht, so daß er über die armseligen fleckigen Glühbirnen des Hotels staunte. Doch bald erinnerte er sich, daß seine Mutter ihm davon erzählt hatte, und er rückte seinen Stuhl ins Eßzimmer, bemüht, den Schmeißfliegen auszuweichen, die die Spiegel beschossen. Er aß ohne Appetit, benebelt von der Unausweichlichkeit seiner Lage, von der drückenden Hitze, von der Bitterkeit einer Einsamkeit, die er zum ersten Mal in seinem Leben erlitt. Nach neun Uhr wurde er ins Hinterhaus geleitet, in eine mit Zeitungen und Zeitschriften tapezierte Holzkammer. Um Mitternacht war er in einen zähen Fiebertraum versunken, während fünf Block weiter Pater Antonio Isabel vom Allerheiligsten Altarsakrament rücklings auf seiner Pritsche lag und daran dachte, daß die Erfahrungen dieser Nacht seiner für die Siebenuhrmesse des kommenden Tags ausgearbeiteten Predigt zugute kamen. Der Pater lag in seinen langen engen Sergeunterhosen im dichten Mückengesumm. Kurz vor zwölf war er durchs Dorf geschritten, um einer Frau die Letzte Ölung zu spenden, und befand sich nun in derart nervös-erhobener Stimmung, daß er die Sakramentsgegenstände neben die Pritsche stellte und sich niederlegte, um seine Predigt zu überdenken. Mehrere Stunden blieb er auf dem Rücken liegen, als er im Morgengrauen den fernen Schlag einer Rohrdommel hörte. Nun versuchte er aufzustehen, raffte sich mühsam hoch, trat auf die Klingel und fiel mit dem Gesicht auf den festen rauhen Fußboden des Zimmers.

Kaum war er zu sich gekommen, als er einen bohrenden Schmerz im Rücken hochsteigen fühlte. In diesem Augenblick wurde ihm sein ganzes Gewicht bewußt: das Gewicht seines Körpers, seiner Schuld und seines Alters zusammengenommen. Er fühlte an der Wange die Festigkeit des Steinbodens, der ihm bei der Ausarbeitung seiner Predigten so viele Male dazu verholfen hatte, sich eine genaue Vorstellung von dem Weg zu machen, der zur Hölle führt. »Christus«, murmelte er erschrocken und dachte: Sicherlich werde ich nie mehr auf die Füße kommen.

Er wußte nicht, wie lange er auf dem Boden gelegen hatte, ohne an etwas zu denken, ohne sich zumindest daran zu erinnern, einen gnädigen Tod zu erflehen. Es war ihm, als sei er tatsächlich einen Augenblick lang tot gewesen. Doch als er sein Bewußtsein wiedererlangte, empfand er weder Schmerz noch Schrecken. Er sah den bleichen Lichtstrahl unter der Tür, hörte fern und trostlos das Krähen der Hähne und wurde sich bewußt, daß er lebte und sich genau der Worte seiner Predigt erinnerte.

Als er den Riegel der Tür zurückschob, tagte es. Er spürte keinen Schmerz mehr und hatte sogar den Eindruck, daß sein Sturz ihn von seinem Alter entlastet hatte. Alle Güte, die Verirrungen und die Leiden des Dorfs drangen in sein Herz, als er den ersten Mundvoll jener Luft schluckte, die blaue, mit Hähnen gefüllte Feuchtigkeit war. Dann blickte er umher, wie um sich mit der Einsamkeit auszusöhnen, und sah im ruhigen Halbdunkel des Tagesanbruchs ein, zwei, drei tote Vögel auf der Veranda.

Neun Minuten lang betrachtete er die drei Leichen und dachte in Übereinstimmung mit der vorgesehenen Predigt, daß dieser Kollektivtod der Vögel Sühne erheische. Er schritt zum anderen Ende der Veranda, hob die drei toten Vögel auf, ging zum Tonkrug, nahm den Deckel ab und tauchte eins, zwei, drei die Vögel ins grüne schlummernde Wasser, ohne genau die Absicht seiner Tat zu kennen. *Drei plus drei ergeben ein halbes Dutzend in einer Woche,* dachte er, und ein überraschender Blitz der Klarsicht sagte ihm, jetzt hebe der große Tag seines Lebens an. Um sieben Uhr setzte die Hitze ein. Im Hotel wartete der einzige Kostgänger aufs Frühstück. Das Mädchen vom Grammophon war noch nicht aufgestanden. Die Besitzerin trat näher, und in diesem Augenblick schien es, als erschallten in ihrem gewölbten Leib die sieben Schläge der Uhr.

»Das hat der Zug Ihnen wenigstens gelassen«, sagte sie mit einem Anflug verspäteten Mitleids. Dann brachte sie das Frühstück: Kaffee mit Milch, ein Spiegelei und grüne Bananen in Scheiben.

Er versuchte zu essen, verspürte jedoch keinen Hunger. Er war bestürzt, daß die Hitze schon eingesetzt hatte. Er schwitzte in Strömen. Er erstickte. Er hatte schlecht geschlafen, in Kleidern, und nun war er fiebrig. Wieder packte ihn Panik, und er dachte an seine Mutter in dem Augenblick, als die Besitzerin herzutrat und die Teller wegnahm, strahlend in ihrem neuen Kleid mit großen grünen Blumen. Das Kleid der Besitzerin erinnerte ihn daran, daß es Sonntag war.

»Ist Messe?« fragte er.

»Gewiß«, sagte die Frau. »Aber es ist so, als sei keine, weil fast niemand hingeht. Sie haben uns nämlich keinen neuen Pfarrer schicken wollen.«

»Und was ist mit dem alten?«

»Daß er rund hundert Jahre alt ist und halb durchgedreht«, sagte die Frau und blieb reglos sehen, nachdenklich, alle Teller mit einer Hand haltend. Dann sagte sie: »Neulich hat er auf der Kanzel geschworen, er habe den Teufel gesehen, drum geht seitdem fast niemand mehr zur Messe.« So ging er denn in die Kirche, teils aus Verzweiflung, teils aus Neugierde, einen Hundertjährigen zu sehen. Er stellte fest, daß es ein totes Dorf war, mit endlosen staubigen Straßen und düsteren wellblechgedeckten Holzhäusern, die unbewohnt schienen. So also war das Dorf am Sonntag: Straßen ohne Gras, Häuser mit Fliegenfenstern und ein tiefer herrlicher Himmel über erdrückender Hitze. Er dachte, nichts weise darauf hin, daß Sonntag sei und nicht irgendein anderer Tag, und während er durch die verlassene Straße ging, erinnerte er sich an seine Mutter: »Alle Straßen aller Dörfer führen unausweichlich zur Kirche oder zum Friedhof.« In diesem Augenblick gelangte er auf einen kleinen gepflasterten Platz vor einem kalkweißen

Gebäude mit einem Turm, einem Holzhahn auf dessen Spitze und einer um vier Uhr zehn stehengebliebenen Uhr. Ohne sich zu beeilen, überquerte er den Platz, erstieg die drei Stufen des Vorplatzes, roch sofort das Gemisch aus abgestandenem Schweiß und Weihrauch und trat ein in das laue Dämmer der fast leeren Kirche.

Pater Antonio Isabel vom Allerheiligsten Altarsakrament hatte soeben die Kanzel bestiegen. Er wollte seine Predigt beginnen, als er einen jungen Mann mit dem Hut auf dem Kopf eintreten sah. Er sah, wie jener mit seinen großen ruhigen durchsichtigen Augen das fast leere Gotteshaus musterte. Er sah, wie er sich auf die letzte Bank setzte, den Kopf zur Seite geneigt, die Hände auf den Knien. Er gewahrte, daß jener ein Fremder war. Er lebte über zwanzig Jahre im Dorf und hätte jeden seiner Einwohner sogar am Geruch erkennen können. Daher wußte er, daß der soeben eingetretene junge Mann ein Fremder war. Mit einem kurzen eindringlichen Blick bemerkte er, daß er ein schweigsames, etwas trauriges Wesen in schmutziger, zerknitterter Kleidung war. *Als habe er lange in seinem Zeug geschlafen,* dachte er halb angewidert, halb mitleidig. Doch dann, als er ihn in der Bank sah, fühlte er, daß seine Seele Dankbarkeit verströmte, und er schickte sich an, für ihn die große Predigt seines Lebens zu halten. *Christus,* dachte er unterdessen, *erlaube, daß er sich seines Hutes erinnert, damit ich ihn nicht des Gotteshauses verweisen muß.* Und er begann seine Predigt. Anfangs sprach er, ohne sich seiner Worte bewußt zu werden. Er hörte sich nicht einmal sprechen. Hörte nur die bestimmte gelöste Melodie, die einem schlummernden Quell seiner Seele entfloß, vom Anbeginn der Welt. Er hatte die unbestimmte Gewißheit, daß seine Worte genau hervorsprudelten, angemessen, gewissenhaft, in vorgesehener Reihen- und Zeitfolge. Er fühlte, daß ein warmer Hauch sein Inneres bedrängte. Er wußte aber auch, daß sein Geist rein war von Eitelkeit und daß das Behagen, das seine Stimme umfing, nicht Hoffart war, nicht Aufruhr, nicht Eitelkeit, sondern die reine Freude seines Geistes in Unserem Herrn.

In ihrer Bettnische fühlte Señora Rebeca ihre Sinne schwinden in dem Bewußtsein, daß in Sekunden die Hitze unerträglich ansteigen würde. Hätte sie sich nicht im Dorf verwurzelt gefühlt durch eine dunkle Angst vor Neuigkeiten, sie hätte ihre Siebensachen in eine Truhe mit Mottenkugeln gepackt und wäre aufgebrochen in die Welt, wie es Berichten zufolge ihr Urgroßvater getan hatte. Doch insgeheim wußte sie, daß sie dazu bestimmt war, im Dorf zu sterben, zwischen den endlosen Veranden und den neun Bettnischen, deren Fliegenfenster – das war ihr Plan – sie durch rauhe Glasfenster ersetzen lassen würde, sobald die Hitze vorüber war. Sie würde also dableiben, beschloß sie (und das war ein Entschluß, den sie stets faßte, wenn sie Wäsche im Schrank ordnete), und sie beschloß gleichfalls, an »Meinen hochillustren Vetter« zu schreiben mit der Bitte, er möge einen jungen Priester schikken, damit sie wieder in ihrem Strohhut mit winzigen Samtblumen in die Kirche gehen und eine geordnete Messe und vernünftige erbauliche Predigten hören könnte. Morgen ist Montag, dachte sie, und begann auf einmal an die Eingangsformel ihres Briefes an den Bischof zu denken (Eingangsformel, die der Oberst Buendía leichtfertig und unehrerbietig genannt hatte), als Argénida jäh die Fliegentür aufriß und rief: »Señora, es heißt, der Pater sei auf der Kanzel verrückt geworden.«

Die Witwe wandte ihr herbstlich bitteres, ihr ureigenstes Gesicht zur Tür: »Er ist seit mindestens fünf Jahren verrückt«, sagte sie. Und widmete sich weiter dem Einräumen ihrer Wäsche: »Vermutlich hat er wieder den Teufel gesehen.«

»Diesmal war es nicht der Teufel«, sagte Argénida.

»Wer denn?« fragte Señora Rebeca gelassen, gleichgültig.

»Diesmal, sagt er, hat er den Ewigen Juden gesehen.«

Die Witwe bekam eine Gänsehaut. Ein Schwarm wirrer Gedanken, unter denen sie nicht ihre zerrissenen Fliegenfenster auszumachen vermochte, nicht die Hitze, nicht die toten Vögel und den Pestgestank, schwirrte ihr durch den Kopf, als sie diese Worte hörte, deren sie sich seit den Abenden ihrer fernen Kindheit nicht mehr erinnert hatte: »Der Ewige Jude.« Aschfahl, eisig bewegte sie sich auf Argénida zu, die sie mit offenem Mund anstarrte.

»Es stimmt«, sagte sie mit einer Stimme, die ihrem Innersten entstieg. »Jetzt wird mir klar, warum die Vögel sterben.«

Von Schrecken getrieben, legte sie sich eine schwarze, bestickte Mantille auf den Kopf und eilte wie ein Windstoß durch die lange Veranda und das mit Zierat vollgestopfte Wohnzimmer und die Haustür und die zwei Häuserblocks, die sie von der Kirche trennten, in der Pater Antonio Isabel vom Allerheiligsten Altarsakrament verklärt sagte: »... Ich schwöre es euch, daß ich ihn gesehen habe. Ich schwöre es euch, daß er mir heute im Morgengrauen über den Weg gelaufen ist, als ich von der Frau des Tischlers Jonas zurückkehrte, der ich die Letzte Ölung gespendet hatte. Ich schwöre euch, daß sein Gesicht vom Fluch des Herrn pechschwarz war und daß er eine Spur glühender Asche hinter sich ließ.«

Der Satz blieb verstümmelt in der Luft hängen. Er wurde sich bewußt, daß er das Zittern seiner Hände nicht beherrschen konnte, daß sein ganzer Körper zitterte und daß ihm ein Faden eiskalten Schweißes über das Rückgrat lief. Ihm wurde übel, während er das Zittern fühlte und den Durst und einen Krampf in den Eingeweiden und ein Geraun, das wie Orgelbaß in seinem Innersten dröhnte. Nun wurde ihm die Wahrheit bewußt. Er sah, daß Menschen in der Kirche waren und daß durchs Mittelschiff Señora Rebeca schritt, leidenschaftlich, schauprächtig, mit ausgebreiteten Armen, das verbitterte kalte Gesicht emporgewandt. Er begriff undeutlich, was vorging, und war sogar hellsichtig genug, zu begreifen, daß es Eitelkeit gewesen wäre zu glauben, er habe die Schirmherrschaft über ein Wunder. Demütig stützte er die zitternden Hände auf den Holzrand und nahm seine Rede wieder auf.

»Dann kam er auf mich zu«, sagte er. Diesmal hörte er seine eigene überzeugende, leidenschaftliche Stimme. »Er kam auf mich zu und hatte smaragdgrüne Augen und ein rauhes Fell und den Geruch eines Bocks. Und ich hob die Hand, um ihn im Namen Unseres Herrn zurechtzuweisen und sagte: ›Halt ein. Der Sonntag ist nie ein guter Tag für ein Opferlamm gewesen.‹« Als er endete, hatte bereits die Hitze eingesetzt. Die zähe, kompakte, glühende Hitze jenes unvergeßlichen August. Doch Pater Antonio Isabel merkte die Hitze nicht mehr. Er wußte, daß hinter seinem Rücken das von der Predigt überwältigte Volk wieder auf den Knien lag, doch nicht einmal darüber freute er sich. Er freute sich auch nicht über die unmittelbare Aussicht, daß der Wein seine angestrengte Kehle erfrischen würde. Er fühlte sich unbehaglich und fehl am Platz. Er fühlte sich benommen und vermochte sich im höchsten Augenblick des Opfers nicht zu konzentrieren. Das widerfuhr ihm seit einiger Zeit, doch diesmal war es eine andere Zerstreutheit, weil sein Denken von einer bestimmten Unruhe erfüllt war. Zum ersten Mal in seinem Leben erlebte er die Hoffart. Und so wie er es sich vorgestellt und in seinen Predigten erläutert hatte, fühlte er, daß die Hoffart eine ebenso große Not war wie der Durst. Mit äußerster Willenskraft schloß er das Tabernakel und sagte: »Pythagoras.«

Der Altardiener, ein Knabe mit schillerndgeschorenem Kopf, Patensohn Pater Antonio Isabels, der dem Kind seinen Namen gegeben hatte, trat zum Altar.

»Sammle das Almosen ein«, sagte der Priester.

»Ich weiß nicht, wo der Teller ist.«

Das stimmte. Seit Monaten wurde kein Almosen mehr eingesammelt.

»Dann hol einen großen Beutel aus der Sakristei und sammle soviel ein wie du kannst«, sagte der Pater.

»Und was sage ich?« sagte der Junge.

Nachdenklich betrachtete der Pater den bläulich glattgeschorenen Schädel und die hervorstehenden Adern. Und nun war er es, der blinzelte.

»Sag, es ist zur Verbannung des Ewigen Juden«, sagte er und fühlte, daß er bei diesen Worten eine große Last in seinem Herzen trug. Einen Augenblick lang hörte er nur noch das Knistern der Kerzen in dem schweigsamen Gotteshaus und sein eigenes erregtes mühsames Atmen. Und die Hand auf die Schulter des Altardieners legend, der ihn mit runden erschrokkenen Augen anblickte, sagte er: »Dann nimmst du den Teller und trägst ihn zu dem jungen Mann, der anfangs allein saß, und sagst ihm, das schickt Ihnen der Pater, damit Sie sich einen neuen Strohhut kaufen können.«

Künstliche Rosen

Durchs Dämmer des Morgengrauens tastend, zog Mina das ärmellose Kleid an, das sie am Vorabend neben das Bett gelegt hatte, und durchwühlte die Truhe auf der Suche nach den falschen Ärmeln. Dann suchte sie sie an den Wandhaken und hinter den Türen, bemüht, keinen Lärm zu machen, um nicht die blinde Großmutter, die im selben Zimmer schlief, zu wecken. Doch als sie sich an die Dunkelheit gewöhnt hatte, merkte sie, daß die Großmutter bereits aufgestanden war, und sie ging in die Küche, um jene nach den Ärmeln zu fragen.

»Sie sind im Badezimmer«, sagte die Blinde. »Ich habe sie gestern nachmittag gewaschen.«

Dort hingen sie mit zwei hölzernen Wäscheklammern an einem Draht. Sie waren noch feucht. Mina kehrte in die Küche zurück und breitete die Ärmel auf die Steine des Wärmeofens. Vor ihr rührte die Blinde den Kaffee um, die toten Pupillen auf den Rand der Verandafliesen geheftet, wo eine Reihe Blumentöpfe mit Heilpflanzen stand.

»Bitte nimm nicht wieder meine Sachen weg«, sagte Mina. »Zur Zeit kann man nicht mit der Sonne rechnen.«

Die Blinde drehte ihr Gesicht der Stimme zu.

»Ich hatte vergessen, daß es der erste Freitag ist«, sagte sie.

Nachdem sie mit einem tiefen Atemzug festgestellt hatte, daß der Kaffee fertig war, zog sie den Topf vom Feuer.

»Leg ein Stück Papier drunter, die Steine sind schmutzig«, sagte sie.

Mina fuhr mit dem Zeigefinger über die Steine des Wärmeofens. Sie waren schmutzig, doch der Schmutz bestand aus einer festen Rußkruste, die die Ärmel nicht beschmutzte, wenn man sie nicht auf den Steinen rieb.

»Wenn sie schmutzig werden, ist es nicht deine Schuld«, sagte sie.

Die Blinde hatte sich eine Tasse Kaffee eingeschenkt.

»Du bist wütend«, sagte sie und zog einen Stuhl auf die Veranda hinaus. »Es ist eine Gotteslästerung, zum Abendmahl zu gehen, wenn man wütend ist.« Sie setzte sich und trank ihren Kaffee vor den Rosen des Innenhofs. Als es zum dritten Mal zur Messe läutete, holte Mina die Ärmel aus dem Wärmeofen, doch sie waren noch immer feucht. Trotzdem streifte sie sie an. Pater Angel würde ihr das Abendmahl nicht in einem Kleide spenden, das ihre Schultern freiließ. Sie wusch sich nicht das Gesicht. Mit einem Handtuch entfernte sie die Schminkreste, holte im Zimmer das Gebetbuch und die Mantille und trat auf die Straße. Eine Viertelstunde später war sie zurück.

»Du wirst erst nach dem Evangelium da sein«, sagte die Blinde, die vor den Rosen des Innenhofs saß.

Mina ging geradenwegs ins Klosett.

»Ich kann nicht zur Messe gehen«, sagte sie. »Die Ärmel sind naß, und meine ganze Wäsche ist ungebügelt.« Sie fühlte sich von einem hellsichtigen Blick verfolgt.

»Schon am ersten Freitag gehst du nicht mehr zur Messe«, sagte die Blinde.

Vom Klosett zurück, schenkte Mina sich eine Tasse Kaffee ein und setzte sich vor den kalkweißen Türausschnitt neben die Blinde. Aber ihren Kaffee konnte sie nicht trinken.

»Du bist schuld«, murmelte sie in dumpfem Groll, und fühlte Tränen kommen.

»Du weinst ja«, rief die Blinde. Sie stellte die Gießkanne neben die Majorantöpfe und trat in den Innenhof hinaus, während sie wiederholte: »Du weinst ja.«

Mina stellte die Tasse auf den Boden, ehe sie sich aufrichtete. »Ich weine aus Wut«, sagte sie. Und fügte, auf die Großmutter zutretend, hinzu: »Du mußt zur Beichte gehen, weil du schuld bist, daß ich das Abendmahl des ersten Freitags versäumt habe.«

Die Blinde verharrte reglos und wartete darauf, daß Mina

die Schlafzimmertür schloß. Dann ging sie bis ans Ende der Veranda. Bückte sich tastend, bis sie die unberührte Tasse fand. Während sie den Kaffee in den Tontopf goß, sagte sie: »Gott weiß, daß ich ein ruhiges Gewissen habe.« Minas Mutter trat aus dem Schlafzimmer.

»Mit wem sprichst du?« fragte sie.

»Mit niemand«, sagte die Blinde. »Ich habe dir bereits gesagt, daß ich wahnsinnig werde.«

In ihrem Zimmer eingeschlossen, knöpfte Mina sich das Leibchen auf und förderte drei Schlüssel zutage, die sie an einer Ammennadel befestigt trug. Mit einem der Schlüssel schloß sie die untere Schrankschublade auf und holte eine Miniaturholztruhe hervor. Sie öffnete sie mit dem anderen Schlüssel. Darin lag ein mit einem Gummiband verschnürter Stapel Briefe. Sie verbarg ihn in ihrem Leibchen, stellte die kleine Truhe wieder an ihren Platz und verschloß die Schublade. Dann ging sie ins Kosett und warf die Briefe hinein.

»Du warst in der Messe«, sagte die Mutter zu ihr.

»Sie konnte nicht gehen«, warf die Blinde ein. »Ich habe vergessen, daß es der erste Freitag ist und habe die Ärmel gestern abend gewaschen.«

»Sie sind noch feucht«, murmelte Mina.

»Ich habe dieser Tage viel Arbeit gehabt«, sagte die Blinde.

»Es sind hundertfünfzig Dutzend Rosen, die ich Ostern abliefern muß«, sagte Mina.

Die Sonne wurde früh heiß. Vor sieben Uhr richtete Mina ihre Werkstatt für künstliche Rosen im Wohnzimmer ein: einen Korb mit Blütenblättern und Draht, eine Kiste mit Kreppapier, zwei Scheren, eine Rolle Faden und ein Glas Leim. Gleich darauf kam Trinidad mit ihrer Pappschachtel unter dem Arm und fragte, warum sie nicht zur Messe gegangen sei.

»Ich hatte keine Ärmel«, sagte Mina.

»Irgend jemand hätte dir welche geliehen«, sagte Trinidad. Sie zog einen Stuhl näher und setzte sich neben den Korb mit den Blüten.

»Es wurde mir zu spät«, sagte Mina.

Sie beendete eine Rose. Dann zog sie den Korb zu sich, um Blüten mit der Schere zu kräuseln. Trinidad stellte die Pappschachtel auf den Boden und beteiligte sich an der Arbeit. Mina musterte die Schachtel.

»Hast du dir Schuhe gekauft?« fragte sie.

»Es sind tote Mäuse«, sagte Trinidad.

Da Trinidad sich aufs Kräuseln von Blüten verstand, überzog Mina die Drahstengel mit grünem Papier. Sie arbeiteten schweigsam, ohne zu merken, daß die Sonne in dem mit romantischen Bildern und Familienfotografien geschmückten Wohnzimmer vorrückte. Als die Stengel fertig waren, wandte Mina Trinidad ein nahezu körperloses Gesicht zu. Trinidad kräuselte mit bewunderswerter Genauigkeit, sie hielt die Knie zusammengepreßt und bewegte nur die Fingerspitzen. Mina musterte ihre Männerstiefel. Trinidad wich dem Blick aus, ohne den Kopf zu heben, zog nur die Füße zurück und unterbrach ihre Arbeit.

»Was ist los?« sagte sie.

Mina neigte sich ihr entgegen.

»Daß er fort ist«, sagte sie.

Trinidad ließ die Schere in den Schoß sinken. »Nein.«

»Er ist fort«, wiederholte Mina.

Trinidad blickte sie an, ohne mit der Wimper zu zucken. Eine steile Falte teilte ihre zusammengewachsenen Brauen. »Und nun?« fragte sie.

Mina antwortete ohne ein Zittern in der Stimme.

»Nun, nichts.«

Trinidad verabschiedete sich vor zehn.

Befreit von der Last ihres Geheimnisses, hielt Mina sie einen Augenblick zurück, um die toten Mäuse ins Klosett zu leeren. Die Blinde beschnitt den Rosenstrauch.

»Du weißt also nicht, was ich in dieser Schachtel habe«, sagte Mina beim Vorbeigehen zu ihr.

Sie schüttelte die Mäuse.

Die Blinde spitzte die Ohren.

»Beweg sie nochmal«, sagte sie.

Mina wiederholte die Bewegung, doch die Blinde konnte die Gegenstände nicht unterscheiden, nachdem sie, das Ohr mit dem Zeigefinger vorgeschoben, gelauscht hatte.

»Das sind die Mäuse, die gestern abend in die Fallen der Kirche gegangen sind«, sagte Mina.

Beim Rückweg ging sie wortlos an der Blinden vorüber. Doch die Blinde folgte ihr. Als sie ins Wohnzimmer kam, machte Mina am geschlossenen Fenster die künstlichen Rosen fertig.

»Mina«, sagte die Blinde. »Wenn du glücklich sein willst, geh nicht bei Fremden zur Beichte.«

Mina blickte sie wortlos an. Die Blinde setzte sich ihr gegenüber auf den Stuhl und versuchte sich an der Arbeit zu beteiligen. Mina verhinderte es.

»Du bist nervös«, sagte die Blinde.

»Du bist schuld daran«, sagte Mina.

»Warum bist du nicht zur Messe gegangen?« fragte die Blinde.

»Du weißt es besser als jeder andere.«

»Wäre es wegen der Ärmel gewesen, du hättest dir nicht die Mühe gemacht, aus dem Haus zu gehen«, sagte die Blinde. »Unterwegs hat jemand auf dich gewartet, der dich verstimmt hat.«

Mina fuhr mit den Händen über die Augen der Großmutter, als wolle sie eine unsichtbare Glasscheibe reinwischen.

»Du bist eine Wahrsagerin«, sagte sie.

»Du bist heute morgen zweimal aufs Klosett gegangen«, sagte die Blinde. »Du gehst sonst nie mehr als einmal.«

Mina bastelte weiter Rosen.

»Würdest du mir wohl zeigen, was du in der Schrankschublade verwahrst?« fragte die Blinde.

Ohne sich zu beeilen, heftete Mina die Rose an den Fensterrahmen, nahm die drei Schlüsselchen aus dem Leibchen und gab sie der Blinden in die Hand. Sie schloß ihr selbst die Finger darüber.

»Geh und schau mit deinen eigenen Augen«, sagte sie. Die Blinde musterte die Schlüsselchen mit den Fingerspitzen.

»Meine Augen können nicht in den Ausguß des Klosetts sehen.«

Mina hob den Kopf und erlebte eine neue Empfindung: die Blinde, das fühlte sie, wußte, daß sie angesehen wurde.

»Stürz dich in den Ausguß des Klosetts, wenn dich meine Dinge dermaßen interessieren«, sagte sie.

Die Blinde überhörte die Entgegnung. »Du schreibst immer im Bett bis zum Morgengrauen«, sagte sie.

»Du schaltest ja selbst das Licht aus«, sagte Mina.

»Und dann zündest du die Taschenlampe an«, sagte die Blinde. »Ich könnte dir nach deinem Atem sagen, was du schreibst.«

Mina gab sich Mühe, sich nicht zu ärgern.

»Gut«, sagte sie, ohne den Kopf zu heben. »Angenommen, es wäre so: was ist Besonderes daran?«

»Nichts«, antwortete die Blinde. »Nur, daß du dadurch das Abendmahl vom ersten Freitag versäumt hast.«

Mit beiden Händen sammelte Mina die Fadenrolle, die Schere sowie eine Handvoll Stengel und halbfertige Rosen ein. Tat alles in den Korb und blickte die Blinde an.

»Möchtest du nun wissen, was ich im Klosett gemacht habe?« fragte sie. Die beiden verharrten in Spannung, bis Mina auf ihe eigene Frage antwortete: »Ich habe geschissen.« Die Blinde warf die drei Schlüsselchen in den Korb.

»Das wäre eine gute Entschuldigung«, murmelte sie und ging zur Küche. »Du hättest mich überzeugt, hätte ich nicht zum ersten Mal in deinem Leben eine Vulgarität aus deinem Munde gehört.«

Mit dornigen Zweigen beladen, kam Minas Mutter aus der entgegengesetzten Richtung durch die Veranda.

»Was ist los?« fragte sie.

»Daß ich wahnsinnig bin«, sagte die Blinde. »Aber anscheinend denkt man nicht daran, mich ins Irrenhaus zu schicken, bevor ich nicht mit Steinen werfe.«

Das Meer der verlorenen Zeit

Gegen Ende Januar wurde das Meer wieder rauh, begann das Dorf mit einem Haufen Unrat zu überschütten, und wenige Wochen später war von der unerträglichen Laune des Meeres alles vergiftet. Danach blieb die Welt sinnlos, zumindest bis zum nächsten Dezember, und niemand war nach acht Uhr noch wach. Doch in dem Jahr, als Señor Herbert kam, erzürnte sich das Meer nicht, nicht einmal im Februar. Im Gegenteil, es wurde immer glatter und schillernder und verströmte in den ersten Märznächten Rosenduft.

Tobias roch ihn. Die Krebse fanden sein Blut süß, und so verbrachte er den größten Teil der Nacht damit, sie aus dem Bett zu verscheuchen, bis der Wind umsprang und er einschlief. Lange Schlaflosigkeit hatte ihn gelehrt, jeden Luftwechsel zu unterscheiden. Als Tobias daher Rosenduft roch, brauchte er nur die Tür zu öffnen, um zu wissen, daß es der Duft des Meeres war.

Er stand spät auf. Clotilde machte gerade Feuer im Innenhof. Die Brise war frisch, und alle Sterne waren auf ihrem Posten, doch wegen der Lichter des Meeres kostete es Mühe, sie bis zum Horizont zu zählen. Nach dem Kaffee fühlte Tobias noch die Nacht auf dem Gaumen.

»Heute nacht«, erinnerte er sich, »passierte etwas Seltsames.« Clotilde hatte natürlich nichts bemerkt. Sie hatte einen so tiefen Schlaf, daß sie sich nicht einmal an ihre Träume erinnerte.

»Es war ein Duft von Rosen«, sagte Tobias, » und ich bin sicher, er kam vom Meer.«

»Ich weiß nicht, wonach Rosen riechen«, sagte Clotilde.

Vielleicht hatte sie recht. Das Dorf war ausgedörrt, sein

harter Boden war von Salpeter zerrissen, und nur dann und wann brachte jemand von irgendwoher einen Blumenstrauß, um ihn an der Stelle, wo die Toten dem Wasser übergeben wurden, ins Meer zu werfen.

»Es ist der gleiche Duft, den der Ertrunkene von Guacamayal hatte«, sagte Tobias.

»Gut«, lächelte Clotilde, »wenn es also ein guter Geruch war, kannst du sicher sein, daß er nicht von diesem Meer kam.«

Es war tatsächlich ein grausames Meer. Zu gewissen Zeiten blieben die Dorfstraßen mit toten Fischen bedeckt, wenn die Flut zurücklief, während die Netze nichts als schwimmenden Unrat mit sich schleppten. Dynamit brachte nur die Überreste uralter Schiffbrüche an die Oberfläche. Die wenigen Frauen, die im Dorf geblieben waren wie Clotilde, verzehrten sich vor Rachelust. Und wie diese brachte die Frau des alten Jakob, die an jenem Morgen früher als gewöhnlich aufgestanden war, das Haus in Ordnung und kam mit widerwilligem Gesichtsausdruck zum Frühstück.

»Mein letzter Wille«, sagte sie zu ihrem Mann, »ist, lebend begraben zu werden.«

Sie sagte es, als läge sie auf dem Totenbett, und dennoch saß sie am äußersten Ende des Tisches im Eßzimmer mit den großen Fenstern, von wo die Helligkeit des März sich in Strömen durchs ganze Haus ergoß. Vor ihr, seinen ausgeruhten Hunger schürend, thronte der alte Jakob, ein Mann, der sie so sehr und seit so langer Zeit liebte, daß er sich kein Leiden vorstellen konnte, das seinen Ursprung nicht in seiner Frau gehabt hätte.

»Ich will mit der Gewißheit sterben, daß man mich unter die Erde bringt wie anständige Leute«, fuhr sie fort. »Und um es genau zu wissen, gehe ich weg und bitte um die Nächstenliebe, mich lebendig zu begraben.«

»Du brauchst niemanden zu bitten«, sagte seelenruhig der alte Jakob. »Ich werde es selbst tun.«

»Dann laß uns gehen«, sagte sie, »denn ich sterbe bald.«

Der alte Jakob musterte sie gründlich. Nur ihre Augen waren jung geblieben, an den Gelenken ihrer Knochen waren Knoten, und sie hatte das Aussehen von seidiger Erde, das sie schließlich und endlich immer gehabt hatte.

»Dir geht es besser denn je«, sagte er.

»Heute nacht«, seufzte sie, »roch ich Rosenduft.«

»Mach dir keine Sorgen«, beruhigte sie der alte Jakob. »Das sind Dinge, die armen Leuten wie uns widerfahren.«

»Nichts dergleichen«, sagte sie. »Ich habe immer gebetet, der Tod möge mir rechtzeitig angekündigt werden, damit ich fern von diesem Meer sterben kann. Rosenduft in diesem Dorf kann nicht ohne eine Ankündigung Gottes bleiben.«

Dem alten Jakob fiel nichts anderes ein, als sie um ein wenig Zeit für die Regelung aller Angelegenheiten zu bitten. Er hatte sagen hören, die Menschen stürben nicht, wann sie sollten, sondern wann sie wollten, daher war er wegen der Vorahnung seiner Frau ernsthaft besorgt. Er fragte sich sogar, ob er im gegebenen Augenblick tapfer genug sein würde, sie lebendig zu begraben.

Um neun öffnete er das Lokal, das früher ein Laden gewesen war. Stellte zwei Stühle und ein Tischchen mit dem Damebrett in die Tür und spielte den ganzen Vormittag mit Gelegenheitsgegnern. Von seinem Beobachtungsposten aus sah er das Dorf in Ruinen, die baufälligen, mit Spuren von alten sonnenzerfressenen Farben bedeckten Häuser und ein Stück Meer am Straßenende.

Vor dem Mittagessen spielte er wie immer mit Don Máximo Gómez. Der alte Jakob konnte sich keinen menschlicheren Gegner vorstellen als diesen Mann, der zwei Bürgerkriege unversehrt überlebt und im dritten nur ein Auge gelassen hatte. Nachdem er absichtlich eine Partie verloren hatte, hielt er Don Máximo vor einer zweiten zurück.

»Sagen Sie mir etwas, Don Máximo«, fragte er nun. »Wären Sie imstande, Ihre Gattin lebend zu begraben?«

»Sicher«, sagte Don Máximo Gómez. »Glauben Sie mir, meine Hand würde nicht zittern.«

Der alte Jakob schwieg erstaunt. Dann, nachdem er sich seine besten Steine hatte nehmen lassen, seufzte er: »Es scheint nämlich, daß Petra sterben wird.«

Don Máximo Gómez geriet nicht aus der Fassung. »In diesem Fall«, sagte er, »brauchen Sie sie nicht lebend zu begraben.« Er schnappte sich zwei Steine und krönte eine Dame. Dann heftete er auf seinen Gegner ein tränenfeuchtes Auge.

»Was hat sie?«

»Heute nacht«, erklärte der alte Jakob, »hat sie Rosenduft gerochen.«

»Dann wird das halbe Dorf sterben«, sagte Don Máximo Gómez. »Heute morgen wurde von nichts anderem gesprochen.«

Der alte Jakob mußte sich mächtig anstrengen, um wieder zu verlieren, ohne ihn zu beleidigen. Er verwahrte Tisch und Stühle, schloß den Laden und machte sich auf die Suche nach jemanden, der den Geruch verspürt hatte. Schließlich war nur Tobias seiner Sache sicher. Daher bat er ihn um den Gefallen, bei ihm wie zufällig vorbeizukommen und alles seiner Frau zu erzählen.

Tobias hielt Wort. Um vier Uhr erschien er wie für einen Besuch herausgeputzt in der Veranda, wo die Frau den ganzen Nachmittag mit dem Herrichten der Witwerkleidung für den alten Jakob verbracht hatte.

Er trat so leise ein, daß die Frau auffuhr.

»Heiliger Gott«, rief sie. »Ich glaubte, es sei der Erzengel Gabriel.«

»Sie sehen, er ist's nicht«, sagte Tobias. »Denn ich bin's und komme, um Ihnen etwas zu erzählen.«

Sie rückte ihre Brille zurecht und machte sich wieder an ihre Arbeit. »Ich weiß, was es ist«, sagte sie.

»Überhaupt nicht«, sagte Tobias.

»Daß du heute nacht Rosenduft gerochen hast.«

»Wieso wissen Sie das?« fragte Tobias untröstlich.

»In meinem Alter«, sagte die Frau, »hat man so viel Zeit zum Nachdenken, daß man schließlich Wahrsager wird.«

Der alte Jakob, der das Ohr an die Ladenwand gedrückt hielt, richtete sich beschämt auf.

»Na so was, Weib«, schrie er durch die Wand. Machte kehrt und erschien in der Varanda. »Dann war es nicht das, was du glaubtest.«

»Dieser junge Mann hier lügt«, sagte sie, ohne den Kopf zu heben. »Er hat nichts gerochen.«

»Es war so gegen elf«, sagte Tobias. »Ich verscheuchte gerade die Krebse.«

Die Frau beendete die Ausbesserung eines Kragens.

»Lügen«, beharrte sie. »Alle Welt weiß, daß du ein Schwindler bist.« Sie biß den Faden ab und blickte Tobias über ihre Brillenränder an.

»Ich verstehe nur nicht, warum du dir die Arbeit gemacht hast, Vaseline ins Haar zu schmieren und deine Schuhe zu polieren, nur um hier respektlos aufzutreten.«

Fortan begann Tobias das Meer zu überwachen. Er hängte seine Hängematte in den Gang zum Innenhof und verbrachte die Nacht wartend, verwundert über die Dinge, die in der Welt geschehen, während die Leute schlafen. Viele Nächte hindurch hörte er das verzweifelte Gekrabbel der Krebse, die an den Schnüren hochzukrabbbeln versuchten, bis so viele Nächte vergangen waren, daß sie davon abließen. Er lernte Clotildes Schlafweise kennen. Er entdeckte, wie ihr Flötengeschnarch mit zunehmender Hitze schriller wurde, bis es in der Julischwüle zu einem einzigen Klagelaut anschwoll. Zunächst bewachte Tobias das Meer, wie es die tun, die es gut kennen: mit auf einen einzigen Punkt des Horizonts gerichtetem Blick. Er sah es die Farbe wechseln. Er sah es verlöschen und schaumig und schmutzig werden, sah es seine abfallbeladenen Rülpser ausstoßen, wenn die großen Regen seine stürmische Verdauung aufrührten. Nach und nach lernte er es bewachen wie die, die es besser kennen: ohne es auch nur zu beachten, ohne es aber auch nur im Schlaf vergessen zu können.

Im August starb die Frau des alten Jakob. Morgens lag sie tot im Bett, und sie mußte wie alle Welt einem Meer ohne Blumen übergeben werden. Tobias wartete weiter. Er hatte schon so lange gewartet, daß das zu seiner Lebensweise wurde. Eines Nachts, während er in der Hängematte schlummerte, wurde ihm bewußt, daß sich etwas in der Luft verändert hatte. Es war eine an- und abschwellende Bö wie zu der Zeit, als der japanische Frachter eine Ladung verfaulter Zwiebeln in der Hafeneinfahrt gelöscht hatte. Bald verfestigte sich der Geruch und wich nicht bis zum Morgengrauen. Erst als Tobias den Eindruck gewann, daß er ihn mit den Händen greifen könne, um ihn herumzuzeigen, sprang er aus der Hängematte und betrat Clotildes Kammer. Er schüttelte sie dreimal.

»Er ist da«, sagte er.

Clotilde mußte den Geruch wegschieben wie ein Spinnennetz, um sich aufrichten zu können. Dann fiel sie aufs laue Laken zurück.

»Verdammt nochmal«, sagte sie.

Tobias machte einen Satz zur Tür, stürzte mitten auf die Straße und schrie los. Schrie aus Leibeskräften, holte tief Luft und schrie weiter, verstummte und holte tiefer Luft, und noch immer war der Geruch auf dem Meer. Doch niemand antwortete. Dann trommelte er an eine Haustür nach der anderen, sogar an die unbewohnten Häuser, bis sein Lärmen in das der Hunde überging und alle Welt weckte.

Viele rochen den Duft nicht. Doch andere, insbesondere die Alten, gingen zum Strand hinunter, um ihn zu genießen. Es war ein zäher Duft, der keinem Geruch der Vergangenheit Raum ließ. Einige, erschöpft vom vielen Riechen, kehrten nach Hause zurück. Die meisten beendeten ihren Schlaf am Strand. Bei Tagesanbruch war der Geruch so rein, daß es einem leid tat, ihn einzuatmen.

Tobias schlief fast den ganzen Tag. Clotilde gesellte sich während des Mittagsschlafs zu ihm, und sie verbrachten den Nachmittag schäkernd im Bett, ohne die Tür zum Innenhof zu verschließen. Zuerst machten sie es wie die Würmer, dann wie die Kaninchen und zuletzt wie die Schildkröten, bis die

Welt traurig wurde und es wieder dunkelte. Noch immer waren Spuren von Rosen in der Luft. Manchmal drang eine Welle von Musik in die Kammer.

»Die kommt von Catarino«, sagte Clotilde. »Es muß jemand gekommen sein.«

Drei Männer und eine Frau waren gekommen. Catarino dachte, später könnten noch andere kommen, und versuchte das Grammophon instand zu setzen. Da er es nicht vermochte, bat er Pancho Aparecido um den Gefallen, der sich auf alles mögliche verstand, weil er nie etwas zu tun hatte und einen Handwerkskasten sowie intelligente Hände besaß. Catarinos Laden war ein am Meer gelegenes Holzhaus, mit einem großen Salon mit Stühlen und Tischchen, dazu mehreren Kammern im Hinterhaus. Während sie Pancho Aparecido bei der Arbeit zuschauten, tranken die drei Männer und die Frau schweigsam an der Theke sitzend und gähnten abwechselnd.

Nach vielen Versuchen funktionierte das Grammophon gut. Als die Leute die ferne, aber deutliche Musik hörten, stellten sie ihre Unterhaltung ein. Sie blickten einander an und wußten einen Augenblick lang nichts zu sagen, denn erst jetzt wurde ihnen klar, wie alt sie seit dem letzten Mal, da sie Musik gehört hatten, geworden waren. Tobias traf alle Welt nach neun Uhr wach. Sie saßen vor der Tür und lauschten Catarinos alten Grammophonplatten in der gleichen Haltung kindischer Schicksalsergebenheit, mit der man eine Sonnenfinsternis betrachtet. Jede Platte erinnerte sie an jemanden, der gestorben war, an den Geschmack, den Gerichte nach langer Krankheit haben, oder an etwas, was sie am kommenden Tag vor vielen Jahren hätten tun sollen und aus Vergeßlichkeit nie getan hatten.

Gegen elf Uhr war die Musik zu Ende. Viele gingen zu Bett im Glauben, es werde regnen, weil eine dunkle Wolke über dem Meer hing. Doch die Wolke sank, schwamm ein Weilchen auf der Oberfläche, dann tauchte sie ins Wasser. Oben blieben nur die Sterne. Bald darauf lief die Brise aus dem Dorf bis zur Mitte des Meeres und brachte Rosenduft zurück.

»Ich habe Ihnen doch gesagt«, rief Don Máximo Gómez, »hier haben wir ihn wieder. Ich bin sicher, wir werden ihn jetzt jede Nacht spüren.«

»Gott behüte«, sagte der alte Jakob. »Dieser Geruch ist das einzige im Leben, das für mich zu spät gekommen ist.«

Sie hatten in dem leeren Laden Dame gespielt, ohne auf die Plattenmusik zu achten. Jakobs Erinnerungen waren so alt, daß es keine genügend alten Platten gab, um diese zu verdrängen.

»Ich für mein Teil glaube nicht daran«, sagte Don Máximo Gómez. »Wenn man so viele Jahre Erde geschluckt hat und so viele Frauen sich ein Innenhöfchen gewünscht haben, um darin ihre Blumen zu säen, ist es verwunderlich, daß man so etwas riecht und auch noch glaubt, es habe seinen Grund.«

»Wir riechen ihn doch aber mit unseren eigenen Nasenflügel«, sagte der alte Jakob.

»Und wenn schon«, sagte Don Máximo Gómez. »Im Krieg, als die Revolution schon verloren war, wünschten wir so heftig einen General, daß uns der Herzog von Marlborough in Fleisch und Blut erschien. Ich habe ihn mit meinen eigenen Augen gesehen, Jakob.«

Es war zwölf Uhr vorüber. Als er allein war, schloß der alte Jakob den Laden ab und trug das Licht in die Schlafkammer. Durch das vom Meeresleuchten scharf abgehobene Fenster sah er den Fels, von dem aus die Toten ins Meer geworfen wurden.

»Petra«, rief er leise.

Sie konnte ihn nicht hören. In diesem Augenblick segelte sie an einem strahlenden Mittag fast auf der Wasseroberfläche im Golf von Bengalen. Sie hatte den Kopf gehoben, um durchs Wasser wie durch eine erleuchtete Scheibe einen riesigen Überseedampfer zu sehen. Doch sie konnte ihren Mann nicht sehen, der in diesem Augenblick am anderen Ende der Welt von neuem Catarinos Grammophon hörte.

»Mach dir das klar«, sagte der alte Jakob. »Vor kaum sechs Monaten haben sie dich für verrückt gehalten, und jetzt ergötzen sie sich selbst an dem Geruch, der dir den Tod gebracht hat.« Er löschte das Licht und legte sich ins Bett. Weinte lange das leise anmutlose Geweine der Alten, schlief dann aber rasch ein.

»Ich ginge fort aus diesem Dorf, wenn ich könnte«, schluchzte er zwischen zwei Träumen.

»Ich ginge fort zum Teufel, hätte ich wenigstens zwanzig Pesos beieinander.«

Von jener Nacht an blieb der Geruch mehrere Wochen lang über dem Meer. Er tränkte das Holz der Häuser, die Nahrungsmittel und das Trinkwasser, und schon gab es kein Fleckchen mehr, wo er nicht zu riechen war. Viele erschraken, ihn im Dampf des eigenen Kackhaufens zu finden. Die Männer und die Frau, die in Catarinos Laden gekommen waren, gingen eines Freitags fort, und kamen am Samstag mit einem Menschenauflauf zurück. Am Sonntag kamen noch mehr Leute. Sie wimmelten überall herum auf der Suche nach Kost und Logis, bis man sich kaum noch auf der Straße bewegen konnte.

Und es kamen noch mehr. Die Frauen, die das Dorf verlassen hatten, als es ausstarb, kehrten zurück in Catarinos Laden. Sie waren fetter und angemalter und brachten modische Platten mit, die niemanden an irgend etwas erinnerten. Es kamen einige der ehemaligen Dorfbewohner. Sie waren anderswo steinreich geworden und kehrten zurück, von ihrem Reichtum redend, doch in den gleichen Kleidern, in denen sie fortgezogen waren. Es kamen Blaskapellen und Tombolas, Lotterietische, Wahrsager und Pistolenschützen und Männer mit Schlangen um den Hals, die das Elixier des Ewigen Lebens verkauften. Sie kamen mehrere Wochen hindurch, auch nachdem die ersten Regen gefallen, das Meer trüb geworden und der Geruch wieder verschwunden war.

Mit den letzten Leuten kam ein Pfarrer. Er ging überall umher, aß Brot, das er in eine Tasse Milchkaffee tauchte, und verbot nach und nach alles, was vor ihm gekommen war: das Lotteriespiel, die neue Musik und die Art, nach ihr zu tanzen, und sogar die jüngste Gewohnheit, am Strand zu schlafen.

Eines Nachmittags hielt er in Melchors Haus eine Predigt über den Meeresgeruch.

»Dankt dem Himmel, meine Kinder«, sprach er, »denn dieser Geruch ist Gottes Geruch.« Jemand unterbrach ihn.

»Woher wollen Sie das wissen, Herr Pfarrer, wenn Sie ihn doch nicht gerochen haben.«

»Die Heilige Schrift«, sprach er, »ist im Hinblick auf diesen Geruch unmißverständlich. Wir befinden uns in einem auserwählten Dorf.«

Tobias wandelte wie ein Schlafwandler umher, von einem Ort zum anderen, mitten im Fest. Er nahm Clotilde mit, um ihr das Geld zu zeigen. Sie bildeten sich ein, mit riesigen Summen Roulett zu spielen, dann stellten sie Berechnungen an und fanden sich ungeheuer reich mit dem Silber, das sie hätten gewinnen können. Bis eines Abends nicht nur sie, sondern die ganze Menge, die das Dorf besetzt hielt, viel mehr Geld sah als das, was in ihrer Einbildung Platz gehabt hätte.

Es war der Abend, an dem Señor Herbert kam. Er erschien plötzlich, stellte einen Tisch mitten auf die Straße, und auf den Tisch zwei große bis zum Rand mit Banknoten gefüllte Truhen. Es war so viel Geld darin, daß es zunächst niemand wahrnahm, weil keiner glauben konnte, daß es wahr sei. Doch als Señor Herbert eine Glocke läutete, glaubten die Leute es schließlich und traten näher, um ihm zuzuhören.

»Ich bin der reichste Mann der Erde«, sagte er. »Ich habe so viel Geld, daß ich nicht weiß, wohin damit. Und da ich überdies ein so großes Herz habe, daß es kaum in meine Brust paßt, habe ich den Entschluß gefaßt, durch die Welt zu reisen und die Probleme des Menschengeschlechts zu lösen.«

Er war groß und hochrot. Er sprach laut und pausenlos und bewegte gleichzeitig lauwarme schmachtende Hände, die immer müde vom Rasieren wirkten. Er sprach eine Viertelstunde lang, dann ruhte er sich aus. Wieder schüttelte er die Glocke und redete von neuem. Mitten in seiner Rede schwenkte jemand in der Menge einen Hut und unterbrach ihn.

»Gut, Mister, reden Sie nicht soviel, sondern fangen Sie an, das Geld zu verteilen.«

»So nicht«, erwiderte Señor Herbert. »Das Geld mir nichts, dir nichts zu verteilen, wäre völlig sinnlos, abgesehen davon, daß es eine ungerechte Methode ist.«

Er suchte mit dem Blick den, der ihn unterbrochen hatte und winkte ihm, näher zu treten. Die Menge machte Platz.

»Indessen«, fuhr Señor Herbert fort, »wird uns dieser ungeduldige Freund nun gestatten, daß wir erläutern, nach welchem System der Reichtum verteilt wird.« Er streckte eine Hand aus und half ihm beim Hinaufsteigen.

»Wie heißt du?«

»Patricio.«

»Sehr gut, Patricio«, sagte Señor Herbert. »Wie alle hast auch du seit geraumer Zeit ein Problem, das du nicht lösen kannst.«

Patricio nahm den Hut ab und nickte bejahend.

»Was ist es?«

»Also, mein Problem ist«, sagte Patricio, »daß ich kein Geld habe.«

»Wieviel brauchst du?«

»Achtundvierzig Pesos.«

Señor Herbert stieß einen Triumphschrei aus. »Achtundvierzig Pesos«, wiederholte er. Die Menge stiftete ihm Beifall. »Sehr gut, Patricio«, fuhr Señor Herbert fort. »Nun sag uns eines: worauf verstehst du dich?«

»Auf vieles.«

»Entscheid dich für eines«, sagte Señor Herbert. »Für das, was du am besten kannst.«

»Gut«, sagte Patricio. »Ich kann die Vögel nachmachen.«

Von neuem Beifall spendend, wandte Señor Herbert sich an die Menge.

»Also, meine Damen und Herren, unser Freund Patricio, der die Vögel außerordentlich gut nachahmt, wird uns achtundvierzig verschiedene Vögel nachahmen und auf diese Weise das große Problem seines Lebens lösen.«

Inmitten des staunenden Schweigens der Menge machte Patricio nun die Vögel nach. Bald pfeifend, bald krächzend, machte er alle bekannten Vogelarten nach und dann andere, die niemand kannte. Schließlich bat Señor Herbert um Beifall und überreichte ihm achtundvierzig Pesos.

»Und nun«, sagte er, »trete einer nach dem anderen an. Bis morgen um dieselbe Zeit bin ich hier, um Probleme zu lösen.«

Der alte Jakob war sofort auf dem laufenden durch die Bemerkungen der Leute, die an seinem Haus vorübergingen. Bei jeder neuen Nachricht schwoll ihm das Herz, bis er es platzen fühlte.

»Was halten Sie von diesem Gringo?« fragte er.

Don Máximo Gómez zuckte mit den Achseln.

»Das muß ein Menschenfreund sein.«

»Wenn ich mich auf etwas verstünde«, sagte der alte Jakob, »könnte ich jetzt mein Problemchen lösen. Keine große Sache: zwanzig Pesos.«

»Sie spielen sehr gut Dame«, sagte Don Máximo Gómez.

Der alte Jakob schien ihm keine Aufmerksamkeit zu schenken. Doch als er allein war, wickelte er das Damebrett und die Steine in eine Zeitung und ging, um Señor Herbert herauszufordern. Er wartete bis Mitternacht, um an die Reihe zu kommen. Endlich ließ Señor Herbert die Truhen aufladen und verabschiedete sich bis zum nächsten Morgen.

Er legte sich nicht schlafen. Er erschien in Catarinos Laden mit den Männern, die die Truhen trugen, und selbst bis dorthin verfolgte ihn die Menschenmenge mit ihren Problemen. Nach und nach löste er die Probleme und löste so viele, daß im Laden nur die Frauen und einige Männer mit gelösten Problemen übrigblieben. Außerdem hinten im Salon eine einsame Frau, dic sich ganz langsam mit einer Reklameschrift fächelte.

»Und du«, schrie Señor Herbert, »was ist dein Problem?«

Die Frau hörte auf, sich zu fächeln.

»Lassen Sie mich mit Ihrem Fest zufrieden, Mister«, schrie sie durch den Salon. »Ich habe keinerlei Probleme und bin Hure, und zwar bis in die Eier hinein.«

Señor Herbert zuckte mit den Achseln. Trank neben den geöffneten Truhen sein kaltes Bier weiter, in Erwartung neuer Probleme. Schwitzte. Kurz darauf löste sich eine Frau aus der Gruppe, mit der die Hure am Tisch saß, und sprach leise auf ihn ein. Sie hatte ein Problem von fünfhundert Pesos.

»Wieviel kriegst du?« fragte Señor Herbert.

»Fünf.«

»Stell dir vor«, sagte Señor Herbert, »das wären hundert Männer.«

»Macht nichts«, sagte sie. »Wenn ich das Geld auf einmal kriege, werden sie die letzten hundert Männer meines Lebens sein.«

Er musterte sie. Sie war sehr jung, hatte zarte Knochen, aber ihre Augen waren fest entschlossen.

»Es ist gut«, sagte Señor Herbert. »Geh in das Zimmer, ich schicke sie dir dorthin, jeden mit fünf Pesos.«

Er trat vor die Haustür und schwenkte die Glocke. Um sieben Uhr morgens fand Tobias Catarinos Laden offen. Alles war dunkel. Halb eingeschlafen und voll von Bier überwachte Señor Herbert, wie die Männer in die Kammer des Mädchens gingen.

Auch Tobias trat ein. Das Mädchen kannte ihn und war überrascht, ihn in ihr Zimmer treten zu sehen.

»Du auch?«

»Man hat mir gesagt, ich solle hineingehen«, sagte Tobias. »Man hat mir fünf Pesos gegeben und mir gesagt: ›Beeil dich.‹ «

Sie zog vom Bett das nasse Laken und bat Tobias, es an einer Seite festzuhalten. Es war schwer wie eine Malerleinwand. An den Enden wringend, preßten sie es aus, bis es sein natürliches Gewicht wiedergewonnen hatte. Sie drehten die Matratze um, und der Schweiß floß auf der anderen Seite heraus. Tobias erledigte seine Sache irgendwie. Vor dem Fortgehen legte er die fünf Pesos auf den Haufen Banknoten, der neben dem Bett wuchs.

»Schick mir soviel Leute her wie möglich«, empfahl ihm

Señor Herbert, »damit wir möglichst noch vor Mittag fertig sind.«

Das Mädchen öffnete einen Spalt breit ihre Tür und bat um eine eisgekühltes Bier. Mehrere Männer warteten.

»Wieviel fehlen noch?« fragte sie.

»Dreiundsechzig«, erwiderte Señor Herbert.

Der alte Jakob hatte ihn den ganzen Tag lang mit seinem Damebrett verfolgt. Gegen Abend kam er endlich an die Reihe, trug sein Problem vor, und Señor Herbert nahm an. Sie stellten zwei Stühle und das Tischchen auf den großen Tisch mitten auf der Straße, und der alte Jakob eröffnete die Partie. Den letzten Zug überlegte er im voraus. Er verlor.

»Vierzig Pesos«, sagte Señor Herbert, und gab ihm zwei Steine Vorsprung.

Er gewann wieder. Seine Hände berührten kaum die Steine. Er spielte mit verbundenen Augen, erriet nur die Stellung des Gegners und gewann wieder. Die Menge wurde des Zuschauens müde. Als der alte Jakob aufzugeben beschloß, schuldete er fünftausendsiebenhundertundzweiundvierzig Pesos und dreiundzwanzig Centavos.

Er geriet nicht aus der Fassung. Schrieb die Zahl auf einen Zettel, den er in der Tasche verwahrte. Schlug das Damebrett zu, steckte die Steine in den Kasten und wickelte alles in die Zeitung.

»Machen Sie mit mir, was Sie wollen«, sagte er, »aber lassen Sie mir dies hier. Ich verspreche, daß ich den Rest meines Lebens spielen werde, bis ich das Geld zusammen habe.«

Señor Herbert sah auf die Uhr. »Tut mir in der Seele leid«, sagte er. »Die Frist läuft in zwanzig Minuten ab.« Er wartete, bis er davon überzeugt war, daß der Gegner die Lösung nicht finden würde. »Sonst haben Sie nichts?«

»Die Ehre.«

»Ich meine«, erklärte Señor Herbert, »etwas, was die Farbe wechselt, wenn man mit einer farbbeschmierten Malerbürste darüberfährt.«

»Das Haus«, sagte der alte Jakob, als entziffere er ein Rätsel. »Es ist nichts wert, aber es ist ein Haus.«

So kam Señor Herbert zum Haus des alten Jakob. Übrigens kam er auch zu Häusern und Besitztümern anderer, die ebensowenig ihre Verpflichtungen erfüllen konnten, ordnete jedoch eine Woche mit Musik, Feuerwerk und Seiltänzern an und leitete höchstpersönlich das Fest.

Es war eine denkwürdige Woche. Señor Herbert sprach von dem wunderbaren Schicksal des Dorfs und skizzierte sogar die Stadt der Zukunft mit riesigen Glasgebäuden und Tanzflächen auf Flachdächern. Er zeigte sie der Menge. Die Leute blickten erstaunt und versuchten sich in den von Señor Herbert bunt hingemalten Fußgängern wiederzufinden, doch sie waren so gut angezogen, daß sie sich nicht erkennen konnten. Das Herz tat ihnen weh, ihn so auszunutzen. Sie lachten über die Lust zu weinen, die sie im Oktober fühlten, und lebten im Nebel der Hoffnung, bis Señor Herbert die Glocke schwenkte und das Ende des Festes verkündete. Erst dann ruhte er aus.

»Bei dem Leben, daß Sie führen, werden Sie bald sterben«, sagte der alte Jakob. »Ich habe so viel Geld«, sagte Señor Herbert, »daß nichts mich zum Sterben veranlassen könnte.«

Und warf sich aufs Bett. Schlief Tage und Tage, schnarchte wie ein Löwe, und es vergingen so viele Tage, daß die Leute müde wurden, auf ihn zu warten. Sie mußten Krebse zum Essen ausgraben. Catarinos neue Grammophonplatten wurden so alt, daß schon niemand mehr sie ohne Tränen hören konnte und er seinen Laden schließen mußte.

Lange Zeit nachdem Señor Herbert zu schlafen begonnen hatte, klopfte der Pfarrer an die Tür des alten Jakob. Das Haus war von innen verriegelt. Je mehr der Atem des Schlafenden die Luft verbrauchte, desto mehr verloren die Dinge ihr Gewicht, und einige begannen zu schwimmen.

»Ich will mit ihm sprechen«, sagte der Pfarrer.

»Sie müssen warten«, sagte der alte Jakob.

»Ich habe nicht viel Zeit.«

»Setzen Sie sich, Herr Pfarrer, und warten Sie«, beharrte der alte Jakob. »Und tun Sie mir währenddessen den Gefallen und sprechen Sie mit mir. Seit langem weiß ich nichts mehr von der Welt.«

»Die Leute sind in wilder Flucht«, sagte der Pfarrer. »In Kürze wird das Dorf wieder das alte sein. Das ist die einzige Neuigkeit.«

»Sie werden wiederkommen«, sagte der alte Jakob, »wenn das Meer wieder nach Rosen duftet.«

»Aber mittlerweile müssen wir mit irgend etwas die Illusion derer aufrechterhalten, die dableiben«, sagte der Pfarrer. »Wir müssen eilends mit dem Bau des Gotteshauses beginnen.«

»Darum sind Sie gekommen, um Mr. Herbert zu holen«, sagte der alte Jakob.

»So ist es«, sagte der Pfarrer. »Die Grünhörner sind sehr mildtätig.«

»Dann warten Sie, Herr Pfarrer«, sagte der alte Jakob. »Vielleicht wacht er auf.«

Sie spielten Dame. Es war eine lange schwierige Partie von vielen Tagen, doch Señor Herbert wachte nicht auf.

Der Pfarrer wurde vor Verzweiflung wirr. Lief überall mit einem kupfernen Almosenteller herum und bettelte um Almosen für den Bau des Gotteshauses, bekam aber sehr wenig. Vom vielen Flehen wurde er immer durchsichtiger, seine Knochen begannen sich mit Geräuschen zu füllen, und eines Sonntags erhob er sich zwei Spannen über den Erdboden, doch niemand erfuhr es. Dann packte er seine Kleider in ein Köfferchen, in ein anderes das eingesammelte Geld und verabschiedete sich für immer.

»Der Geruch wird nicht wiederkommen«, sagte er denen, die ihn umzustimmen suchten. »Wir müssen der Tatsache ins Auge sehen, daß das Dorf der Todsünde verfallen ist.«

Als Señor Herbert erwachte, war das Dorf wieder das alte. Der Regen hatte den Unrat, den die Menge in den Straßen zurückgelassen hatte, zum Gären gebracht, und der Boden war wieder rauh und hart wie Backstein.

»Ich habe lange geschlafen«, gähnte Señor Herbert.

»Jahrhunderte«, sagte der alte Jakob.

»Ich sterbe vor Hunger.«

»Aller Welt geht es so«, sagte der alte Jakob.

»Es gibt kein anderes Heilmittel, als an den Strand zu gehen und Krebse auszugraben.«

Tobias fand ihn, wie er, den Mund voller Schaum, im Sand wühlte, und wunderte sich, daß die Reichen den Armen beim Hungern so ähnlich sind. Señor Herbert fand nicht genügend Krebse. Gegen Abend lud er Tobias ein, mit ihm etwas Eßbares auf dem Grund des Meeres zu suchen.

»Hören Sie«, warnte Tobias. »Nur die Toten wissen, was es da unten gibt.«

»Die Wissenschaftler wissen es auch«, sagte Señor Herbert. »Noch unter dem Meer der Schiffbrüche gibt es Schildkröten mit köstlichem Fleisch. Zieh dich aus, und wir gehen los.«

Sie gingen. Erst schwammen sie geradeaus, dann abwärts in die Tiefe, wo zuerst das Licht der Sonne, dann das des Meeres zu Ende geht und die Dinge nur in ihrem eigenen Licht zu sehen sind. Sie kamen an einem versunkenen Dorf vorüber mit Männern und Frauen zu Pferd, die um den Musikpavillon kreisten. Es war ein prachtvoller Tag, und Blumen in lebendigen Farben blühten in den Beeten.

»Es ist eines Sonntags untergegangen, gegen elf Uhr vormittags«, sagte Señor Herbert. »Es muß ein Erdrutsch gewesen sein.« Tobias wollte dorfwärts ausweichen, doch Señor Herbert winkte, er solle ihm bis auf den Grund folgen.

»Dort gibt es Rosen«, sagte Tobias. »Ich möchte, daß Clotilde sie kennenlernt.«

»Ein andermal kannst du in aller Ruhe wiederkommen«, sagte Señor Herbert. »Jetzt sterbe ich vor Hunger.«

Wie ein Polyp stieß er hinab mit langen geheimnisvollen Armen. Tobias, bemüht, ihn nicht aus den Augen zu verlieren, dachte, das müsse die Schwimmart der Reichen sein. Nach und nach verließen sie das Meer der üblichen Unglücksfälle und traten ein in das Meer der Toten.

Es waren so viele, daß Tobias nie so viele Leute auf der Welt gesehen zu haben glaubte. Sie schwammen regungslos, den Mund nach oben, auf verschiedenen Ebenen, und alle hatten den Gesichtsausdruck vergessener Wesen.

»Es sind sehr alte Tote«, sagte Señor Herbert. »Sie haben Jahrhunderte gebraucht, um diesen Zustand der Ruhe zu erreichen.«

Noch tiefer, im Wasser jüngst Verstorbener, hielt Señor Herbert an. Tobias erreichte ihn in dem Augenblick, als eine sehr junge Frau an ihnen vorbeiglitt. Sie schwamm auf der Seite mit geöffneten Augen, verfolgt von einem Strom Blumen.

Señor Herbert schob den Zeigefinger in den Mund und verharrte so, bis die letzten Blumen vorbeigeschwebt waren.

»Sie ist die schönste Frau, die ich je in meinem Leben gesehen habe«, sagte er.

»Sie ist die Frau des alten Jakob«, sagte Tobias. »Sie ist wie fünfzig Jahre jünger, aber sie ist es. Bestimmt.«

»Sie ist viel gereist«, sagte Señor Herbert. »Sie zieht die Flora aller Meere der Welt hinter sich her.«

Sie gelangten in die Tiefe. Señor Herbert kreiste mehrmals über einem Boden, der wie gepflügter Schiefer aussah. Tobias folgte ihm. Erst als er sich an das Halbdunkel der Tiefe gewöhnt hatte, entdeckte er, daß hier die Schildkröten waren. Es waren Tausende, auf dem Grund hingebreitet, wie Versteinerungen.

»Sie leben«, sagte Señor Herbert, »aber sie schlafen seit Millionen von Jahren.«

Er drehte eine um. Mit einem sanften Stoß trieb er sie aufwärts, und das schlafende Tier entglitt seinen Händen und stieg in der Abtrift. Tobias ließ es vorbei. Da erblickte er die Oberfläche und sah das Meer verkehrtherum.

»Es ist wie ein Traum«, sagte er.

»Sag es niemandem«, sagte Señor Herbert. »In deinem eigenen Interesse. Stell dir das Durcheinander vor, das in der Welt entstünde, wenn die Leute diese Dinge erführen.«

Es war fast Mitternacht, als sie ins Dorf zurückkehrten. Sie weckten Clotilde, damit sie Wasser heiß machte. Señor Herbert köpfte die Schildkröte, doch als sie sie vierteilten, mußten sie zu dritt das Herz, das durch den Innenhof hüpfte, verfolgen und nochmals töten. Sie aßen, bis ihnen der Atem ausging.

»Gut, Tobias«, sagte nun Señor Herbert. »Wir müssen uns der Wirklichkeit stellen.«

»Natürlich.«

»Und die Wirklichkeit«, fuhr Señor Herbert fort, »ist die: dieser Geruch wird niemals wiederkehren.«

»Er wird wiederkehren.«

»Er wird unter anderem deshalb nicht wiederkehren«, warf Clotilde ein, »weil er nie dagewesen ist. Du warst es, der alle Welt eingewickelt hat.«

»Du hast ihn doch selbst gerochen«, sagte Tobias.

»In jener Nacht war ich halb durchgedreht«, sagte Clotilde. »Aber jetz bin ich mir über nichts mehr im klaren, was mit diesem Meer zu tun hat.«

»Dann gehe ich fort«, sagte Señor Herbert, und fügte an beide gewandt hinzu: »Auch ihr solltet fortgehen. Statt in diesem Dorf zu hungern, gibt es so vieles auf der Welt zu tun.«

Er ging. Tobias blieb im Innenhof und zählte die Sterne bis zum Horizont und entdeckte, daß es seit dem vergangenen Dezember drei mehr waren. Clotilde rief ihn in die Kammer, doch er achtete nicht auf sie.

»Komm her, Kerl«, beharrte Clotilde. »Seit Jahrhunderten haben wir's nicht mehr wie die Kanichen gemacht.«

Tobias wartete eine lange Weile. Als er endlich hineinging, war sie eingeschlafen. Er weckte sie halb, war aber so müde, daß beide die Dinge verwechselten und es letzten Endes nur machen konnten wie die Würmer.

»Du bist verblödet«, sagte Clotilde schlechtgelaunt. »Denk endlich an was anderes.«

»Ich denke an was anderes.« Sie wollte wissen, was es war, und er beschloß es ihr zu erzählen, unter der Bedingung, daß sie es nicht weitersagte. Clotilde versprach es.

»Auf dem Grund des Meeres«, sagte Tobias, »gibt es ein Dorf mit weißen Häuschen und Millionen Blumen in den Beeten.«

Clotilde hob die Hände zum Kopf.

»Ach, Tobias«, rief sie, »ach, Tobias, um der Liebe Gottes willen, fang nicht schon wieder damit an.«

Tobias sprach nicht weiter. Er rollte sich zum Bettrand und versuchte einzuschlafen. Doch es gelang ihm nicht, bis zum Morgengrauen, als der Wind umschlug und die Krebse ihn in Ruhe ließen.

Das Leichenbegängnis der Großen Mama

Dies, Ungläubige der ganzen Welt, ist die wahre Geschichte von der Großen Mama, bedingungslose Herrscherin über das Reich Macondo, die in Ausübung ihrer Macht zweiundneunzig Jahre lang lebte, die an einem Dienstag des vergangenen Septembers im Geruch der Heiligkeit starb und zu deren Leichenbegängnis der Heilige Vater erschien.

Nun, da die in ihren Grundfesten erschütterte Nation ihr Gleichgewicht wiedergewonnen hat, da die Dudelsackpfeifer von San Jacinto, die Schmuggler von Guajira, die Reisbauern von Sinú, die Prostituierten von Guacamayal, die Zauberer von la Sierpe und die Bananenpflücker von Aracataca ihre Zelte aufgeschlagen haben, um sich von der auszehrenden Totenwache zu erholen, da der Präsident der Republik, seine Minister und alle, die bei der je in den Annalen der Geschichte verzeichneten glanzvollsten Bestattungsfeier die öffentliche Macht und die übernatürlichen Gewalten vertraten, ihre Fassung wiedererlangt und ihre Ämter wieder angetreten haben, nun, da der Heilige Vater mit Leib und Seele aufgefahren ist gen Himmel und der Verkehr in Macondo lahmliegt wegen der leeren Flaschen, Zigarettenstummel, abgenagten Knochen, Blechdosen, Lumpen und Exkremente, die die zum Begräbnis herbeigeströmte Menschenmenge zurückgelassen hat, nun ist die Stunde gekommen, einen Hocker vor die Haustür zu stellen und von Anfang an die Einzelheiten dieses nationalen Bebens zu erzählen, bevor die Historiker uns zuvorkommen.

Vor vierzehn Wochen, nach endlosen Nächten der Breiumschläge, Senfpflaster und Schröpfköpfe, befahl die vom sinnenbetäubenden Todeskampf zermürbte Große Mama, man solle sie in ihren alten Rohrschaukelstuhl setzen, damit sie ihren letzten Willen verkünden könne. Das war das einzige Requisit, das ihr noch zum Sterben fehlte. An jenem Morgen hatte sie durch Vermittlung des Paters Antonio Isabel die Geschäfte ihrer Seele geordnet und brauchte daher nur noch die Geschäfte ihrer Geldschränke zu ordnen mit den neun Neffen, ihren Universalerben, die rings um ihr Bett wachten. Der mummelnde und fast hundert Jahre alte Pfarrer blieb im Zimmer. Zehn Männer waren nötig gewesen, um ihn zum Alkoven der Großen Mama hinaufzuschaffen, und man hatte deshalb beschlossen, ihn dort zu lassen, damit er nicht erst hinunter- und in der endgültigen Minute wieder hinaufgeschafft werden mußte.

Nicanor, der älteste Neffe, riesenhaft und ungeschlacht, in Khaki und Sporenstiefeln, einen achtunddreißiger Langlaufrevolver unter dem Hend, ging den Notar holen. Das riesige, zweistöckige, nach Melasse und Majoran riechende Herrenhaus mit seinen dunklen Gemächern, vollgestopft mit Truhen und Plunder vieler in Staub verwandelter Generationen, lag seit der letzten Woche gelähmt in Erwartung dieses Augenblicks. Im langen Mittelgang mit den Haken an den Wänden, an denen zu anderer Zeit geschlachtete Schweine hingen und an schläfrigen Augustsonntagen Wild ausblutete, dösten die Taglöhner massenweise auf Salzsäcken und landwirtschaftlichen Geräten, während sie auf den Befehl warteten, die Reittiere zu satteln, um die Trauerbotschaft in den Umkreis der unermeßlichen Besitzung zu tragen. Die übrige Familie war im Wohnzimmer versammelt. Die aschfahlen Frauen, blutleer durch Erbveranlagung und Nachtwachen, trugen tiefe Trauer – die Zusammenfassung ungezählter, aufeinandergeschichteter Trauerfälle. Die matriarchalische Strenge der Großen Mama hatte um ihr Vermögen und ihren Namen einen geweihten Drahtverhau gelegt, in dem die Onkel die Töchter der Nichten heirateten, die Vettern die Tanten und die Brüder die Schwägerinnen, bis ein wirres Geflecht von Blutsverwandtschaften entstanden war, das die Fortpflanzung in einen Teufelskreis verwandelte. Nur Magdalena, die jüngste der Nichten, hatte aus dem Kreis auszubrechen vermocht; von Wahngebilden geschreckt, hatte sie sich von Pater Isabel den Teufel austreiben, hatte sich den Schädel scheren lassen und durch das Noviziat in der apostolischen Präfektur den Wonnen und Eitelkeiten der Welt entsagt. Außerhalb der offiziellen Familie und in Ausübung des Rechts der ersten Nacht hatten die Männer Weiler, Almhütten und Bauernhäuser mit einer ganzen Nachkommenschaft von Bastarden bevölkert, die sich als namenlose Patenkinder, als Untergebene, Günstlinge und Schützlinge der Großen Mama unter dem Gesinde tummelten.

Der drohende Tod bereitete dem aufreibenden Warten ein Ende. Die Stimme der an Ehrerbietung und Gehorsam gewöhnten Sterbenden war in dem geschlossenen Raum kaum hörbarer als ein Orgelbaß, hallte jedoch im entlegensten Winkel des Großgrundbesitzes wider. Niemand stand diesem Tod gleichgültig gegenüber. Im gegenwärtigen Jahrhundert war die Große Mama Macondos Mittelpunkt gewesen, so wie ihre Brüder, ihre Väter und Vorväter es in der Vergangenheit durch volle zweihundert Jahre der Vorherrschaft gewesen waren. Das Dorf war rings um ihren Namen gewachsen. Niemand kannte den Ursprung, die Grenzen oder gar den wahren Wert des Familienbesitzes, doch hatte sich alle Welt an die Vorstellung gewöhnt, die Große Mama sei Eigentümerin der fließenden und stehenden Gewässer, des gefallenen und zu fallenden Regens, der Nachbarwege, der Telegrafenmasten, der Schaltjahre und der Hitze und habe überdies Erbanspruch auf jedwedes Leben und Gut. Wenn sie sich auf den Balkon ihres Hauses setzte, um die Abendkühle zu genießen und sich mit dem ganzen Gewicht ihrer Eingeweide und ihrer Machtbefugnis in den alten Schaukelstuhl aus Weidengeflecht sinken ließ, schien sie tatsächlich unendlich reich und mächtig, die reichste und mächtigste Matrone der Welt.

Niemand war auf den Gedanken gekommen, die Große Mama könne sterblich sein, ausgenommen die Mitglieder ihrer Sippe und sie selber, der Pater Antonio Isabel mit seinen altersschwachen Vorahnungen in den Ohren lag. Doch sie vertraute darauf, über hundert Jahre zu leben wie ihre Großmutter mütterlicherseits, die, im Kriege von 1875 in der Gutsküche verschanzt, sich einer Patrouille des Obersten Aureliano Buendía gestellt hatte. Erst im April dieses Jahres begriff die Große Mama, daß Gott ihr nicht das Vorrecht gewähren würde, eine Horde föderalistischer Freimaurer in offenem Kampf eigenhändig zu vernichten.

In der ersten schmerzhaften Woche behandelte der Familienarzt sie mit Senfpflastern und Wollsöckchen. Er war ein in Montpellier preisgekrönter Erbarzt, der die Fortschritte seiner Wissenschaft aus philosophischer Überzeugung ablehnte, und hatte von der Großen Mama diesen Ruheposten erhalten, der anderen Ärzten die Niederlassung in Macondo untersagte. Einst war er durch das Dorf geritten, hatte die schwermütigen Kranken in der Abenddämmerung besucht, und die Natur hatte ihm das Vorrecht eingeräumt, Vater zahlreicher ihm unbekannter Kinder zu sein. Doch die Arthritis fesselte ihn nun gelenksteif in die Hängematte, so daß er schließlich seine Patienten ohne Besuch behandelte, mittels Vermutungen, Ohrenbläsern und Botschaften. Von der Großen Mama herbeizitiert, überquerte er im Pyjama mit Hilfe zweier Stöcke den Platz und richtete sich im Alkoven der Kranken ein. Erst als er begriff, daß die Große Mama im Sterben lag, ließ er eine Truhe mit lateinisch beschrifteten Prozellanbüchsen holen und behandelte die Todkranke drei Wochen lang innerlich und äußerlich mit allen Arten akademischer Pflaster, großartiger Arzneitränke und meisterhafter Zäpfchen. Dann legte er ihr geräucherte Kröten auf die schmerzende Stelle und Blutegel auf die Nieren bis zum Morgengrauen jenes Tages, an dem er sich vor die Wahl gestellt sah, sie durch den Barbier zur Ader oder ihr durch Pater Antonio Isabel den Teufel austreiben zu lassen.

Nicanor ließ den Pfarrer kommen. Nicanors zehn beste Männer trugen ihn in seinem knarrenden Korbschaukelstuhl unter dem verschimmelten Festtagsbaldachin vom Pfarrhaus ins Schlafzimmer der Großen Mama. Das Viatikumglöckchen im lauen Septembermorgen war für Macondos Einwohner die erste Nachricht. Als die Sonne aufging, glich der kleine Platz vor dem Haus der Großen Mama einem ländlichen Markt.

Es war wie eine Erinnerung an frühere Zeiten. Bis zu ihrem siebzigsten Lebensjahr hatte die Große Mama ihren Geburtstag mit den seit Menschengedenken längsten und lärmendsten Volksfesten gefeiert. Korbflaschen mit Branntwein wurden dem Dorf gestiftet, Rinder wurden auf dem öffentlichen Platz geschlachtet und eine auf einem Podest plazierte Blaskapelle spielte unterbrochen drei Tage lang. Unter den staubbedeckten Mandelbäumen, wo in der ersten Woche des Jahrhunderts die Legionen des Obersten Aureliano Buendía kampiert hatten, wurde Maismilch feilgeboten, Krapfen, Blutwurst, Speckgrieben, Pasteten, Preßkopf, Quittenpastete, Yuccabrot, Käsekuchen, Spritzgebäck, Maiswecken, Blätterteig, Leberwurst, Kutteln, Mandelkuchen, Zuckerrohrschnaps, dazwischen gab es jede Art von Kleinkram, Nippes, Plunder und Küchengerät, überdies Hahnenkämpfe und Lotterien. Inmitten des aufgeregten Menschengewoges wurden Decken und Skapuliere mit dem Porträt der Großen Mama verkauft.

Die Festlichkeiten begannen zwei Tage vorher und endeten am Tag des Geburtstags mit prunkvollem Feuerwerk und einem Familienball im Haus der Großen Mama. Die von der Bastardei zuvorkommend bedienten auserwählten Gäste und rechtmäßigen Familienglieder tanzten zu den Takten des mit neumodischen Walzen ausgestatteten Pianolas. Von der Tiefe des Salons aus leitete die Große Mama das Fest und erteilte mit ihrer an allen Fingern ringbesetzen Rechten unauffällige Anweisungen. Bald im Einverständnis mit den Liebespärchen, doch fast stets von der eigenen Eingebung beraten, stiftete sie in jener Nacht die Ehen des kommenden Jahres. Zum Abschluß der Jubiläumsfeier trat die Große Mama auf den girlanden- und lampiongeschmückten Balkon und warf Münzen unter das Volk.

Diese Tradition war abgerissen, teils durch die fortgesetzten Trauerfälle in der Familie, teils durch die politische Unsicherheit der letzten Zeit. Die jüngeren Generationen kannten die glanzvollen Veranstaltungen nur vom Hörensagen. Sie hatten die Große Mama nicht mehr beim Hochamt erlebt, wo sie, befächelt von einem Mitglied der Zivilbehörde, das Vorrecht genoß, nicht einmal im Augenblick der Elevation niederknien zu müssen, um nicht ihren mit holländischen Spitzen besetzten Rock und ihre gestärkten Batistunterröcke zu zerdrücken. Wie an einen Jugendtraum erinnerten die alten Leute sich des zwischen Herrenhaus und Hochaltar ausgerollten zweihundert Meter langen Läufers an jenem Abend, als María del Rosario Castañeda y Montero dem Leichenbegängnis ihres Vaters beigewohnt hatte und auf der teppichbelegten Straße zurückschritt, ausgestattet mit ihrer neuen, strahlenden Würde. die sie zweiundzwanzigjährig zur Großen Mama kürte. Dieses mittelalterliche Bild gehörte seitdem nicht nur der Geschichte der Familie an, sondern auch der der Nation. Zunehmend verschwommener, entrückter, und nur noch sichtbar auf ihrem an heißen Nachmittagen vom Geraniendutf fast erstickten Balkon, zerfloß die Große Mama in ihrer eigenen Legende. Ihre Autorität wirkte durch Nicanor. Es bestand traditionsgemäß die stillschweigende Zusage, daß an dem Tag, da die Große Mama ihr Testament versiegelte, die Erben ein drei Nächte währendes Volksfest veranstalten würden. Man wußte aber auch, daß sie beschlossen hatte, ihren letzten Willen erst wenige Stunden vor ihrem Tod zu verkünden, und niemand dachte ernstlich an die Möglichkeit, die Große Mama könne sterblich sein. Erst im Grauen jenes Morgens überzeugten sich die vom Geläut des Viatikums geweckten Einwohner Macondos davon, daß die Große Mama nicht nur sterblich war, sondern im Sterben lag.

Ihre Stunde war gekommen. Unter dem staubigen Kreppehimmel ihres Leinenbetts, in dem sie bis zu den Ohren mit Aloe eingerieben lag, war das Leben aus den schwachen Atemzügen ihres Mutterbusens kaum wahrnehmbar. Die Große

Mama, die bis zu ihrem fünfzigsten Jahr die leidenschaftlichsten Bewerber abgewiesen hatte, obwohl sie von der Natur dazu ausgestattet war, allein ihr ganzes Geschlecht zu ernähren, lag jungfräulich und kinderlos im Sterben. Im Augenblick der Letzten Ölung mußte Pater Antonio Isabel Hilfe erbitten, um ihre Handflächen mit Öl einreiben zu können, denn seit dem Beginn des Todeskampfes hielt die Große Mama ihre Hände zu Fäusten geballt. Aber auch die Hilfe der Nichten nutzte nichts. Während dieser Kraftanstrengung preßte die Sterbende zum ersten Mal seit einer Woche die edelsteingeschmückte Hand an die Brust, heftete ihren farblosen Blick auf die Nichten und sagte: »Diebinnen.« Darauf sah sie Pater Antonio Isabel im liturgischen Gewand und den Chorknaben mit den sakramentalen Geräten und murmelte mit friedlicher Gewißheit: »Ich sterbe.« Dann zog sie den Ring mit dem großen Brillanten vom Finger und reichte ihn Magdalena, der Novizin, da er dieser als jüngster Erbin zustand. Das war das Ende der Tradition: Magdalena hatte auf ihr Erbteil zugunsten der Kirche verzichtet.

Bei Tagesanbruch bat die Große Mama, mit Nicanor allein gelassen zu werden, um ihre letzten Anweisungen erteilen zu können. Im Vollbesitz ihrer geistigen Fähigkeiten ließ sie sich eine halbe Stunde lang über den Gang der Geschäfte berichten. Sie äußerte sich eingehend über das Schicksal ihres Leichnams und beschäftigte sich zuletzt mit der Totenwache. »Du mußt die Augen offenhalten«, sagte sie. »Schließe alle Wertsachen weg, denn viele Leute kommen nur zur Totenwache, um zu stehlen.« Mit dem Pfarrer dann allein gelassen, legte sie eine zeitraubende, aufrichtige und eingehende Beichte ab und kommunizierte später in Gegenwart ihrer Neffen. Dann erst bat sie, in ihren Rohrschaukelstuhl gesetzt zu werden, um ihren letzten Willen kundzutun.

Nicanor hatte auf vierundzwanzig deutlich beschrifteten Bogen eine gewissenhafte Aufstellung ihres Vermögens gemacht. Friedlich atmend, diktierte die Große Mama, vor dem Arzt und Pater Antonio Isabel als Zeugen, dem Notar die Liste ihrer Besitztümer, der höchsten und einzigen Quelle ihrer Größe und Machtbefugnis. Auf seine wahren Ausmaße begrenzt, bestand der tatsächliche Familienbesitz aus drei in der Kolonialzeit durch königliche Urkunde verbrieften Komtureien, die im Laufe der Zeit dank verwickelter Vernunftsehen unter der Herrschaft der Großen Mama vereinigt worden waren. In diesem ungenutzten, undeutlich begrenzten Gebiet, das fünf Gemeinden umfaßte und in dem nie ein einziges Korn auf Rechnung der Besitzer gesät worden war, wohnten dreihundertundzweiundfünfzig Pächterfamilien. Jedes Jahr vollzog die Große Mama am Vorabend ihres Namenstags die einzige Handlung ihrer Herrschaft, die die Rückgabe der Ländereien an den Staat verhinderte: sie zog die Pacht ein. Im Innenflur ihres Hauses sitzend, nahm sie persönlich den Zins für das Wohnrecht auf ihrem Grund entgegen, wie ihre Vorfahren ihn über ein Jahrhundert lang von den Vorfahren der Pächter entgegengenommen hatten. Nach der dreitägigen Pachteinziehung war der Innenhof vollgestopft mit Schweinen, Puten und Hühnern, mit dem Zehnten und den Erstlingen der Bodenfrüchte, die dort als Geschenke niedergelegt wurden. In Wirklichkeit war dies die einzige Ernte, die die Familie je aus einem seit Anbeginn toten, auf den ersten Blick auf hunderttausend Hektar geschätzten Landgebiet einbrachte. Doch hatten es die historischen Umstände mit sich gebracht, daß innerhalb dieser Grenzen die sechs Ortschaften des Kreises Macondo mitsamt der Verwaltungskreisstadt wuchsen und gediehen, dergestalt, daß jeder Bewohner nicht mehr Eigentum beanspruchen konnte als den Bauwert seines Hauses, denn das Land gehörte der Großen Mama, folglich war die Miete zu entrichten, wie sie auch die Regierung für die Straßenbenutzung durch die Bürger zu entrichten hatte.

In der Umgebung der Pachthäuser strich nie gezähltes, unversorgtes Vieh umher, das am Hinterbacken ein schloßförmiges Brandzeichen trug. Dieses vererbte Brandzeichen, das in entlegenen Bezirken, in die das streunende Vieh sommers halbverdurstet gelangte, weniger durch mengenmäßiges, als durch wiederholtes Auftauchen bekannt geworden war, bildete einen der stärksten Pfeiler der Legende. Aus Gründen, die zu klären niemand für möglich hielt, hatten die weitläufigen Pferdeställe des Hauses sich seit dem letzten Bürgerkrieg zunehmend geleert und in der letzten Zeit Zuckerraffinerien, Molkereien und einer Reismühle Platz gemacht.

Neben dem Aufgezählten wies das Testament auf die Existenz von drei Krügen mit Goldmünzen hin, die während des Unabhängigkeitskrieges an unbekannter Stelle des Hauses verscharrt und trotz wiederholten, mühsamen Grabens nicht aufgefunden worden waren. Mit dem Recht, die Ausbeutung des verpachteten Landes fortzusetzen und die Zehnten, Erstlinge und alle Arten von Sondergeschenken entgegenzunehmen, erhielten die Erben einen von Generation zu Generation neu entworfenen und von jeder Generation vervollkommneten Plan, der die Suche nach dem vergrabenen Schatz erleichterte.

Die Große Mama benötigte drei Stunden, um ihre irdischen Besitztümer aufzuzählen. Im stickigheißen Alkoven schien die Stimme der Sterbenden jedem aufgezählten Stück an seinem Platz Würde und Wert zu verleihen. Als sie ihre zitternde Unterschrift leistete und die Zeugen die ihre daruntersetzten, erschütterte ein geheimes Beben das Herz der Menge, die sich vor dem Haus unter den staubigen Mandelbäumen zusammendrängte.

Nun fehlte nur noch die eingehende Aufzählung der ethischen Güter. Mit höchster Kraftanstrengung – der gleichen, die ihre Vorfahren vor dem Sterben bewiesen hatten, um die Vorherrschaft der Sippe zu sichern – richtete die Große Mama sich auf ihren denkwürdigen Gesäßbacken auf und diktierte dem Notar mit gebieterischer und klarer, ganz ihrem Gedächtnis hingegebener Stimme die Liste ihres unsichtbaren Familienbesitzes: die Bodenschätze, die Territorialgewässer, die Farben der Landesflagge, die nationale Oberhoheit, die Traditionsparteien, die Menschenrechte, die bürgerlichen Freiheiten, der erste Magistrat, die zweite Instanz, die dritte

Debatte, die Empfehlungsschreiben, die historischen Gegebenheiten, die freien Wahlen, die Schönheitsköniginnen, die Grundsatzerklärungen, die Massenkundgebungen, die vornehmen jungen Damen, die untadeligen Herren, die ehrenvollen Militärs, der hochwohlgeborene Oberste Gerichtshof, die vom Einfuhrverbot betroffenen Waren, die lockeren Damen, die Fragen des Fleisches, die Reinheit der Sprache, die Vorbilder für die Welt, die rechtsstaatliche Ordnung, die freie, aber verantwortungsbewußte Presse, das südamerikanische Athen, die öffentliche Meinung, die demokratischen Lehren, die christliche Moral, die Devisenknappheit, das Asylrecht, die kommunistische Gefahr, das Staatsschiff, die verteuerten Lebenskosten, die republikanischen Traditionen, die minderbegünstigten Klassen, die Vertrauenserklärungen.

Sie kam nicht zu Ende. Die mühsame Aufzählung raubte ihr den letzten Atemzug. Im Mare Magnum abstrakter Formeln versinkend, die zwei Jahrhunderte hindurch die moralische Rechtfertigung der Familienmacht gebildet hatten, stieß die Große Mama einen volltönenden Rülpser aus und verschied.

Die Einwohner der fernen düsteren Hauptstadt sahen an jenem Abend auf der Titelseite der Extrablätter das Bildnis einer zwanzigjährigen Frau und dachten, es sei eine neue Schönheitskönigin. Noch einmal erlebte die Große Mama die vorbeigleitende Jugend ihrer auf vier Spalten vergrößerten und eilends retuschierten Photographie, ihr mit einem Elfenbeinkamm aufgestecktes üppiges Haar und ein auf einem Spitzenschleier thronendes Diadem. Dieses Bild, das ein fahrender Photograph zu Beginn des Jahrhunderts in Macondo aufgenommen und das die Zeitungen viele Jahre in der Kartei unbekannter Persönlichkeiten aufbewahrt hatten, war dazu bestimmt, im Gedächtnis künftiger Geschlechter fortzuleben. In den altersschwachen Omnibussen, in den Fahrstühlen der Ministerien, in den trostlosen, mit bleichen Tapeten bespannten Teesalons wurde mit Ehrfurcht und Hochachtung von der in ihrem hitze- und malariageschwängerten Bezirk verstorbenen Respektsperson geflüstert, deren Name bis vor wenigen Stunden, bevor ihn Druckerschrift verewigt hatte, im übrigen Land unbekannt gewesen war. Dünner Nieselregen bedeckte die Fußgänger mit Grünspan und Besorgnis. Alle Kinder läuteten die Totenglocken. Der Präsident der Republik, von der Nachricht überrascht, als er zur Vereidigung der neuen Kadetten schritt, empfahl dem Kriegsminister in einer eigenhändig auf die Rückseite des Telegramms geschriebenen Note, seine Rede mit einer Schweigeminute zu Ehren der Großen Mama zu beschließen.

Der Tod hatte das öffentliche Leben gestreift. Selbst der Präsident der Republik, den die Empfindungen der Städter geläutert wie durch einen Filter erreichten, gewahrte in seinem Automobil in einer blitzartigen, wenngleich fast brutalen Vision die stumme Bestürzung der Stadt. Offengeblieben waren nur etliche übelbeleumdete Kaffeehäuser und der auf eine neuntägige Totenehrung eingerichtete erzbischöfliche Dom. Im Kapitol der Nation, wo die in Zeitungspapier gewickelten Bettler im Schutz der dorischen Säulen und schweigsamen Standbilder toter Präsidenten schliefen, war der Kongreßsaal hell erleuchtet. Als der oberste Würdenträger, vom Anblick der trauernden Hauptstadt ergriffen, seinen Arbeitsraum betrat, erwarteten ihn seine Minister in Trauerkleidung, stehend, feierlicher und bleicher als sonst.

Die Ereignisse jener Nacht und der folgenden Nächte sollten später als geschichtliches Beispiel bezeichnet werden. Und zwar nicht nur wegen des christlichen Geistes, der die höchsten Beamten der Staatsmacht beseelte, sondern wegen der Selbstverleugnung, mit der man in dem gemeinsamen Vorhaben, eine erlauchte Tote zu bestatten, ungleiche Interessen und widerstrebende Maßstäbe versöhnte. Viele Jahre hindurch hatte die Große Mama kraft der drei Truhen voll falscher Wählerkarten, die einen Teil ihres geheimen Familienbesitzes bildeten, den sozialen Frieden und die politische Eintracht ihres Reiches gewährleistet. Die männlichen Dienstboten, ihre Schützlinge und Pächter, mündige und unmündige, übten nicht nur das eigene Wahlrecht aus, sondern auch das der im vergangenen Jahrhundert verstorbenen Wähler. Die Große Mama verkörperte den Vorrang überlieferter Macht über vorübergehende Machtbefugnis, die Vorherrschaft der führenden Gesellschaftsschicht über das Volk, die Wesenhaftigkeit göttlicher Weisheit über sterbliche Vorläufigkeit. In stillen Zeiten an- und aberkannte sie kraft ihres herrscherlichen Willens Domherrenpfründen, Ruheposten und Sinekuren und wachte über das Wohlergehen ihrer Umgebung, wenngleich sie dafür zu Bestechung oder Wahlbetrug greifen mußte. In stürmischen Zeiten trug die Große Mama heimlich zur Bewaffnung ihrer Parteigänger bei und eilte deren Opfern in aller Öffentlichkeit zu Hilfe. Dieser vaterländische Eifer berechtigte sie zu den höchsten Ehren.

Der Präsident der Republik hatte sich nicht seiner Ratgeber zu bedienen brauchen, um die Last seiner Verantwortung zu ermessen. Zwischen dem Audienzsaal des Palastes und dem kleinen gepflasterten Innenhof, der den Vizekönigen als Remise gedient hatte, lag ein Innengarten mit düsteren Zypressen, in dem ein portugiesischer Mönch sich während der letzten Jahre der Kolonialzeit aus Liebesnot erhängt hatte. Trotz seines lärmenden Gefolges ordengeschmückter Offiziere vermochte der Präsident nicht ein leichtes Beben der Unsicherheit zu unterdrücken, wenn er in der Abenddämmerung an jener Stelle vorüberschritt. Doch in dieser Nacht hatte sein Erbeben die Stärke einer Vorahnung. Nun wurde er sich seiner historischen Bestimmung voll bewußt und verordnete eine neuntägige Staatstrauer sowie nachträgliche Ehrungen für die Große Mama in der Kategorie einer auf der Walstatt fürs Vaterland gefallenen Heldin. Wie er es in der an seine Landsleute gerichteten dramatischen Rundfunk- und Fernsehansprache zum Ausdruck brachte, vertraute der erste Würdenträger der Nation darauf, daß das Leichenbegängnis der Großen Mama zu einem neuen Vorbild für die Welt wurde. Solch hehre Absichten mußten freilich auf ernstliche Hindernisse stoßen. Die von fernen Vorfahren der Großen Mama geschaffene Verfassung des Landes war für Ereignisse, wie sie sich anbahnten, nicht gewappnet. Weise Doktoren des Gesetzes, bewährte Alchimisten des Rechts vertieften sich in Hermeneutik und Syllogismen auf der Suche nach einer Formel, die dem Präsidenten der Republik die Teilnahme an dem Leichenbegängnis gestattete. Aufregende Tage wurden durchlebt in den hohen Sphären der Politik, der Geistlichkeit und der Finanzen. In der von einem Jahrhundert abstrakter Gesetzgebung verdünnten Luft des weiten Kongreßhalbrunds zwischen Ölgemälden nationaler Vorkämpfer und Büsten griechischer Denker erreichte die Würdigung der Großen Mama ungeahnte Ausmaße, während ihr Leichnam im heißen Macondoseptember Blasen trieb. Zum ersten Mal sprach man von ihr, ohne dabei an ihren Rohrschaukelstuhl zu denken, an ihre Mittagsschläfrigkeit und ihre Senpfpflaster; man sah sie rein und alterslos, von der Legende geläutert.

Endlose Stunden füllten sich mit Wörtern, Wörtern, Wörtern, die, von den Lautsprechern der Druckschrift gerühmt, in der Weite der Republik widerhallten. Bis ein mit Wirklichkeitssinn begabtes Mitglied dieser Versammlung keimfreier Rechtsgelehrter das historische Gefasel mit der Bemerkung unterbrach, der Leichnam der Großen Mama warte bei vierzig Grad im Schatten auf ihre Entscheidung. Niemand verlor die Fassung angesichts dieses Einbruchs gesunden Menschenverstands in die saubere Luft des geschriebenen Gesetzes. Es wurden Anweisungen zur Einbalsamierung des Leichnams erteilt, während Formeln gefunden, Meinungen in Übereinstimmung gebracht oder Verfassungsänderungen beschlossen wurden, die dem Präsidenten der Republik die Teilnahme an der Beerdigung erlaubten.

Es war so viel palavert worden, daß das Palaver die Landesgrenzen überschritt, den Ozean überquerte und wie ein Omen in die päpstlichen Gemächer von Castelgandolfo drang. Von der jüngsten lähmenden Augusthitze erholt, stand der Heilige Vater am Fenster und sah die Taucher auf der Suche nach dem Kopf des enthaupteten Mädchens im See verschwinden. Während der letzten Wochen hatten die Abendblätter sich mit nichts anderem beschäftigt, und der Heilige Vater mochte einem Rätsel gegenüber, das sich in solcher Nähe seiner Sommerresidenz stellte, nicht gleichgültig bleiben. An jenem Nachmittag indes erschien in den Blättern statt der Fotos der möglichen Opfer unerwartet ein einziges Bild: eine von einem Trauerrand gerahmte Frau von zwanzig Jahren. »Die Große Mama«, rief der Heilige Vater, der sofort die verschwommene Daguerrotypie erkannte, die ihm viele Jahre zuvor anläßlich seiner Besteigung des Stuhls von Sankt Peter verehrt worden war. »Die Große Mama«, riefen im Chor die Mitglieder des Kardinalkollegiums in ihren Privatgemächern, und zum dritten Mal in zwanzig Jahrhunderten herrschte in dem grenzenlosen Reich der Christenheit eine Stunde lang Ratlosigkeit, Verdruß und Rennerei, bis der Heilige Vater in seiner geräumigen schwarzen Gondel saß – auf dem Wege zum phantastischen, fernen Leichenbegängnis der Großen Mama. Zurück blieben die leuchtenden Pfirsichfelder, die Via Appia Antica mit ihren fischblütigen Filmschauspielerinnen, die sich auf Terrassen bräunen ließen, ohne etwas von der Aufregung zu merken, endlich der düstere Felsvorsprung von Castel Sant'Angelo am Horizont des Tiber. In der Abenddämmerung vermengte sich das tiefe Totengeläute der Peterskirche mit dem der gesprungenen Bronzeglocken von Macondo. Unter seinem stickigen Sonnendach hörte der Heilige Vater über gewundene Fahrrinnen und schweigsame Sümpfe hinweg, die das Reich Roms von den Gütern der Großen Mama abgrenzten, die ganze Nacht hindurch das Lärmen der vom Aufmarsch der Menschenmenge aufgestörten Affen. Das päpstliche Boot war auf seiner nächtlichen Fahrt mit Yuccasäcken, mit Büscheln grüner Bananen und Hühnerkörben, mit Männern und Frauen beladen worden, die ihr Tagwerk unterbrochen hatten, um beim Leichenbegängnis der Großen Mama ihr Glück mit dem Feilbieten von Eßbarem zu versuchen. Zum erstenmal in der Kirchengeschichte mußte Seine Heiligkeit in jener Nacht das Fieber der Nachtwache und die

Qual der Mücken erdulden. Doch der wundersame Tagesanbruch über den Besitzungen der Großen Alten, der erstmalige Anblick vom Reich des Balsamapfels und des Leguans löschten in seiner Erinnerung die Leiden der Reise und entschädigten ihn für ertragene Entbehrungen.

Nicanor war von drei Schlägen an seine Tür geweckt worden, die die unmittelbare Ankunft seiner Heiligkeit verkündeten. Der Tod hatte vom Herrenhaus Besitz ergriffen. Beflügelt von den wiederholten mahnenden Ansprachen des Präsidenten, von den fieberhaften Meinungsstreitigkeiten der Parlamentarier, die ihre Stimme verloren hatten und sich nur noch durch Zeichensprache verständigten, ließen Menschen und gesellschaftliche Gruppen der ganzen Welt ihr Tagwerk im Stich und füllten die dunklen Gänge, die verstopften Stege, die stickigen Dachstuben, und wer zu spät kam, kletterte höher hinauf und richtete sich notdürftig auf Brustwehren ein, auf Pferdepfosten, Wachtürmen, Pfeilern. Im Mittelsaal ruhte unter einem ergreifenden Gebirge aus Telegrammen der Leichnam der Großen Mama und mumifizierte sich in Erwartung großer Entscheidungen. Tränenverzehrt hielten die neun Neffen in der Verzückung gegenseitiger Bespitzelung die Totenwache.

Viele Tage noch mußte die ganze Welt auf der Lauer liegen. In dem mit vier Lederhockern, einem Krug geweihten Wassers und einer Hängematte aus Klettenkraut ausgestatteten Rathaussaal litt der Heilige Vater unter schweißtreibender Schlaflosigkeit und vertrieb sich die stickigen, ausgedehnten Nächte mit der Lektüre von Notizkalendern und Verwaltungsverordnungen. Tagsüber verteilte er italienische Karamelbonbons unter die Kinder, die sich vor seinem Fenster drängten, und aß mit Pater Antonio Isabel, gelegentlich auch mit Nicanor unter der asternberankten Pergola zu Mittag. So durchlebte er endlose, von Warten und Hitze langgezogene Wochen und Monate, bis Pastor Pastrana sich mit seinem Trommelschläger in der Mitte des Platzes aufpflanzte und die entscheidungsschwere Bekanntmachung verlas. Die öffentliche Ordnung wurde als gestört erklärt, taramtamtam, und der Präsident der Republik, taramtamtam, verfügte über außerordentliche Befugnisse, taramtamtam, die ihm die Teilnahme am Leichenbegängnis der Großen Mama, taramtamtam, gestatteten, taramtamtam, taram, tam, tam.

Der Große Tag war gekommen. Die Straßen waren verstopft von Glücksrädern, Bratfischständen und Lotterietischen sowie von Männern, die, eine Ringelnatter um den Hals gewickelt, den todsicheren Balsam zur Heilung von Rose und zur Erringung des ewigen Lebens anpriesen; dort und auf dem buntscheckigen kleinen Platz, wo das Volk seine Zeltplanen aufgespannt und seine Bündel aufgeschnürt hatte, bahnten aufgeputzte Armbrustschützen den Behörden einen Weg. Da standen in Erwartung des höchsten Augenblicks die Wäscherinnen von San Jorge, die Perlenfischer vom Kap des Segels, die Wurfgarnfischer vom Sumpf, die Krebsfänger von Tasajera, die Zauberer von La Mojana, die Salzsieder von Manaure, die Ziehharmonikaspieler von Valledupar, die Pferdehändler von Ayapel, die Papayapflanzer von San Pelayo, die Hahnenmäster von La Cueva, die Stegreifsänger aus den Savannen von Bolivar, die Ruderer vom Magdalenenstrom, die Winkeladvokaten von Mompox, außer den zu Beginn dieser Chronik Aufgezählten sowie vielen anderen. Sogar die Veteranen des Obersten Aureliano Buendía – an der Spitze der Herzog von Malborough mit seinem Festschmuck aus Tigerfellen, -krallen und -zähnen – überwanden ihren hundertjährigen Groll gegen die Große Mama und die Angehörigen ihrer Sippe und kamen zur Beerdigung, um vom Präsidenten der Republik die Zahlung ihrer Kriegspension zu fordern, auf die sie seit sechzig Jahren warteten.

Kurz vor elf brach die von der Sonne fast erstickte, begeisterte Menschenmenge, die eine unerschütterliche Elitetruppe in betreßten Husarenjacken und wogenden Helmbüschen in Schranken hielt, in mächtiges Jubelgeschrei aus. Würdig, feierlich in ihren Gehröcken und Zylindern, tauchten der Präsident der Republik und seine Minister, die Abgeordneten des Parlaments, des Obersten Gerichtshofs, des Staatsrats, die traditionellen Parteien und die Geistlichkeit sowie die Vertreter aus Bankwelt, Handel und Industrie an der Ecke des Telegraphenamtes auf. Kahlköpfig und untersetzt schritt der greise kranke Präsident der Republik vor den erstaunten Augen der Menschenmenge vorüber, die ihn in sein Amt eingesetzt hatte, ohne ihn zu kennen, und dessen Existenz sie erst jetzt wahrhaft bezeugen konnte. Zwischen den von der Bürde ihres Amtes erdrückten Erzbischöfen und den Militärs mit ihren ordengepanzerten Brustkörben verströmte der erste Würdenträger der Nation den unverwechselbaren Odem der Macht.

Dahinter kamen gefaßten Schritts in Trauerkrepp die heimischen Königinnen aller gewesenen und aller kommenden Dinge. Zum ersten Mal ihrer irdischen Pracht beraubt kamen sie, voran die All-Königin, die Königin der Fasermango, die Königin des grünen Kürbis, die Königin des guayanischen Apfelbaums, die Königin der mehligen Yucca, die Königin der bauchigen Gujavabirne, die Königin der Wasserkokosnuß, die Königin der schwarzköpfigen Bohne, die Königin der vierhundertundsechsundzwanzig Kilometer langen Leguaneierschnüre sowie all jene, die wir übergehen müssen, damit diese Chronik nicht endlos wird.

In ihrem purpurausgeschlagenen Sarg von der Wirklichkeit durch acht Kupferschrauben getrennt, lag die Große Mama schon allzu durchtränkt von ihrer Ewigkeit aus Formaldehyd, um das Ausmaß ihrer Größe wahrzunehmen. Aller Glanz, von dem sie auf dem Balkon ihres Hauses in hitzeschweren Nachtwachen geträumt hatte, erfüllte sich in jenen achtundvierzig ruhmreichen Stunden, in denen die Sinnbilder der Zeit dem Andenken der Großen Mama huldigten. Selbst der Heilige Vater, den Wahnträume ihr in einer über den Gärten des Vatikans schwebenden Karosse vorgegaukelt hatten, überwand die Hitze mit einem Fächer aus geflochtenen Palmblättern und ehrte mit seiner höchsten Würde das größte Leichenbegängnis der Welt.

Nachdem der Streit der Würdigen geschlichtet und der

Katafalk auf den Schultern der Würdigsten auf die Straße hinausgetragen worden war, konnte die Volksmenge, benebelt vom Schauspiel der Macht, nicht das auf dem Dachfirst anhebende gierige Geflatter erkennen. Niemand sah die wachsamen Schatten der Aasgeier, die dem Trauerzug durch Macondos glutheiße Gassen folgten, und niemand merkte, daß die Gassen sich während des Zugs der Würdigen mit einer stinkenden Abfallspur bedeckten. Niemand gewahrte, daß die Neffen, die Patenkinder, die Dienstboten und Schützlinge der Großen Mama das Portal, kaum war der Leichnam hinausbefördert, verriegelten und die Türen aushängten, die Dielen ablösten und die Grundpfeiler ausgruben, um das Haus untereinander aufzuteilen. Das einzige, was im Getöse der Beerdigung niemand entging, war der donnernde Erleichterungsseufzer, den die Menge ausstieß, als die vierzehn Tage der Gebete, der Aufregungen und Lobpreisungen um waren und das Grab mit einer Bleiplatte versiegelt wurde. Einige der Anwesenden waren hellsichtig genug zu begreifen, daß sie der Geburt einer neuen Zeit beiwohnten. Nun, da seine Sendung auf Erden erfüllt war, konnte der Heilige Vater mit Leib und Seele auffahren gen Himmel, konnte der Präsident der Republik sich nach seinem Belieben zum Regieren niedersetzen, konnten die Königinnen der geschehenen und der noch zu geschehenden Dinge heiraten und glücklich sein und viele Kinder empfangen und gebären, nun konnte das Volk seine Zelte nach Lust und Laune in den unermeßlichen Gebieten der Großen Mama aufschlagen, denn die einzige, die sich dagegen wehren konnte und dazu genügend Macht besessen hatte, moderte bereits unter einer Bleiplatte. Nun brauchte nur noch jemand seinen Hocker vor die Haustür zu stellen und diese Geschichte zu erzählen als Lehre und Mahnung für kommende Generationen, damit keiner der Ungläubigen der Welt in Unkenntnis verbliebe über das Leben der Großen Mama, denn am morgigen Mittwoch werden die Straßenkehrer kommen und den Kehrricht ihres Leichenbegängnisses fortkehren in alle Ewigkeit.

Dienstag mittag

Der Zug verließ die zitternde Schlucht aus rostbraunen Felsen und fuhr durch die geometrisch angelegten, endlosen Bananenpflanzungen; die Luft wurde feucht, und der Seewind war nicht mehr zu spüren. Eine erstickende Rauchfahne drang durchs Wagenfenster herein. Auf dem schmalen Weg parallel zur Bahnlinie fuhren mit grünen Bananenbüscheln beladene Ochsenkarren. Jenseits des Weges waren auf unbebauten Flächen Bürogebäude mit elektrischen Ventilatoren zu sehen, Baracken aus rotem Backstein und Privathäuser mit weißen Stühlen und Tischchen auf den von staubigen Palmen und Rosenbüschen gesäumten Terrassen. Es war elf Uhr morgens, und die Hitze hatte noch nicht eingesetzt.

»Schieb lieber das Fenster hoch«, sagte die Frau. »Du kriegst sonst lauter Ruß ins Haar.«

Das kleine Mädchen versuchte es zu tun, aber das Schiebefenster war festgerostet.

Sie waren die einzigen Fahrgäste in dem kahlen Dritter-Klasse-Wagen. Da der Rauch der Lokomotive weiterhin durchs Fenster hereinwehte, stand die Kleine von ihrem Platz auf und legte ihre einzigen Habseligkeiten darauf: einen Plastikbeutel mit Essen und einen in Zeitungspapier gewickelten Blumenstrauß. Sie setzte sich auf den vom Fenster abgelegenen Sitz ihrer Mutter gegenüber. Beide trugen tiefe, ärmliche Trauerkleidung.

Das kleine Mädchen war zwölf Jahre alt und verreiste zum ersten Mal. Die Frau wirkte zu alt, um seine Mutter zu sein, mit ihren blaugeäderten Lidern und dem kleinen, zarten Körper ohne Formen in einem Kleid, das wie eine Soutane geschnitten war. Die ganze Fahrt preßte sie den Rücken gegen die Lehne und hielt mit beiden Händen eine Handtasche aus brüchigem Lackleder auf dem Schoß. Dabei stellte sie die ängstliche Gefaßtheit der an Armut gewohnten Leute zur Schau.

Um zwölf setzte die Hitze ein. Der Zug hielt zehn Minuten auf einer Station ohne Ortschaft, um Wasser aufzunehmen. Draußen, in der geheimnisvollen Stille der Pflanzungen, wirkte der Schatten frisch. Im Wagen roch die stickige Luft dagegen nach ungegerbtem Leder. Der Zug beschleunigte seine Fahrt nicht wieder. Er hielt in zwei gleich aussehenden Dörfern aus buntbemalten Holzhäusern. Die Frau neigte den Kopf und versank in Schlaftrunkenheit. Das kleine Mädchen zog die Schuhe aus. Dann ging es zum Waschraum und stellte den verwelkten Blumenstrauß ins Wasser.

Als es zu seinem Sitz zurückkehrte, wartete die Mutter mit dem Essen. Sie gab ihm ein Stück Käse, ein halbes Maisbrot und einen süßen Keks und nahm sich selbst die gleiche Ration aus dem Plastikbeutel. Während sie aßen, durchquerte der Zug sehr langsam eine eiserne Brücke und fuhr an einem Dorf vorbei, das den vorigen glich, nur stand hier eine Menschenmenge auf dem Platz. Eine Musikkapelle spielte in der sengenden Hitze eine fröhliche Melodie. Am Ende des Dorfs, in dem von der Dürre rissigen Flachland, endeten die Pflanzungen.

Die Frau unterbrach ihre Mahlzeit.

»Zieh die Schuhe an«, sagte sie.

Das kleine Mädchen blickte hinaus. Es sah nichts als das leere Flachland, durch das der Zug wieder schneller fuhr, steckte aber das letzte Stück Keks in den Beutel und zog rasch die Schuhe an. Die Frau reichte ihm den Kamm.

»Kämm dich«, sagte sie.

Der Zug pfiff, während die Kleine sich kämmte. Die Frau trocknete sich den Schweiß vom Hals und wischte sich mit den Fingern das Fett aus dem Gesicht. Als die Kleine sich gekämmt hatte, fuhr der Zug an den ersten Häusern eines größeren Dorfes vorbei, noch trostloser als die vorigen.

»Wenn du was machen mußt, tu's jetzt«, sagte die Frau. »Nachher kannst du nirgends Wasser trinken, und wenn du vor Durst umkommst. Vor allem weine nicht.«

Die Kleine nickte. Durchs Fenster drang ein glühender, trockener Wind, vermengt mit dem Pfeifen der Lokomotive und dem Ächzen der alten Wagen. Die Frau rollte den Beutel mit dem restlichen Proviant zusammen und steckte ihn in die Tasche. Einen Augenblick lang leuchtete im Fenster das ganze Bild des Dorfes in dem strahlenden Augustdienstag auf. Die Kleine wickelte die Blumen in das durchnäßte Zeitungspapier, trat einen Schritt vom Fenster und heftete einen starren Blick auf die Mutter. Diese blickte sanft zurück. Der Zug hörte auf zu pfeifen und verlangsamte seine Fahrt. Einen Augenblick später hielt er.

Es war niemand auf der Bahnstation. Jenseits der Straße, an dem von Mandelbäumen beschatteten Gehsteig, war nur der Billardsalon geöffnet. Das Dorf schwamm in der Hitze. Die Frau und die Kleine stiegen aus, überquerten die verlassene Bahnstation, deren Fliesen vom Druck des Unkrauts langsam aufbrachen, und gingen über die Straße auf den beschatteten Gehsteig.

Es war fast zwei. Zu dieser Stunde hielt das schlafbenommene Dorf Mittagsruhe. Die Läden, die öffentlichen Ämter, die Volksschule schlossen um elf und machten erst kurz vor vier wieder auf, wenn der Gegenzug durchkam. Nur das Hotel dem Bahnhof gegenüber blieb offen, seine Kantine und der Billardsalon sowie das Telegraphenamt auf der einen Seite des Platzes. An den vorwiegend nach dem Modell der Bananengesellschaft gebauten Häusern waren die Türen von innen verriegelt und die Läden heruntergelassen. In einigen Häusern war es so heiß, daß ihre Bewohner im Innenhof zu Mittag aßen. Andere rückten einen Stuhl in den Schatten der Mandelbäume und hielten ihren Mittagsschlummer sitzend auf offener Straße.

Sich im Schutz der Mandelbäume haltend, gingen Frau und Kind ins Dorf, ohne die Mittagsruhe zu stören. Sie strebten geradenwegs auf das Pfarrhaus zu. Die Frau kratzte mit dem Fingernagel über das Drahtnetz der Tür, wartete einen Augenblick und kratzte von neuem. Drinnen summte ein elektrischer Ventilator. Schritte waren nicht zu hören. Nur das leichte Knarren einer Tür und gleich darauf eine behutsame Stimme dicht hinter dem Drahtnetz: »Wer ist da?« Die Frau versuchte durch das Drahtnetz zu spähen.

»Ich brauche den Pater«, sagte sie.

»Er schläft jetzt.«

»Es ist dringend«, bestand die Frau.

In ihrer Stimme lag ruhige Hartnäckigkeit.

Die Tür öffnete sich geräuschlos einen Spalt, und es erschien eine reife, füllige Frau mit sehr blasser Haut und eisenfarbenem Haar. Ihre Augen wirkten zu klein hinter den dicken Brillengläsern.

»Kommen Sie herein«, sagte sie und öffnete vollends.

Sie betraten ein von altem Blumenduft getränktes Zimmer. Die Haushälterin führte sie zu einer Holzbank und hieß sie durch ein Zeichen Platz nehmen. Die Kleine tat es, aber ihre Mutter blieb nachdenklich stehen und hielte ihre Tasche umklammert. Hinter dem elektrischen Ventilator war kein Geräusch zu hören.

Die Haushälterin erschien in der Hintertür.

»Er sagt, Sie sollen nach drei wiederkommen«, sagte sie sehr leise. »Er hat sich erst vor fünf Minuten hingelegt.«

»Der Zug geht um drei Uhr dreißig«, sagte die Frau.

Ihre Antwort war kurz und selbstsicher, aber ihre Stimme blieb sanft und melodisch. Die Haushälterin lächelte zum ersten Mal.

»Gut«, sagte sie.

Als die Hintertür sich wieder geschlossen hatte, setzte die Frau sich neben ihre Tochter. Das schmale Wartezimmer war ärmlich, aufgeräumt und sauber. Auf der anderen Seite eines Holzgeländers, das den Raum teilte, stand ein einfacher wachstuchbedeckter Arbeitstisch, darauf eine primitive Schreibmaschine und eine Vase mit Blumen. Dahinter waren die Kirchenregister zu sehen. Man merkte, daß die Kanzlei von einer alleinstehenden Frau besorgt wurde.

Die Hintertür ging auf, und diesmal erschien der Priester, der seine Brille mit einem Taschentuch putzte. Erst als er sie aufsetzte, sah man, daß er der Bruder der Frau war, die aufgemacht hatte. »Sie wünschen?« fragte er.

»Die Schlüssel zum Friedhof«, sagte die Frau.

Die Kleine saß da, die Blumen im Schoß und die Beine unter der Bank übereinandergeschlagen. Der Priester sah sie an, dann sah er die Frau an und dann durch das Drahtnetz des Fensters den strahlenden wolkenlosen Himmel.

»Bei dieser Hitze«, sagte er. »Sie hätten warten sollen, bis die Sonne tiefer steht.«

Die Frau schüttelte schweigend den Kopf. Der Priester trat hinter das Geländer, holte aus dem Aktenschrank ein in Wachstuch gebundenes Heft, einen hölzernen Federhalter und ein Tintenfaß und setzte sich an den Tisch. Das Haar, das ihm auf dem Kopf fehlte, sproß um so üppiger auf seinen Händen.

»Welches Grab wollen Sie besuchen?« fragte er.

»Das von Carlos Centeno«, sagte die Frau.

»Wer?«

»Carlos Centeno«, wiederholte die Frau.

Noch immer verstand der Pater nicht.

»Der Dieb, der letzte Woche hier ermordet wurde«, sagte die Frau im gleichen Tonfall. »Ich bin seine Mutter.«

Der Priester musterte sie. Sie blickte ihn fest an, ruhig und selbstbeherrscht, und der Pater errötete. Senkte den Kopf und schrieb. Während er den Bogen ausfüllte, fragte er die Frau nach ihren Personalien, und sie antwortete ohne Zögern, mit präzisen Einzelheiten, als läse sie ab. Der Pater begann zu schwitzen. Die Kleine knöpfte sich die Schnalle ihres linken Schuhs auf, zog die Ferse heraus und stützte sie auf die Querleiste. Dann tat sie das gleiche mit dem rechten Schuh.

Alles hatte am Montag vergangener Woche begonnen, um drei Uhr früh und wenige Häuserblocks entfernt. Señora Rebeca, eine alleinstehende Witwe, die in einem mit Flitterkram vollgestopften Haus wohnte, hörte durch das Rieseln des Regens hindurch, daß jemand von außen die Haustür aufzubrechen versuchte. Sie stand auf, tastete im Kleiderschrank nach dem vorsintflutlichen Revolver, den seit den Zeiten des Oberst Aureliano Buendía niemand mehr abgedrückt hatte, und ging ins Wohnzimmer, ohne Licht zu machen. Weniger vom Geräusch am Türschloß gelenkt als von einer Schreckhaftigkeit, die sich in achtundzwanzig Jahren der Einsamkeit in ihr entwickelt hatte, fand sie mit Einfühlung nicht nur die Stelle der Tür, sondern auch die genaue Höhe des Schlüssellochs. Sie packte die Waffe mit beiden Händen, schloß die Augen und drückte ab. Es war das erste Mal in ihrem Leben, daß sie mit einem Revolver schoß. Unmittelbar nach dem Knall hörte sie nichts mehr als das Gemurmel des Rieselregens auf dem Zementfußsteig und eine ganz leise, sanfte, aber schrecklich müde Stimme: »Ach, Mutter.« Der Mann, der am Morgen mit zerfetzter Nase tot vor dem Haus lag, trug ein buntgestreiftes Flanellhemd, eine gewöhnliche Hose mit einem Strick statt eines Gürtels und war barfuß. Niemand im Dorf kannte ihn.

»Er hieß also Carlos Centeno«, murmelte der Pater, als er zu schreiben aufgehört hatte.

»Centeno Ayala«, sagte die Frau. »Er war der einzige Sohn.«

Der Priester ging an den Schrank zurück. An der Innenseite der Tür hingen an einem Nagel zwei große verrostete Schlüssel – die Schlüssel Sankt Peters, stellte sich die Kleine vor, wie es sich die Mutter als Kind vorgestellt, wie wohl selbst der Priester es sich einmal vorgestellt hatte. Er holte die Schlüssel herunter, legte sie auf das auf dem Geländer aufgeschlagene Heft und deutete mit dem Zeigefinger auf eine Stelle der beschriebenen Seite, während er die Frau anblickte.

»Unterschreiben Sie hier.«

Die Frau kritzelte ihren Namen hin, während sie ihre Tasche unter den Arm klemmte. Die Kleine nahm ihre Blumen, ging, die Schuhe nachziehend, auf das Geländer zu und beobachtete aufmerksam ihre Mutter.

Der Pfarrer seufzte. »Haben Sie nie versucht, ihn auf den rechten Weg zu bringen?«

Die Frau antwortete, als sie unterschrieben hatte.

»Er war ein guter Mensch.«

Der Priester blickte abwechselnd die Frau und die Kleine an und stellte mit einer Art mitleidiger Verwunderung fest, daß die beiden keineswegs den Tränen nahe waren. Die Frau fuhr unverwandt fort: »Ich habe immer zu ihm gesagt, er darf nie jemand etwas vom Munde wegstehlen, und er hat auch auf mich gehört. Dagegen hat er früher, als er noch boxte, oftmals drei Tage lang übel zugerichtet im Bett gelegen.«

»Er hat sich alle Zähne ziehen lassen müssen«, warf die Kleine ein.

»So ist es«, bestätigte die Frau. »Jeder Bissen, den ich damals aß, schmeckte nach den Schlägen, die mein Sohn samstags abend einstecken mußte.«

»Gottes Wille ist unerforschlich«, sagte der Pater.

Aber er sagte es ohne echte Überzeugung, teils weil die Erfahrung ihn etwas skeptisch gemacht hatte, teils wegen der Hitze. Er empfahl ihnen, einen Kopfschutz aufzusetzen, um keinen Sonnenstich zu bekommen. Er erklärte gähnend und schon fast schlafend, wie sie Carlos Centenos Grab finden würden. Bei ihrer Rückkehr bräuchten sie nicht zu klopfen. Sie sollten den Schlüssel unter der Türe durchschieben und möglichst ein Almosen für die Kirche dazulegen. Die Frau hörte den Erklärungen mit großer Aufmerksamkeit zu, dankte aber ohne zu lächeln.

Noch bevor der Pater die Haustür öffnete, merkte er, daß von draußen jemand hereinspähte und sich dabei die Nasenflügel am Drahtnetz plattdrückte. Es war eine Schar Kinder. Als die Tür aufging, stoben die Kinder auseinander. Zu dieser Stunde war sonst niemand auf der Straße. Jetzt waren nicht nur die Kinder da. Gruppen von Leuten standen unter den Mandelbäumen. Der Pater betrachtete prüfend die vom grellen Widerschein verzerrte Straße und begriff. Behutsam schloß er die Tür.

»Warten Sie eine Minute«, sagte er, ohne die Frau anzublikken.

Seine Schwester erschien in der Hintertür mit einer schwarzen Jacke über dem Nachthemd und aufgelöstem schulterlangen Haar. Schweigend blickte sie den Pater an.

»Was war los?« fragte er.

»Die Leute haben was gemerkt«, murmelte seine Schwester.

»Sie sollten lieber durch die Tür des Innenhofs hinausgehen«, sagte der Pater.

»Bleibt sich gleich«, sagte seine Schwester. »Alle stehen am Fenster.«

Die Frau schien bislang nicht begriffen zu haben. Sie suchte durch das Drahtnetz hinauszuspähen. Dann nahm sie der Kleinen den Blumenstrauß ab und ging auf die Tür zu. Die Kleine folgte.

»Warten Sie, bis die Sonne tiefer steht«, sagte der Pater.

»Sie kommen um in der Hitze«, sagte seine Schwester regungslos im Hintergrund des Raumes. »Warten Sie, ich leihe Ihnen einen Sonnenschirm.«

»Danke«, erwiderte die Frau. »Es geht auch so.«

Sie nahm die Kleine an die Hand und betrat die Straße.

Baltazars wundervoller Nachmittag

Der Käfig war fertig. Baltazar hängte ihn aus alter Gewohnheit unter das Regendach, und als er sein Mittagessen beendet hatte, hieß es bereits überall, es sei der schönste Käfig von der Welt. Es kamen so viele Leute, um ihn anzusehen, daß vor dem Haus ein Auflauf entstand und Baltazar ihn abnehmen und seine Tischlerwerkstatt schließen mußte.

»Du mußt dich rasieren«, sagte Ursula, seine Frau. »Du siehst aus wie ein Kapuziner.«

»Es ist ungesund, sich nach dem Mittagessen zu rasieren«, sagte Baltazar.

Er hatte einen zwei Wochen alten Bart, kurzes sprödes und störrisches Haar wie eine Maultiermähne und war anscheinend ein erschrockener Junge. Aber der Anschein trog. Er war im Februar dreißig Jahre alt geworden, lebte seit vier Jahren mit Ursula zusammen, ohne mit ihr verheiratet zu sein und Kinder zu haben, und das Leben hatte ihm genug Anlaß gegeben, auf der Hut, doch keinen, erschrocken zu sein. Er wußte nicht einmal, daß für ein paar Leute sein gerade fertiggestellter Käfig der schönste von der Welt war. Für ihn, der seit seiner Kindheit Käfige machte, war die Arbeit kaum größer gewesen als bei den vorigen Malen.

»Dann ruh dich eine Weile aus«, sagte die Frau. »Mit dem Bart kannst du dich nirgends sehen lassen.«

Während er ausruhte, mußte er mehrmals aus der Hängematte steigen, um den Nachbarn den Käfig zu zeigen. Ursula hatte den Käfig bislang keine Beachtung geschenkt. Sie war verärgert, weil ihr Mann seine Tischlerarbeit vernachlässigt und sich ausschließlich dem Käfig gewidmet hatte, auch hatte er zwei Wochen lang schlecht geschlafen, hatte sich hin und her gewälzt und Unsinn geredet und nie mehr ans Rasieren gedacht. Doch ihr Ärger verflog beim Anblick des fertiggestellten Käfigs. Als Baltazar aus seinem Mittagsschlaf erwachte, hatte sie ihm die Hosen gebügelt und ein Hemd, hatte beides auf einen Stuhl neben der Hängematte gelegt und den Käfig auf den Eßzimmertisch gestellt. Sie betrachtete ihn schweigend.

»Was wirst du für ihn verlangen?« fragte sie.

»Ich weiß nicht«, entgegnete Baltazar. »Ich werde dreißig Pesos fordern, damit ich vielleicht zwanzig kriege.«

»Fordere fünfzig«, sagte Ursula. »Du hast dir in den letzten vierzehn Tagen viele Nächte um die Ohren geschlagen. Außerdem ist er sehr groß. Ich glaube, es ist der größte Käfig, den ich in meinem Leben gesehen habe.«

Baltazar machte sich ans Rasieren.

»Glaubst du, daß sie mir die fünfzig Pesos geben werden?«

»Eine Bagatelle für Don Chepe Montiel, und der Käfig ist es wert«, sagte Ursula. »Du solltest sechzig fordern.«

Das Haus lag in stickigem Halbdunkel. Es war die erste Aprilwoche, und die Hitze schien durch das Grillengezirpe noch unerträglicher. Als er sich angezogen hatte, öffnete Baltazar die Türe zum Innenhof, um frische Luft ins Haus zu lassen; eine Kinderschar drang ins Eßzimmer.

Die Nachricht hatte sich herumgesprochen. Doktor Octavio Giraldo, ein alter Arzt, der seines Lebens froh, aber seines Berufs müde war, dachte an Baltazars Käfig, während er mit seiner gelähmten Frau zu Mittag aß. Auf der Innenterrasse, wo sie an heißen Tagen decken ließen, standen viele Blumentöpfe und zwei Käfige mit Kanarienvögeln. Seine Frau liebte Vögel, und sie liebte sie so sehr, daß sie Katzen haßte, weil diese imstande waren, die Vögel aufzufressen. Doktor Giraldo machte an jenem Nachmittag einen Krankenbesuch, während er an sie dachte, und ging auf dem Rückweg an Baltazars Haus vorbei, um sich den Käfig anzusehen.

Es waren viele Leute im Eßzimmer. Auf dem Tisch zur Schau gestellt, glich die gewaltige Drahtkuppel mit ihren drei inwendigen Stockwerken, Verbindungsgängen und Sonderabteilungen zum Fressen und Schlafen sowie einem mit Hängerecks versehenen Aufenthaltsraum für die Vögel dem Miniaturmodell einer riesenhaften Eisfabrik. Der Arzt musterte den Käfig eingehend, ohne ihn zu berühren, und dachte, er sei weit schöner als der, den er sich für seine Frau erträumt hatte.

»Ein wahres Abenteuer der Phantasie«, sagte er. Er suchte Baltazar in der Gruppe und, seine fürsorglichen Augen auf ihn geheftet, fügte er hinzu: »Sie wären ein glänzender Architekt geworden.«

Baltazar errötete. »Danke«, sagte er.

»Nein, wirklich«, sagte der Arzt. Er war massig auf eine glatte, weiche Art wie eine Frau, die in ihrer Jugend schön gewesen war, und hatte feingliedrige Hände. Seine Stimme glich der eines lateinischsprechenden Priesters. »Man braucht überhaupt keine Vögel hineinzusetzen«, sagte er und ließ den Käfig vor den Augen des Publikums kreisen, als wolle er ihn verkaufen. »Man hängt ihn einfach in die Bäume, und er singt von allein.« Er stellte ihn wieder auf den Tisch, betrachtete ihn einen Augenblick nachdenklich und sagte: »Schön, ich nehme ihn.«

»Er ist verkauft«, sagte Ursula.

»Er gehört dem Sohn von Don Chepe Montiel«, sagte Baltazar. »Er hat ihn extra bestellt.«

»Hat er dir eine Zeichnung gegeben?«

»Nein«, sagte Baltazar. »Er hat nur gesagt, er wolle einen großen Käfig wie diesen da, für ein Pärchen Turpiale.«

Der Doktor blickte den Käfig an.

»Der ist aber nicht für Turpiale geeignet.«

»Natürlich, Doktor«, sagte Baltazar, an den Tisch tretend. Die Kinder umringten ihn. »Die Maße sind genau berechnet«, sagte er und deutete mit dem Zeigefinger auf die verschiedenen Abteilungen. Dann schlug er mit den Handknöcheln auf die Kuppel, und der Käfig hallte von tiefen Akkorden wider.

»Es ist der widerstandsfähigste Draht, den ich auftreiben konnte, jedes Gelenk ist innen und außen gelötet«, sagte er.

»Er taugt sogar für einen Papagei«, warf eines der Kinder ein.

»Stimmt«, sagte Baltazar.

Der Arzt wandte den Kopf.

»Schön, aber eine Zeichnung hat er dir nicht gegeben«, sagte er. »Er hat dir keine genauen Angaben gemacht, hat nur gesagt, daß es ein großer Käfig für Turpiale sein sollte. Oder nicht?«

»Stimmt«, sagte Baltazar.

»Dann hat es nichts zu sagen«, sagte der Arzt. »Ein großer Käfig für Turpiale ist eines, dieser Käfig ist etwas anderes. Kein Mensch kann beweisen, daß man diesen Käfig bei dir bestellt hat.«

»Doch, genau diesen«, sagte Baltazar verwirrt. »Darum habe ich ihn ja gemacht.«

Der Arzt machte eine ungeduldige Handbewegung.

»Du könntest ja einen zweiten machen«, sagte Ursula und blickte ihren Mann an. Dann, zum Arzt gewandt: »Sie haben's doch nicht eilig.«

»Ich habe ihn meiner Frau für heute nachmittag versprochen«, sagte der Arzt.

»Es tut mir sehr leid, Doktor«, sagte Baltazar, »aber man kann nicht etwas verkaufen, was schon verkauft ist.«

Der Arzt zuckte mit den Achseln. Er wischte sich mit einem Taschentuch den Schweiß vom Hals, betrachtete schweigend den Käfig, ohne den Blick von einem bestimmten unbestimmten Punkt zu wenden, wie man einem auslaufenden Schiff nachblickt.

»Was haben sie dir dafür gegeben?«

Baltazar suchte Ursulas Augen, ohne zu antworten.

»Sechzig Pesos«, sagte sie.

Der Arzt blickte noch immer den Käfig an.

»Er ist wunderschön«, seufzte er. »Wunderwunderschön!« Dann bewegte er sich auf die Tür zu, begann sich heftig zu fächeln, lächelnd, und die Erinnerung an das Erlebnis schwand für immer aus seinem Gedächtnis.

»Montiel ist sehr reich«, sagte er.

In Wirklichkeit war José Montiel weniger reich, als er aussah, und doch war er vor nichts zurückgeschreckt, um es zu werden. Wenige Häuserblocks entfernt, in einem mit Gegenständen vollgestopften Haus, in dem nie jemand den Geruch von etwas Unverkäuflichem wahrgenommen hatte, ließ ihn die Nachricht von dem Käfig kalt. Seine von Todesgedanken gequälte Frau verriegelte nach dem Mittagessen Türen und Fenster und lag zwei Stunden im Halbdunkel des Schlafzimmers mit offenen Augen da, während José seinen Mittagsschlaf hielt. So überrumpelte sie vielstimmiger Lärm. Sie öffnete die Wohnzimmertür und sah einen Auflauf vor dem Haus und mitten in dem Auflauf Baltazar mit dem Käfig, im weißen Anzug und frischrasiert, mit jenem Gesichtsausdruck treuherziger Bescheidenheit, mit der die Armen die Häuser der Reichen betreten.

»Wie wunderschön!« rief José Montiels Frau mit strahlendem Gesichtsausdruck und führte Baltazar hinein. »So was habe ich in meinem Leben nicht gesehen«, sagte sie und, ungehalten über die sich in der Tür drängenden Menge, fügte sie hinzu: »Aber bringen Sie ihn doch herein, sonst wird unser Wohnzimmer noch zum Hahnenkampfplatz.«

Baltazar war kein Fremder in José Montiels Haus. Verschiedene Male war er dank seiner Tüchtigkeit und Zuverlässigkeit für kleinere Tischlerarbeiten gerufen worden. Aber wohl war ihm nie bei reichen Leuten. Wenn er an sie dachte, an ihre häßlichen und zänkischen Frauen, an die beängstigenden chirurgischen Eingriffe bei ihnen, befiel ihn stets ein Gefühl des Mitleids. Sobald er ihre Häuser betrat, konnte er sich nur noch schleppend vorwärtsbewegen.

»Ist Pepe da?« fragte er.

Er hatte den Käfig auf den Eßzimmertisch gestellt.

»Er ist in der Schule«, sagte José Montiels Frau. »Aber er muß gleich kommen.« Und fügte hinzu: »Montiel nimmt gerade ein Bad.«

In Wirklichkeit hatte José Montiel keine Zeit zu einem Bad

gehabt. Er rieb sich gerade hastig mit Kampferspiritus ab, um hereinkommen und nachsehen zu können, was los war. Er war ein so vorsichtiger Mann, daß er ohne elektrischen Ventilator schlief, um noch im Schlaf die Geräusche im Haus überwachen zu können.

»Adelaide«, schrie er. »Was ist denn hier los?«

»Komm und sieh dir etwas Wunderschönes an«, schrie seine Frau.

José Montiel, massig und behaart, sein Handtuch um den Hals geschlungen, erschien im Schlafzimmerfenster.

»Was ist das?«

»Der Käfig von Pepe«, sagte Baltazar.

Die Frau blickte ihn verblüfft an.

»Von wem?«

»Von Pepe«, bestätigte Baltazar. Und zu José Montiel gewand: »Pepe hat ihn bei mir bestellt.«

In diesem Augenblick geschah nichts, doch Baltazar kam es so vor, als habe man ihm die Badezimmertür geöffnet. José Montiel trat in Unterhosen aus dem Schlafzimmer.

»Pepe«, schrie er.

»Er ist noch nicht da«, murmelte seine Frau regungslos.

Pepe erschien in der Türfüllung. Er mochte zwölf Jahre alt sein und hatte die gebogenen Wimpern und den stillen Leidenszug seiner Mutter.

»Komm hierher«, sagte José Montiel. »Hast du das hier bestellt?«

Der Junge senkte den Kopf. José Montiel packte ihn an den Haaren und zwang ihn, ihm in die Augen zu sehen.

»Antworte.«

Der Junge biß sich wortlos auf die Lippen.

»Montiel«, flüsterte seine Frau.

José Montiel ließ den Jungen los und wandte sich wieder an Baltazar, mit gallebitterer Miene.

»Tut mir sehr leid, Baltazar«, sagte er. »Aber du hättest mich vorher fragen sollen. Nur du bringst es fertig, mit einem Minderjährigen einen Handel einzugehen.« Während er sprach, gewann sein Gesicht wieder seine Ruhe. Er hob den Käfig auf, ohne ihn anzusehen und gab ihn Baltazar zurück. »Nimm ihn sofort wieder mit und sieh zu, wie du ihn los wirst«, sagte er. »Und um eines bitte ich dich: keine Widerreden.« Er klopfte ihm leicht auf den Rücken und erklärte: »Der Arzt hat mir Ärger verboten.«

Der Junge hatte regungslos dagestanden, ohne mit der Wimper zu zucken, bis Baltazar mit dem Käfig in der Hand ihn verblüfft anblickte. Nun stieß Pepe einen Rachenlaut aus wie Hundeknurren und warf sich schreiend auf den Boden.

José Montiel blickte ihn gleichgültig an, während die Mutter ihn zu beruhigen suchte.

»Heb ihn nicht auf«, sagte José Montiel. »Er soll sich ruhig den Schädel auf dem Boden einschlagen, und dann reibst du ihn mit Salz und Zitrone ein, damit er nach Herzenslust toben kann.«

Der Junge kreischte tränenlos, während seine Mutter ihn an den Handgelenken festhielt.

»Laß ihn los«, beharrte José Montiel.

Baltazar beobachtete den Jungen, wie er den Todeskampf eines tollwütigen Tieres beobachtet hätte. Es war fast vier Uhr. Zu dieser Stunde sang Ursula zu Haus ein uraltes Lied, während sie Zwiebeln in Scheiben schnitt.

»Pepe«, sagte Baltazar.

Er trat auf den Jungen zu, lächelnd, und hielt ihm den Käfig hin. Der Junge sprang mit einem Satz auf die Füße, umarmte den Käfig, der fast so groß war wie er, und starrte Baltazar durch die Drahtmaschen an, ohne zu wissen, was er sagen sollte. Er hatte nicht eine Träne vergossen.

»Baltazar«, sagte Montiel sanft. »Ich habe dir gesagt, du sollst ihn mitnehmen.«

»Gib ihn zurück«, befahl die Mutter dem Jungen.

»Behalte ihn«, sagte Baltazar. Und zu José Montiel gewandt: »Schließlich und endlich habe ich ihn dafür gemacht.«

José Montiel ging ihm bis ins Wohnzimmer nach.

»Sei nicht blöd, Baltazar«, sagte er und vertrat ihm den Weg.

»Nimm deinen Plunder mit nach Haus, und mach nicht noch mehr Dummheiten. Ich denke nicht daran, dir auch nur einen Centavo zu zahlen.«

»Macht nichts«, sagte Baltazar. »Ich habe ihn extra gemacht, um ihn Pepe zu schenken. Ich wollte ohnehin nichts dafür haben.«

Als Baltazar sich durch die Gaffer, die die Tür versperrten, einen Weg bahnte, stand José Montiel mitten im Wohnzimmer und brüllte. Er war aschfahl, und seine Augen waren blutunterlaufen.

»Idiot!« brüllte er. »Fort mit deinem Trödel. Das fehlte mir noch, daß irgendein Hergelaufener meint, er kann in meinem Haus befehlen, Scheiße noch mal!«

Im Billardsalon wurde Baltazar stürmisch begrüßt. Bis zu diesem Augenblick hatte er geglaubt, er habe einen besseren Käfig als die vorigen gemacht, er habe ihn José Montiels Sohn schenken müssen, damit der nicht mehr weint, und daß an all dem nichts Besonderes sei. Nun aber wurde ihm klar, daß die ganze Angelegenheit für viele Leute eine gewisse Bedeutung hatte, und er fühlte sich leicht erregt.

»Sie haben dir also fünfzig Pesos für den Käfig gegeben.«

»Sechzig«, sagte Baltazar.

»Dafür mußt du einen Strich in den Himmel malen«, sagte jemand. »Du bist der einzige, dem es gelungen ist, Don Chepe Montel diesen Haufen Geld abzuknöpfen. Das muß gefeiert werden.«

Sie boten ihm ein Bier an, und Baltazar revanchierte sich mit einer Runde für alle. Da er zum ersten Mal trank, war er bei Einbruch der Nacht vollständig betrunken und sprach von einem fabelhaften Plan von tausend Käfigen zu je sechzig Pesos, dann von einer Million Käfigen, die ihm sechzig Millionen Pesos einbringen würden.

»Man muß vieles machen, um es den reichen Leuten zu verkaufen, bevor sie sterben«, sagte er, vom Saufen blind. »Sie sind alle krank und müssen sterben. Da sie so beschissen krank sind, können sie sich nicht mal mehr ärgern.«

Zwei Stunden lag spielte der Musikautomat ohne Unterbrechung auf Baltazars Rechnung. Alle stießen auf sein Wohl an, auf sein Glück und Vermögen und auf den Tod der reichen Leute, aber zur Abendessenszeit ließen sie ihn allein im Billardsalon zurück.

Ursula hatte bis acht Uhr mit einem Teller Zwiebelfleisch auf ihn gewartet. Jemand hatte ihr gesagt, ihr Mann sei im Billardsalon, verrückt vor Glück, und halte alle Welt mit Bier frei, aber sie glaubte es nicht, weil Baltazar sich nie betrunken hatte. Als sie sich gegen Mitternacht schlafen legte, saß Baltazar in einem hellerleuchteten Salon mit Vierertischen und Stühlen drum herum und einer Tanzfläche im Freien, auf der die Rohrdommeln herumspazierten. Sein Gesicht war mit Schminke bemalt, und da er keinen Schritt mehr gehen konnte, dachte er, er wolle jetzt mit zwei Frauen ins Bett gehen. Er hatte so viel ausgegeben, daß er seine Uhr als Pfand hinterlegen und sich verpflichten mußte, am nächsten Tag zu zahlen. Als er einen Augenblick später auf der Straße alle viere von sich streckte, merkte er, daß man ihm die Schuhe auszog, aber er wollte nicht den glücklichsten Traum seines Lebens aufgeben. Die Frauen, die auf dem Weg zur Fünf-Uhr-Messe an ihm vorbeigingen, wagten nicht ihn anzublicken, weil sie ihn für tot hielten.

Blacamán der Gute, Wunderverkäufer

Vom ersten Sonntag an, als ich ihn gesehen hatte, kam er mir vor wie der Maulesel eines Quacksalbers, mit seinen samtenen goldgesteppten Hosenträgern, seinen edelsteinbunten Ringen an allen Fingern und seinem Schellenzopf, wie er da auf einem Tisch im Hafen von Santa María del Darién stand, zwischen Medizinflaschen und Trostkräutern, die er höchstpersönlich zubereitete und laut schreiend in den Ortschaften des Karibischen Meeres feilbot; nur suchte er zunächst nichts von jenen Indioferkeleien zu verkaufen, sondern bat, man möge ihm eine echte Viper bringen, damit er am eigenen Leib ein Gegengift seiner Erfindung vorführen könne, und zwar das einzig unfehlbare, meine Damen und Herren, gegen Bisse von Schlangen, Taranteln und Tausendfüßlern sowie von jedwedem gifthaltigen Säugetier. Jemand, der stark beeindruckt schien von seiner Entschlossenheit, brachte ihm in einer Flasche, niemand wußte woher, eine der schlimmsten Mapaná-Schlangen, eine von der Sorte, die zunächst einmal den Atem vergiften, und er öffnete die Flasche mit so viel Lust, daß wir alle glaubten, er wollte die Schlange verzehren, doch kaum fühlte sich das Tier frei, als es aus der Flasche sprang und ihm einen Scherenschnitt in den Hals versetzte, daß es ihm den Atem für seine Rednerkunst verschlug und er kaum Zeit fand, das Gegengift zu schlucken, als seine Sonntags-Poliklinik schon im hohen Bogen über die Menschenmenge sauste und er sich mit seinem massigen, zügellosen Körper auf dem Boden wälzte, als sei er von innen hohl, und zugleich lachte er mit all seinen Goldzähnen los. Das Getöse war so ohrenbetäubend, daß ein Panzerkreuzer aus dem Norden, der seit nahezu zwanzig Jahren auf gutnachbarlichem Besuch an der Mole lag,

Quarantäne verhängte, damit das Schlangengift nicht an Bord stieg, und schon kamen die Leute, die den Palmsonntag heiligten, mit ihren geweihten Palmzweigen aus der Messe gerannt, denn niemand wollte die Vorstellung des Vergifteten versäumen, der bereits anschwoll von Todesluft und doppelt so dick war wie vorher, Gallenschaum spie und durch die Poren schnaufte, doch noch immer mit so viel Lebenskraft lachte, daß die Schellen ihm über den ganzen Leib klingelten. Die Schwellung sprengte die Verschnürung seiner Gamaschen und die Nähte seiner Kleider, die Finger wurden durch den Druck der Ringe puttendick, er bekam die Farbe von Hirsch in Beize, und durchs Hinterteil entwichen ihm zärtliche Abschiedsworte, so daß jeder, der schon einen Schlangengebissenen gesehen hatte, wußte, daß er vor dem Sterben faulen und derart zerfallen würde, daß man ihn mit einer Schaufel würde einsammeln müssen, um ihn in einen Sack zu stecken, aber auch dachte, daß er noch in seinem sägemehlartigen Zustand weiterlachen würde. Das Ganze war derart unglaublich, daß die Marineinfanteristen die Schiffsdecks erkletterten, um mit dem Teleobjektiv Buntaufnahmen von ihm zu machen, doch die aus der Messe herbeiströmenden Frauen vereitelten diese Absicht, denn sie bedeckten den Sterbenden mit einem Umhang und breiteten ihre Palmzweige darüber, die einen, weil es ihnen mißfiel, daß die Infanteristen den Leib mit Adventistenapparaten entweihten, andere, weil es sie ängstigte, weiterhin diesen Götzenanbeter anschauen zu müssen, der imstande war, vom Totlachen den Tod zu finden, dritte vielleicht in der Hoffnung, daß sich wenigstens seine Seele entgiftete. Alle Welt hielt ihn denn auch für tot, als er die Zweige mit einem Schwimmstoß beiseite schob, noch halb benommen und ganz verstört von der erlittenen Widrigkeit, doch brachte er ohne jegliche Hilfe den Tisch wieder in Ordnung, krabbelte wie ein Krebs hinauf und schrie von neuem, jenes Gegengift sei schlicht und einfach Gottes Hand in einem Fläschchen, wie wir alle mit unseren leibhaftigen Augen gesehen hätten, obwohl es nur zwei Viertelreale koste, weil er es nicht als

Geschäft erfunden habe, sondern als Wohltat für die Menschheit, doch wer will da eins, meine Damen und Herren, einer nach dem anderen, nur nicht drängeln, es reicht für alle.

Natürlich drängelten sie sich, und sie taten gut daran, denn schließlich reichte es doch nicht für alle. Sogar der Admiral des Panzerkreuzes nahm ein Fläschchen mit, überzeugt, daß es auch gut gegen die vergifteten Bleikugeln der Anarchisten sein würde, und die Matrosen, die sich nicht allein damit zufriedengaben, ihn auf den Tisch geklettert in Bunt aufzunehmen, weil sie ihn tot nicht hatten knipsen können, ließen sich Autogramme von ihm geben, bis der Krampf ihm den Arm verrenkte. Jetzt war es fast Nacht, und nur die Verdutztesten von uns blieben im Hafen zurück, als sein Auge einen suchte, dessen Gesicht dumm genug war, um ihm beim Verwahren der Flaschen zu helfen, und natürlich blieb es an mir haften. Das war wie das Auge des Schicksals, nicht nur des meinen, sondern auch des seinen, doch das ist über ein Jahrhundert her, aber wir beide erinnern uns noch daran, als sei es letzten Sonntag gewesen. Die Sache ist die: als wir seine Zirkusapotheke in jene Truhe mit purpurroten Stricken packten, die eher der Grabstätte eines Gelehrten glich, sah er wohl ein Licht in meinem Innern, das er bislang übersehen hatte, denn er fragte mich hinterhältig, wer bist du, und ich antwortete, ich bin das einzige vater- und mutterlose Waisenkind, dessen Papa noch nicht gestorben ist, und er stieß ein noch dröhnenderes Gelächter aus als während seiner Vergiftung, und dann fragte er mich, was treibst du im Leben, und ich antwortete, ich treibe nicht mehr, als am Leben zu sein, weil alles übrige die Mühe nicht lohnt, und noch immer vor Lachen weinend fragte er, welche Wissenschaft möchtest du am liebsten auf der Welt erlernen, und nun war es das einzige Mal, daß ich wahrhaft ohne Spott antwortete: ich möchte Wahrsager werden, und jetzt lachte er nicht wieder, sondern sagte, als denke er laut, dazu fehle mir wenig, ich besäße nämlich bereits das, was am leichtesten zu erlernen sei, und das sei mein dummes Gesicht. Am selben Abend sprach er mit meinem Vater, und für einen Real und zwei Viertelreale und ein Kartenspiel zum Vorhersagen von Ehebrüchen erhandelte er mich von ihm für immer.

So war Blacamán, der Böse, denn der Gute bin ich. Er war fähig, einen Astronom davon zu überzeugen, daß der Monat Februar nicht mehr sei als eine Herde unsichtbarer Elefanten, doch wenn das Glück ihm den Rücken kehrte, wurde er roh im Herzen. In seinen Ruhmeszeiten war er Einbalsamierer von Vizekönigen gewesen, und es heißt, er habe ihnen ein so hoheitsvolles Gesicht aufgesetzt, daß sie noch viele Jahre besser weiterregierten als zu Lebzeiten und niemand sie zu begraben wagte, solange er ihnen nicht ihr Totenantlitz zurückgegeben hatte, doch dann litt sein Ansehen durch die Erfindung eines unendlichen Schachspiels, das einen Kaplan zum Wahnsinn trieb und zwei berühmte Selbstmorde herbeiführte, und so sank er vom Traumdeuter zum Geburtstagshypnotiseur, vom Backenzahnzieher durch Suggestion zum Jahrmarktskurpfuscher, auf eine Art und Weise, daß zu der Zeit, als wir uns kennenlernten, sogar die Freibeuter ihn scheel anblickten. Nun ging's bergab mit unserem Schacherhandel, und das Leben war ein ewiger Kummer, wenn wir die Stuhlzäpfchen zu verkaufen suchten, die die Schmuggelhändler durchsichtig machten, die Geheimtropfen, die die getauften Ehefrauen ihren holländischen Ehemännern in die Suppe taten, um ihnen Gottesfurcht einzuflößen, und alles, was Sie sonst aus freiem Willen kaufen möchten, meine Damen und Herren, denn das ist kein Befehl, sondern ein Rat, und schließlich und endlich ist auch das Glück keine Verpflichtung. Im übrigen: mochten wir uns auch noch so sehr über seine Einfälle totlachen, wahr ist, daß sie uns mit knapper Not zum Essen reichten, und seine letzte Hoffnung fußte auf meiner Berufung zum Wahrsager. So sperrte er mich in die Begräbnistruhe, als Japaner verkleidet und mit Schiffsketten gefesselt, damit ich soviel wie möglich wahrsagte, während er seine Grammatik wälzte, auf der Suche nach der besten Manier, die Welt von meiner neuen Wissenschaft zu überzeugen, und hier, meine Damen und Herren, sehen Sie dieses Geschöpf, geblendet von Hesekiels Glühwürmchen, und Sie, der Sie noch immer mit Ihrem ungläubigen Gesicht dastehen, wollen wir mal sehen, ob Sie den Mut aufbringen, ihn zu fragen, wann Sie sterben werden, aber ich brachte es nicht mal fertig, das Datum, das wir schrieben, wahrzusagen, daher setzte er mich als Wahrsager ab, weil nämlich das Einschläfernde der Verdauung dir die Drüse der Vorahnung verdreht, und nachdem er mir mit dem Prügel einen über den Schädel gezogen hatte, um sein Glück wiederherzustellen, beschloß er mich zu meinem Vater zurückzubringen, damit der ihm seinen Zaster wiedergäbe. Übrigens entdeckte er zu jener Zeit eine praktische Verwertungsweise für die Elektrizität des Leidens und machte sich daran, eine Nähmaschine herzustellen, die durch Schröpfköpfe mit dem schmerzenden Körperteil zu verbinden war. Da ich die ganze Nacht hindurch über die Prügel klagte, die er mir gegeben hatte, um sein Unglück zu bannen, mußte er mich zwangsläufig als Erprober seiner Erfindung behalten, und so verzögerte sich unsere Rückkehr, und seine gute Laune stellte sich wieder ein, bis die Maschine so brav arbeitete, daß sie nicht nur besser nähte als eine Novizin, sondern überdies Vögel stickte und Sternbilder, je nach Lage und Stärke des Schmerzes. Und so waren wir überzeugt, wieder einmal jede Widrigkeit überlistet zu haben, als die Nachricht eintraf, der Kommandant des Panzerkreuzes sei auf die Idee gekommen, die Probe des Gegengiftes in Philadelphia zu wiederholen, wobei er sich vor seinem Generalstab in Admirals-Mus verwandelt habe.

Lange Zeit lachte er nicht wieder. Wir entwischten auf Indiopfaden, und je tiefer wir uns verirrten, desto deutlicher drangen Stimmen zu uns, die sagten, die Marineinfanteristen hätten die Nation überfallen unter dem Vorwand, das Gelbfieber auszurotten, und seien dabei, jeden altgedienten oder mutmaßlichen Säufer, auf den sie unterwegs stießen, zu köpfen, und zwar nicht nur die Eingeborenen aus Vorsicht, sondern auch die Mischlinge aus Versehen, die Neger aus Gewohnheit und die Hindus als Schlangenbeschwörer, und dann räumten sie mit der Fauna auf und der Flora und soweit wie möglich mit dem mineralischen Reich, denn ihre Fachleute für unsere Gegend hatten ihnen beigebracht, die Bewohner des Karibischen Meers besäßen die Fähigkeit, ihre Natur zu ändern, um die Gringos zu verwirren. Ich begriff nicht, woher ihre Wut kam und weshalb wir solche Angst hatten, ehe wir uns in den ewigen Winden des Guajira sicher fühlten und er erst dort den Mut fand zu bekennen, sein Gegengift sei nichts als Rhabarber mit Terpentin; er habe jedoch einem Schwachkopf zwei Viertelreale gezahlt, damit er ihm jene Schlange ohne Gift brachte. Wir blieben in den Ruinen einer Kolonialmission, der irrigen Hoffnung hingegeben, daß Schmuggler vorbeikämen, die vertrauenswürdige Männer und als einzige fähig wären, sich in die Quecksilbersonne jener Salpeterwüsten zu wagen. Anfangs aßen wir über Ruinenblumen geräucherte Salamander, und es blieb uns sogar noch die Lust zum Lachen, als wir uns anschickten, seine gekochten Gamaschen zu verspeisen, doch schließlich verzehrten wir sogar die wäßrigen Spinnweben aus den Zisternen, und erst jetzt merkten wir, wie sehr uns die Welt fehlte. Da ich zu jener Zeit kein Heilmittel gegen den Tod kannte, legte ich mich, um ihn zu erwarten, einfach dort nieder, wo er mir am wenigsten wehtun würde, während er in der Erinnerung von einer Frau schwärmte, die so sanft war, daß sie mit einem Seufzer durch die Wände drang, doch auch diese erfundene Erinnerung war nur ein Kunstgriff seiner Findigkeit, um den Tod mit Liebeskummer zu überlisten.

Jedenfalls: in der Stunde, in der wir hätten sterben sollen, trat er lebendiger denn je auf mich zu, beobachtete die ganze Nacht meine Todesqual und dachte so scharf nach, daß ich bis heute nicht weiß, ob das, was zwischen den Ruinen pfiff, der Wind war oder seine Gedanken, und noch vor dem Morgengrauen sagte er mir mit der Stimme und der Entschlußkraft von einst, jetzt kenne er die Wahrheit, und die lautete, ich hätte ihm wiederum das Glück verbogen, drum bind dir die

Hosen fest, denn was du mir verbogen hast, wirst du mir jetzt zurechtbiegen.

Nun schwand der Rest Zuneigung, den ich für ihn empfand. Er riß mir die letzten Fetzen vom Leib, wickelte mich in Stacheldraht, rieb mit Salpetersteinen über meine Wunden, legte mich in die Lauge meines eigenen Wassers, hängte mich an den Fußknöcheln auf, um mich in der Sonne zu beizen, und schrie dabei, die Züchtigung sei noch nicht schwer genug, um seine Verfolger zu beschwichtigen. Endlich ließ er mich in meinem eigenen Elend verfaulen, und zwar in dem Bußkerker, in dem die Kolonialmissionare die Ketzer wieder zum Glauben erweckt hatten, und mit der ihm verbliebenen Hinterhältigkeit des Bauchredners ahmte er die Stimmen der Haustiere nach, das Geraun der Rüben im Oktober und das Gemurmel der Quellen, um mich mit der Täuschung zu quälen, ich stürbe vor lauter Not im Paradies. Als ihn dann endlich die Schmuggler versorgten, stieg er in den Kerker hinab und gab mir etwas zu essen, um mich nicht sterben zu lassen, doch gleich darauf ließ er mich die empfangene Mildtätigkeit bezahlen, indem er mir die Fingernägel mit Zangen ausriß und mir die Zähne mit Mahlsteinen stutzte, und mein einziger Trost war mein Wunsch, das Leben möge mir die Zeit und das Glück schenken, mich für so viel Niedertracht durch andere, schlimmere Martern schadlos zu halten. Ich selbst staunte, daß ich fähig war, den Pesthauch meiner eigenen Fäulnis auszuhalten, und trotzdem schüttelte er die Reste seiner Mittagessen über mich aus, erschlug Wüstentiere und verteilte sie in den Ecken, damit die Kerkerluft sich vollends vergiftete. Ich weiß nicht, wieviel Zeit vergangen war, als er mir eine Kaninchenleiche brachte, um mir zu beweisen, daß er es vorzog, sie verfaulen zu lassen, statt sie mir zu essen zu geben, aber meine Geduld war am Ende, und mir blieb nur die Wut, so daß ich das Kaninchen an den Ohren packte und gegen die Wand schleuderte, während ich mir einbildete, ihn zu zerschellen und nicht das Tier, und nun geschah es wie im Traum: das Kaninchen erstand nicht nur mit Schreckensgeschrei zu neuem Leben, sondern kehrte auch durch die Luft laufend in meine Hände zurück.

So begann mein großes Leben. Seitdem ziehe ich durch die Welt und befreie die Sumpffieberkranken für zwei Pesos von ihrem Fieber, mache die Blinden für vierfünfzig sehend, entwässere die Wassersüchtigen für achtzehn, biege die Krüppel für zwanzig Pesos gerade, falls sie es von Geburt an sind, für zweiundzwanzig, falls sie es durch Unfall oder Schlägereien sind, für fünfundzwanzig, falls sie es durch Krieg, Erdbeben, Landung der Infanterie oder andere öffentliche Verhängnisse geworden sind, ich behandle die gewöhnlichen Kranken en gros durch Sondervereinbarung, die Verrückten je nach ihrem Thema, die Kinder zum halben Preis und die Dummköpfe aus Dankbarkeit, und da soll sich einer unterstehen zu behaupten, ich sei kein Menschenfreund, meine Madamen und Kavaliere, und nun, Herr Kommandant der Zwanzigsten Flotte, befehlen Sie Ihren Jungens, daß sie die Barrikaden forträumen, damit die kranke Menschheit aufmarschieren kan, die Schwärenbedeckten linkerhand, die Fallsüchtigen rechterhand, die Gichtbrüchigen, wo sie nicht stören, und dort hinten die weniger eiligen Fälle, doch bitte drängeln Sie nicht, denn ich kann hinterher keine Verantwortung übernehmen, wenn sich Ihre Krankheiten vermischen und Sie von etwas geheilt werden, das Sie gar nicht haben, und die Musik soll weiterspielen, bis der Kupfer kocht, und die Raketen sollen steigen, bis die Engel verbrennen, und der Weinbrand soll einheizen, bis er das Denken tötet, und die Küchendragoner sollen kommen und die Seiltänzer und die Schlächter und die Fotografen, und all das auf meine Rechnung, meine Madamen und Kavaliere, denn hier hat der schlechte Ruf der Blacamánes ein Ende, und nun beginnt das weltweite Durcheinander. So werde ich euch denn einschläfern mit Abgeordnetentechnik, falls mir der Verstand ausgeht und mir einige kränker werden, als sie es vorher waren. Das einzige, was ich nicht mehr mache, ist Tote erwekken, denn sobald sie die Augen aufmachen, schlagen sie aus Wut und Rache den tot, der ihre Ruhe stört, und so sterben am

Ende wiederum aus Enttäuschung die, die sich nicht selbst umbringen. Anfangs verfolgte mich ein Schwarm von Gelehrten, um die Legalität meiner Unternehmung zu untersuchen, und als sie sich davon überzeugt hatten, bedrohten sie mich mit der Hölle Simons des Zauberers und empfahlen mir ein bußfertiges Leben, damit ich den Stand des Heiligen erreichte; doch ohne ihre Autorität gering zu achten, erwiderte ich ihnen, daß ich gerade damit begonnen hätte. Wahr ist, daß ich, seitdem ich tot bin, von dem Stand des Heiligen nichts gewinne, denn ich bin ja Künstler, und das einzige, was ich will, ist am Leben zu sein, um völlig nutz- und sinnlos mit dieser Sechszylinder-Kabriolimousine, die ich dem Konsul der Infanteristen abgekauft habe, herumzukutschieren, mit diesem Trinidarier-Chauffeur, der einst Bariton der Piratenoper von New Orleans war, mit meinen schicken Reaktionärshemden, meinen fernöstlichen Duftwässern, meinen Topaszähnen, meinem Tatarenhut und meinen zweifarbigen Halbstiefeln, und ich schlafe ohne Wecker und tanze mit den Schönheitsköniginnen, die hinterher ganz betört sind von meiner Wörterbuchrhetorik, und ohne daß mir die Milz zittert, wenn mir eines Aschermittwochs die Geistesgaben schwinden, denn um dieses Geistlichenleben weiterzuführen, habe ich genug mit meinem Dummkopfgesicht und übergenug mit meiner Ladenkette von hier bis über die Abenddämmerung hinaus, wo dieselben Touristen, die uns für den Admiral hatten blechen lassen, jetzt alles auf den Kopf stellen, um Bilder mit meiner Unterschrift zu kaufen, Almanache mit meinen Liebesgedichten, Medaillons mit meinem Profil, Fetzen meiner Kleider, und all das ohne den gloriosen Alptraum, Tag und Nacht in Reitermarmor gehauen zu sein und von Schwalben bekackt wie die Väter des Vaterlandes.

Schade, daß Blacamán der Böse diese Geschichte nicht wiederholen kann, damit Sie sehen, daß nichts daran erfunden ist. Das letzte Mal, als jemand ihn sah in dieser Welt, hatte er sogar den letzten Rest seines alten Glanzes verloren, seine Seele war abgetakelt, und seine Knochen waren aus den Fugen durch die

Härte der Wüste, doch waren ihm gleichwohl ein paar Schellen übriggeblieben, um an jenem Sonntag wieder im Hafen von Santa María del Darién mit der ewigen Begräbnistruhe zu erscheinen, nur daß er nun kein Gegengift zu verkaufen suchte, sondern mit einer vor Aufregung schartigen Stimme bat, die Marineinfanteristen möchten ihn in öffentlichem Schauspiel erschießen, damit er am eigenen Fleisch die Auferstehungsmöglichkeiten dieses übernatürlichen Geschöpfs beweisen könne, meine Damen und Herren, und wenn Sie auch mehr als recht haben, mir nicht zu glauben, nachdem Sie so lange Zeit meine schlimmen Flunkerer- und Fälscherschliche über sich ergehen lassen mußten, so schwöre ich Ihnen bei den Knochen meiner Mutter, daß diese Probe heute nichts Übernatürliches hat, sondern die schlichte Wahrheit ist, sollten Sie aber dennoch Zweifel hegen, so beachten Sie bitte, daß ich jetzt nicht mehr lache wie einst, sondern kaum die Lust zum Weinen zurückhalten kann. Wie überzeugend war er doch, als er sich mit tränentriefenden Augen das Hemd aufknöpfte und sich Mauleselklapse auf Herz verpaßte, um die beste Todesstelle anzuzeigen, und doch wagten die Marineinfanteristen nicht zu schießen, aus Angst, die Sonntagsmenschenmenge könne Zeuge ihrer Entwürdigung werden. Jemand, der vielleicht nicht die Blacamánmanipulationen einer vergangenen Zeit vergessen hatte, brachte ihm, niemand wußte woher, in einer Blechbüchse ein paar giftige Kolbenschilfwurzeln, die gereicht hätten, um alle Rabenfische aus dem Karibischen Meer heraufzuholen, und er öffnete die Büchse mit so viel Lust, als wolle er sie allen Ernstes essen, und tatsächlich aß er sie, meine Damen und Herren, nur, bekommen Sie mir bitte kein Mitleid und beten Sie nicht für meine ewige Ruhe, denn dieser Tod ist nichts als ein Besuch. Damals wurde er so geehrt, weil er nicht etwa opernhaftem Todesgeröchel verfiel, sondern nur wie ein Krebs vom Tisch krabbelte, auf dem Boden durch die ersten Zweifel hindurch den würdigsten Ort zum Hinlegen suchte, und von dort aus blickte er mich an wie eine Mutter und hauchte den letzten Stoßseufzer in seinen eigenen Armen aus, noch immer seine Mannesträ-nen verhaltend und vom Wundstarrkrampf der Ewigkeit vorwärts und rückwärts verkrümmt. Das war freilich das einzige Mal, daß meine Wissenschaft versagte. Ich steckte ihn in jene Truhe von warnendem Ausmaß, worein er mit seinem ganzen Körper paßte, ich hieß ihn eine Rumpelmette singen, die micht viermal fünfzig Dublonen kostete, weil der Offiziant in Gold gekleidet war und im übrigen drei Bischöfe dabeisaßen, ich ließ ihm ein Kaisermausoleum auf einem den günstigsten Meerwettern ausgesetzten Hügel errichten mit einer Kapelle für ihn ganz allein und einem eisernen Grabstein, auf dem in großen gotischen Buchstaben geschrieben stand: Hier ruht Blacamán der Tote, böse genannt der Böse, Verspotter der Infanteristen und Opfer der Wissenschaft – und da mir diese Ehren ausreichten, um seinen Tugenden Gerechtigkeit widerfahren zu lassen, begann ich mich für seine Niederträchtigkeiten zu entschädigen, und nun erweckte ich ihn in seinem Panzergrab wieder zum Leben und ließ ihn sich dort herumwälzen in Schrecken. Das war lange bevor die Heuschreckenplage Santa María del Darién verschluckte, das Mausoleum aber steht unversehrt auf dem Hügel, im Schatten der Drachen, die ihn erklimmen, um dort in den atlantischen Winden zu schlafen, und jedesmal, wenn ich in die Gegend komme, bringe ich ihm ein Auto voll Rosen mit, und das Herz tut mir weh vor Erbarmen mit seinen Tugenden, doch dann lege ich das Ohr an den Grabstein, um ihn zwischen den Ruinen der zerstörten Truhe weinen zu hören, und falls er wieder gestorben ist, erwecke ich ihn wieder, denn die Gnade der Züchtigung soll in der Grabstätte weiterleben, solange ich am Leben bin, und das heißt, für immer.

Ein sehr alter Herr mit riesengroßen Flügeln

Am dritten Regentag hatten sie im Innern des Hauses so viele Krebse getötet, daß Pelayo durch seinen überschwemmten Hinterhof waten mußte, um sie ins Meer zu werfen, denn das Neugeborene hatte die ganze Nacht gefiebert, und man glaubte, der Pestgestank sei daran schuld. Die Welt war trostlos seit Dienstag. Der Himmel und das Meer waren ein einziges Aschgrau, und der Sand des Strandes, der im März funkelte wie Glutstaub, hatte sich in einen Brei aus Schlamm und verfaulten Seemuscheln verwandelt. Das Licht war so fahl am Mittag, daß Pelayo, nachdem er die Krebse fortgeworfen hatte, beim Heimkehren nur mit Mühe wahrnahm, was sich da hinten im Hof bewegte und jammerte. Er mußte ganz nahe herantreten, um zu entdecken, daß es ein alter Mann war, der mit dem Gesicht im Schlamm lag und sich trotz großer Anstrengungen nicht aufrichten konnte, weil ihn seine riesengroßen Flügel daran hinderten.

Erschreckt von diesem Alptraum, lief Pelayo zu Elisenda, seiner Frau, die gerade dem kranken Kind Umschläge machte, und führte sie in die Tiefe des Hofs. Beide beobachteten den gefallenen Körper mit stummer Bestürzung. Er war gekleidet wie ein Lumpensammler. Auf dem Kahlkopf waren ihm nur ein paar verblichene Strähnen, im Mund nur wenige Zähne erhalten geblieben, und sein beklagenswerter Zustand eines durchnäßten Urgroßvaters hatte ihn aller Größe beraubt. Seine großen Aasgeierflügel, schmutzig und zerrupft, lagen für immer gestrandet im Schlamm, Pelayo und Elisenda betrachteten ihn so lange und so aufmerksam, daß sie sich sehr rasch von ihrer Verblüffung erholten und er ihnen schließlich ganz vertraut vorkam. Sie wagten ihn anzusprechen, und er antwortete in unverständlicher Mundart, aber mit kräftiger Seemannsstimme. So kam es, daß sie das Unschickliche der Flügel übersahen und vernünftig folgerten, er sei ein einsamer Schiffbrüchiger irgendeines im Sturm verschollenen ausländischen Schiffes. Trotzdem riefen sie eine Nachbarin, die alle Dinge des Lebens und des Todes kannte, damit diese ihn sich ansah, und ihr genügte ein Blick, um die beiden über ihren Irrtum aufzuklären.

»Es ist ein Engel«, sagte sie. »Er ist sicherlich wegen des Kindes gekommen, aber der Ärmste ist so alt, daß der Regen ihn zu Fall gebracht hat.«

Am nächsten Tag wußte alle Welt, daß in Pelayos Haus ein Engel aus Fleisch und Blut gefangen lag. In Anbetracht des Urteilsspruchs der weisen Nachbarin, für die die Engel dieser Zeiten flüchtige Überlebende einer himmlischen Verschwörung waren, hatten sie nicht das Herz gehabt, ihn mit Stockschlägen zu töten. Pelayo, bewaffnet mit seinem Polizeidienerknüppel, überwachte ihn den ganzen Nachmittag von der Küche aus, und bevor er zu Bett ging, zerrte er ihn aus dem Schlamm und sperrte ihn zu den Hühnern in das drahtvergitterte Hühnergatter. Um Mitternacht, als der Regen aufhörte, töteten Pelayo und Elisenda noch immer Krebse. Kurz darauf erwachte das Kind, fieberfrei und eßlustig. Nun fühlten sie sich großmütig und beschlossen, den Engel auf ein Floß zu setzen, mit Trinkwasser und Proviant für drei Tage, um ihn auf hoher See seinem Los zu überlassen. Doch als sie beim ersten Frühlicht in den Hinterhof hinaustraten, fanden sie die gesamte Nachbarschaft vor dem Hühnergatter versammelt, wo diese ohne die geringste Ehrerbietung mit dem Engel Schabernack trieb und ihm Eßbares durch die Löcher des Drahtgeflechts zuwarf, als sei er kein übernatürliches Geschöpf, sondern ein Zirkustier.

Pater Gonzaga, erschrocken über die außergewöhnliche Nachricht, traf bereits vor sieben ein. Zu dieser Stunde kamen weniger leichtfertige Neugierige als die im Morgengrauen erschienenen und stellten allerhand Mutmaßungen über die

Zukunft des Gefangenen an. Die Einfältigsten dachten, er würde zum Weltbürgermeister ernannt. Andere, die rauher veranlagt waren, vermuteten, er würde zum Fünf-Sterne-General befördert werden, um alle Kriege zu gewinnen. Einige Seher hofften, er würde als Zuchttier aufbewahrt, damit auf der Erde eine Gattung geflügelter weiser Männer die Führung des Weltalls übernahm. Doch bevor Pater Gonzaga Pfarrer wurde, war er ein handfester Holzfäller gewesen. Am Drahtzaun stehend, befragte er einen Augenblick lang sein Brevier und bat noch, man möge ihm die Tür öffnen, damit er aus der Nähe das jämmerliche Mannsbild prüfen könne, das zwischen all den verstörten Hühnern wie ein riesiges altersschwaches Huhn aussah. Er lag in einem Winkel und trocknete die ausgebreiteten Flügel an der Sonne zwischen Obstschalen und den Resten des Frühstücks, das die Frühaufsteher ihm zugeworfen hatten. Gegen weltliche Unverschämtheiten gefeit, hob er kaum seine Antiquarsaugen und murmelte etwas in seiner Mundart, als Pater Gonzaga den Hühnerstall betrat und ihm auf lateinisch einen guten Morgen wünschte. Der Gemeindepfarrer argwöhnte zum erstenmal Betrug, als er feststellte, daß jener weder die Sprache Gottes verstand noch wußte, wie man Seine Diener begrüßt. Dann bemerkte er, daß der Fremde aus der Nähe nur zu menschlich war: Er roch unerträglich nach Wind und Wetter, die Unterseite seiner Flügel war besät mit Schmarotzeralgen, und die Hauptfedern waren von irdischen Winden mißhandelt, nichts von seiner elenden Natur stand im Einklang mit der erhabenen Würde der Engel. Pater Gonzaga verließ den Hühnerstall und warnte die Gaffer in einer kurzen Predigt vor den Gefahren der Einfalt. Er erinnerte sie daran, daß der Teufel die schlechte Angewohnheit hat, mit Karnevalskunst die Arglosen zu verwirren. Er wies nach, daß Flügel nicht den wesentlichen Unterschied zwischen einem Falken und einem Flugzeug ausmachen, und dennoch zu erkennen ist, daß es keine Engel sind. Übrigens versprach er einen Brief an seinen Bischof zu schreiben, damit dieser einen an seinen Vorgesetzten und dieser seinerseits an den Papst schreiben könne, damit der endgültige Schiedsspruch von der allerhöchsten Instanz käme.

Seine Ermahnung fiel nicht in fruchtbare Herzen. Die Nachricht vom gefangenen Engel verbreitete sich mit solcher Schnelligkeit, daß nach wenigen Stunden Marktgeschrei den Hinterhof füllte, so daß ein Trupp mit aufgepflanzten Bajonetten gerufen werden mußte, um den Menschenauflauf auseinanderzuscheuchen, der nahe daran war, das Haus einzureißen. Elisenda, die vom unablässigen Fortfegen der Marktabfälle einen krummen Rücken bekommen hatte, kam auf die gute Idee, den Hinterhof abzusperren und für die Besichtigung des Engels fünf Centavos Eintritt zu verlangen.

Es kamen Neugierige bis aus Martinique. Es kam ein fahrender Jahrmarkt mit einem fliegenden Akrobaten, der mehrmals über die Menge hinsummte, doch niemand achtete auf ihn, denn seine Flügel waren nicht die eines Engels, sondern die einer siderischen Fledermaus. Es kamen auf der Suche nach Heilung die unglücklichsten Kranken der Karibik: eine arme Frau, die seit ihrer Kindheit die Schläge ihres Herzens zählte und der die Zahlen ausgegangen waren, ein Jamaikaner, der nicht schlafen konnte, weil ihn der Lärm der Sterne quälte, ein Schlafwandler, der nachts aufstand und die Dinge zunichte machte, die er im wachen Zustand hergestellt hatte, und viele andere weniger schwere Fälle. Inmitten dieses schiffbruchartigen Aufruhrs, der die Erde erbeben ließ, waren Pelayo und Elisenda glücklich vor Erschöpfung, denn in weniger als einer Woche stopften sie die Schlafzimmer mit Geld voll, und noch immer reichte die Schlange der Pilger, die auf Eintritt harrten, bis zur anderen Seite des Horizonts. Der Engel war der einzige, der an seinem eigenen Ereignis nicht teilnahm. Die Zeit verging ihm, während er, benommen von der Höllenhitze der Öllampen und Opferkerzen, die sie längs des Drahtgitters für ihn aufstellten, in seinem geliehenen Nest Bequemlichkeit suchte. Anfangs versuchten sie ihn zum Essen von Mottenkugeln zu bewegen, die der Weisheit der weisen Nachbarin zufolge die besondere Nahrung der Engel waren. Er jedoch verschmähte sie, wie er, ohne sie zu kosten, auch die päpstlichen Mittagessen verschmähte, die die Bußfertigen ihm brachten, und man erfuhr nie, ob er, weil Engel oder weil Greis, nichts anderes aß als Auberginenbrei. Seine einzige übernatürliche Tugend schien die Geduld zu sein. Vor allem in der ersten Zeit, als die Hühner nach ihm pickten auf der Suche nach Sternschmarotzern, die in seinen Flügeln wimmelten, und die Krüppel ihm Federn ausrissen, um ihre Gebresten damit zu bestreichen, und sogar die Barmherzigsten Steine nach ihm warfen, um ihn zum Aufstehen zu bewegen, damit sie seinen ganzen Körper sehen konnten. Ein einziges Mal brachten sie ihn aus der Ruhe, als sie seinen Rücken mit einem Brenneisen für Jungstiere sengten, weil er so viele Stunden reglos dagelegen hatte, daß sie ihn schon tot glaubten. Erschreckt fuhr er auf und belferte in seiner unverständlichen Sprache mit tränenblinden Augen und schlug ein paar Mal mit den Flügeln, wirbelte dabei Hühnermist und Mondstaub auf und verursachte ein panisches Gestürm, das nicht von dieser Welt war. Wenngleich viele glaubten, seine Reaktion sei nicht Zorn, sondern Schmerz gewesen, so hüteten sie sich fortan, ihn zu belästigen, weil die Mehrheit begriffen hatte, daß seine Teilnahmslosigkeit nicht die eines Helden im Genuß schöner Muße war, sondern die einer zur Ruhe gegangenen Sintflut.

Pater Gonzaga bot der leichtfertigen Menge mit Formeln häuslicher Erleuchtung die Stirn, solange ein abschließendes Urteil über die Natur des Gefangenen ausstand. Denn die Post aus Rom hatte die Dringlichkeit der Angelegenheit vergessen. So vertrieben sie sich die Zeit damit zu prüfen, ob der Gefangene einen Nabel besaß, ob seine Mundart etwas mit dem Aramäischen zu tun hatte, wie viele Male er auf eine Nadelspitze paßte oder ob er nicht schlichtweg ein Norweger mit Flügeln sei. Jene seltenen Briefe wären wohl bis ans Ende der Jahrhunderte hin und her gegangen, hätte nicht ein Ereignis der Vorsehung den Anfechtungen des Gemeindepfarrers ein Ende gesetzt.

In jenen Tagen geschah es nämlich, daß unter vielen anderen Attraktionen der karibischen Wanderjahrmärkte im Dorf ein Monstrum von Frau zu sehen war, die wegen Ungehorsams ihren Eltern gegenüber in eine Spinne verwandelt worden war. Der Eintrittspreis für ihre Besichtigung war nicht nur geringer als der für den Engel, es war auch erlaubt, ihr jede Art von Fragen über ihre absonderliche Beschaffenheit zu stellen und sie von vorne und hinten zu untersuchen, so daß niemand die Wahrheit des Entsetzlichen bezweifeln konnte. Es war eine ungeheure Tarantel von der Größe eines Hammels und mit einem Kopf einer traurigen Jungfer. Aber nicht ihr aberwitziges Aussehen war das Herzzerreißendste, sondern die ernste Kümmernis, mit der sie die Einzelheiten ihres Mißgeschicks erzählte. Fast noch ein Kind, hatte sie sich aus ihrem Elternhaus auf einen Ball gestohlen, und als sie durch den Wald heimkehrte, nachdem sie die ganze Nacht ohne Erlaubnis getanzt hatte, riß ein fürchterlicher Donnerschlag den Himmel in zwei Hälften, und durch diese Spalte stieß der Schwefelblitz herab, der sie in eine Spinne verwandelte. Ihre einzige Nahrung waren Fleischbällchen, die mildtätige Seelen ihr in den Mund stopften. Eine solche Erscheinung, beladen mit so viel menschlicher Wahrheit und derart abschreckender Beispielhaftigkeit, mußte ungewollt die eines hochmütigen Engels übertrumpfen, der sich kaum dazu herabließ, die Sterblichen anzublicken. Überdies offenbarten die dem Engel zugeschriebenen kümmerlichen Wunder eine gewisse geistige Verwirrung, wie Wunder an dem Blinden, der zwar nicht sein Augenlicht wiedergewann, dem aber drei neue Zähne wuchsen, oder das an dem Lahmen, der zwar nicht wieder gehen konnte, aber drauf und dran war, in der Lotterie zu gewinnen, und das am Aussätzigen, in dessen Schwären Sonnenblumen sprossen.

Diese Trostwunder, die eher wie spöttische Kurzweil wirkten, hatten dem Leumund des Engels bereits geschadet, als die in eine Spinne verwandelte Frau ihn gänzlich vernichtete. So wurde Pater Gonzaga auf immer von der Schlaflosigkeit geheilt, und Pelayos Hinterhof wurde wieder so einsam wie zu der Zeit, als es drei Tage lang geregnet hatte und die Krebse durch die Schlafzimmer liefen.

Die Hausbesitzer hatten keinen Grund zur Klage. Mit dem eingenommenen Geld bauten sie ein zweistöckiges Herrenhaus mit Balkonen und Gärten und sehr hohen Netzen gegen die Krebse im Winter und mit Eisengittern vor den Fenstern, damit keine Engel eindringen konnten. Pelayo eröffnete in nächster Nähe des Dorfs eine Kaninchenzucht und verzichtete für immer auf seine armselige Stellung als Polizeidiener, und Elisenda kaufte sich hochhackige Satinschuhe und viele Kleider aus schillernder Seide, wie sie die begehrtesten Damen in jenen Zeiten an Sonntagen trugen. Nur der Hühnerstall bekam keine Aufmerksamkeit geschenkt. Wenn sie ihn gelegentlich mit Kreolin auswuschen und in seinem Innern Myrrhenharztränen verbrannten, so nicht zu Ehren des Engels, sondern um den Pestgestank des Misthaufens zu vertreiben, der schon wie ein Gespenst auswucherte und das neue Haus in ein altes verwandelte. Anfangs, als das Kind gehen lernte, taten sie alles, damit es nicht in die Nähe des Hühnergatters geriet. Doch bald vergaßen sie ihre Befürchtungen und gewöhnten sich an den Pesthauch, und bevor das Kind die zweiten Zähne bekam, war es bereits zum Spielen in den Hühnerstall gekrochen, dessen vermodertes Drahtgeflecht zerfiel. Der Engel verhielt sich dem Kleinen gegenüber nicht weniger ablehnend als dem Rest der Sterblichen gegenüber, ertrug jedoch die erfinderischsten Niederträchtigkeiten mit der Langmut eines illusionslosen Hundes. Beide bekamen gleichzeitig Windpocken. Der Arzt, der den Kleinen behandelte, widerstand nicht der Versuchung, den Engel zu auskultieren und fand soviel Gepfeife im Herzen und so viele Geräusche in den Nieren, daß dieser seiner Meinung nach unmöglich noch am Leben sein konnte. Was ihn überdies verblüffte, war die Logik der Flügel. Sie erwiesen sich in diesem völlig menschlichen Organismus als so natürlich, daß man nicht begreifen konnte, warum andere Menschen nicht auch welche besaßen.

Als der Knabe zur Schule ging, hatten Sonne und Regen den Hühnerstall längst vernichtet. Der Engel schleppte sich wie ein herrenloser Sterbender hierhin und dorthin. Fegten sie ihn aus dem Schlafzimmer heraus, fanden sie ihn einen Augenblick später in der Küche wieder. Er schien an so vielen Orten gleichzeitig zu sein, daß sie auf den Gedanken kamen, er habe sich vervielfältigt, er wiederhole sich selbst über das ganze Haus hin, und die verbitterte Elisenda schrie außer sich, es sei ein Verhängnis, in dieser von Engeln gefüllten Hölle zu leben. Er konnte kaum mehr essen, seine Antiquarsaugen waren so trüb geworden, daß er gegen die Balken stieß, und nur die kahlen Schäfte seiner letzten Federn waren ihm geblieben. Pelayo warf ihm eine Decke über und ließ ihn mildtätig im Schuppen schlafen, und da merkten sie erst, daß er nachts fieberte und in zungenbrecherischem Altnorwegisch delirierte. Das war eines der seltenen Male, daß sie sich beunruhigten, weil sie dachten, er würde sterben, und nicht einmal die weise Nachbarin hatte ihnen sagen können, was man mit toten Engeln machte.

Er jedoch überlebte nicht nur seinen schlimmsten Winter, sondern wirkte bei den ersten Sonnenstrahlen auch viel munterer. Reglos verharrte er viele Tage im entlegensten Winkel des Hinterhofs, wo niemand ihn sah, und Anfang Dezember begannen an seinen Flügeln etliche große harte Federn zu wachsen, Vogelscheuchenfedern, die freilich eher wie neue widerwärtige Anzeichen von Altersschwäche wirkten. Er indes mußte den Grund für diese Veränderungen kennen, denn er wachte eifrig darüber, daß niemand sie bemerkte und daß niemand die Seemannslieder hörte, die er bisweilen unter den Sternen sang. Eines Morgens schnitt Elisenda für das Mittagessen Zwiebeln in Scheiben, als ein Windzug, der von der hohen See zu kommen schien, durch die Küche blies. Sie trat ans Fenster und überraschte den Engel bei seinen ersten Flugversuchen. Sie waren so schwerfällig, daß er mit seinen Fingernägeln eine Pflugspur im Gemüsebeet aufwarf und nahe daran war, den Schuppen mit den Schlägen seiner unwürdigen

Flügel einzureißen, die im Licht ausglitten und keinen Halt in der Luft fanden. Doch dann gewann er an Höhe. Elisenda tat einen erleichterten Seufzer, ihretwegen und seinetwegen, als sie ihn über die letzten Häuser entschweben sah, wo er sich mit dem unheilvollen Geflatter eines altersschwachen Aasgeiers notdürftig in der Luft hielt. Sie blickte ihm nach, als sie ihre letzten Zwiebeln aufgeschnitten hatte, und sie blickte ihm immer noch nach, als er nicht mehr zu sehen war, denn nun war er keine Last mehr in ihrem Leben und nur noch ein imaginärer Punkt am Horizont des Meers.

Der schönste Ertrunkene von der Welt

Die ersten Kinder, die das dunkle, schweigsame Vorgebirge auf dem Meer näher kommen sahen, glaubten, es sei ein feindliches Schiff. Dann sahen sie, daß es weder Flaggen noch Masten hatte, und dachten, es sei ein Wal. Doch als es auf den Strand auflief, befreiten sie es von Seetanggestrüpp, Quallenfühlern und den Resten von Fischschwärmen und Strandgut, die es mit sich führte, und erst dann entdeckten sie, daß es ein Ertrunkener war.

Sie hatten den ganzen Nachmittag mit ihm gespielt, ihn im Sand begraben und wieder ausgegraben, als jemand sie zufällig sah und im Dorf Alarm schlug. Die Männer, die ihn bis ins nächste Haus schleppten, bemerkten, daß er mehr wog als alle ihnen bekannten Toten, fast so viel wie ein Pferd, und sie sagten sich, vielleicht sei er zu lange auf dem Meer getrieben und das Wasser sei ihm in die Knochen gedrungen. Als sie ihn auf den Fußboden legten, sahen sie, daß er viel größer gewesen war als alle anderen Menschen, denn er paßte kaum ins Haus, doch sie dachten, vielleicht gehöre die Fähigkeit, nach dem Tod weiterzuwachsen, zur Natur gewisser Ertrunkener. Er roch nach Meer, und nur seine Form ließ vermuten, daß es die Leiche eines menschlichen Wesens war, denn seine Haut war bedeckt mit einem Panzer aus Saugfischen und Schlamm.

Sie brauchten sein Gesicht nicht zu säubern, um zu wissen, daß es ein fremder Toter war. Das Dorf hatte nur etwa zwanzig Lattenhäuser mit Steinhöfen ohne Blumen, verstreut am Ende eines einsamen Kaps liegend. Die Erde war so knapp, daß die Mütter in der Angst lebten, der Wind könne ihre Kinder mitnehmen, und die wenigen Toten, die die Jahre verursachten,, mußten sie über die Klippen stürzen. Doch das

Meer war zahm und verschwenderisch, und alle Männer paßten in sieben Boote. So brauchten sie, als sie den Ertrunkenen fanden, einander nur anzublicken, um sich klarzumachen, daß sie vollzählig waren.

In jener Nacht fuhren sie nicht zur Arbeit aufs Meer. Während die Männer prüften, ob in den Nachbardörfern jemand fehlte, sorgten die Frauen sich um den Ertrunkenen. Sie schrubbten den Schlamm mit Grasbüscheln ab, klaubten ihm die Unterwasserdisteln aus dem Haar und schabten ihm den Saugfisch mit Schuppeneisen ab. Dabei merkten sie, daß sein Pflanzenwuchs aus fernen Meeren und der Tiefsee stammte, daß seine Kleider zerfetzt waren, als sei er durch Korallenriffe gesegelt. Und sie stellten fest, daß er den Tod mit Stolz trug, denn er hatte nicht das einsame Antlitz anderer im Meer Ertrunkener, auch nicht den schmutzigen, armseligen Gesichtsausdruck der Flußtoten. Doch erst als sie ihn ganz gereinigt hatten, wurden sie sich der Klasse Mensch bewußt, die er war, und das benahm ihnen den Atem. Nicht nur war er der größte, stärkste, der männlichste und der bestgebaute Mensch, den sie je gesehen hatten, sondern er ging, obgleich sie ihn sahen, über ihre Vorstellungskraft.

Sie fanden im Dorf kein genügend großes Bett, um ihn hineinzulegen, auch keinen genügend festen Tisch für seine Aufbahrung während der Totenwache. Weder paßten ihm die Festtagshosen der größten Männer noch die Sonntagshemden der beleibtesten, auch nicht die Schuhe des größten Fußes. Gebannt von seinem Unmaß und seiner Schönheit, beschlossen die Frauen, ihm Hosen aus einem guten Stück Gieksegel zu schneidern und ein Hemd aus Brautlinnen, damit er seinen Tod mit Würde weitertragen könne. Während sie im Kreis sitzend nähten und den Leichnam zwischen Stich und Stich betrachteten, schien es ihnen, als sei der Wind nie so hartnäkkig und das Meer nie so heftig gewesen wie in jener Nacht, und sie vermuteten, daß diese Veränderungen etwas mit dem Toten zu tun hätten. Sie dachten, hätte dieser prächtige Mann im Dorf gelebt, sein Haus hätte die breitesten Türen besessen, das höchste Dach und den festesten Fußboden, und sein Bettgestell wäre aus Hauptspanten mit eisernen Zapfen gefügt und seine Frau wäre die glücklichste gewesen. Sie dachten, er hätte so viel Autorität besessen, daß er die Fische allein durch Nennen ihres Namens aus dem Meer geholt hätte, er hätte mit solchem Eifer gearbeitet, daß er Quellen zwischen dem dürrsten Gestein hätte hervorsprudeln lassen und Blumen auf den Klippen hätte säen können. Insgeheim verglichen sie ihn mit ihren eigenen Männern und dachten, diese würden in einem ganzen Leben nicht fertigbringen, was er in einer Nacht fertigbrachte, und verachteten sie schließlich im Grunde ihrer Herzen als die schwächlichsten, minderwertigsten und nutzlosesten Wesen auf Erden. So irrten sie durch ihre Phantasielabyrinthe, als die älteste der Frauen, die als älteste den Ertrunkenen eher mit Mitleid als mit Leidenschaft betrachtet hatte, seufzte: »Er hat ein Gesicht, als hieße er Stefan.«

Das war die Wahrheit. Die meisten brauchten ihn bloß abermals anzuschauen, um zu begreifen, daß er keinen anderen Namen haben konnte. Die starrköpfigsten, das waren die jüngsten, lebten zwar noch ein paar Stunden in dem Wahn, er könne angezogen, in Lackstiefeln und blumenbekränzt, Lautero heißen. Doch das war eitle Selbsttäuschung. Die Leinwand erwies sich als zu knapp, die schlecht zugeschnittenen und noch schlechter genähten Hosen waren ihm zu eng, und die verborgenen Kräfte seines Herzens sprengten die Knöpfe seines Hemdes. Nach Mitternacht verebbte das Pfeifen des Windes, und das Meer verfiel der Mittwochschlafsucht. Die Stille setzte den letzten Zweifeln ein Ende: er hieß Stefan. Die Frauen, die ihn eingekleidet hatten, die, die ihn gekämmt hatten, die, die ihm die Nägel geschnitten und ihn rasiert hatten, vermochten nicht ein mitleidiges Erzittern zurückzuhalten, als sie sich damit abfinden mußten, ihn über den Fußboden gezerrt zu sehen. Jetzt begriffen sie, wie unglücklich er mit diesem ungewöhnlichen Körper gewesen sein mußte, wenn er noch im Tode davon belästigt wurde. Sie sahen ihn im Leben dazu verdammt, seitlich durch die Türen zu gehen, sich den Kopf an Querbalken wundzustoßen, bei Besuchen stehen zu bleiben, ohne zu wissen, was er mit seinen zarten rosafarbenen Seekuhhänden tun sollte, während die Dame des Hauses den stabilsten Stuhl suchte und ihn in Todesangst anflehte, setzten Sie sich doch hierhin, Stefan, tun Sie mir den Gefallen, und er, an der Wand lehnend, lächelnd, keine Sorge, gnädige Frau, hier stehe ich sehr bequem, meine Hacken sind rohes Fleisch, und mein Rücken ist glühend heiß von den ewiggleichen Übungen bei allen Besuchen, keine Sorge, gnädige Frau, hier stehe ich sehr bequem, nur um nicht die Beschämung zu erleben, den Stuhl kaputt zu machen, und vielleicht ohne je zu erfahren, daß die, die sagten, geh nicht fort, Stefan, warte wenigstens, bis der Kaffee kocht, dieselben waren, die hinterher flüsterten, der große Tölpel ist fort, gottlob, der hübsche Dummkopf ist fort. Das dachten die Frauen angesichts des Leichnams kurz vor Morgengrauen. Später, als sie sein Gesicht mit einem Taschentuch bedeckten, damit das Licht ihn nicht störte, sahen sie ihn so immerwährend tot, so wehrlos, so ähnlich ihren Männern, daß sich die ersten Tränenspalten in ihren Herzen öffneten. Es war eine der jüngsten, die zu schluchzen begann. Die anderen, einander ermutigend, gingen vom Seufzen zum Wehklagen über, und je mehr sie schluchzten, ein desto stärkeres Bedürfnis zum Weinen empfanden sie, denn der Ertrunkene wurde für sie immer mehr Stefan, bis sie ihn so heftig beweinten, daß er der verlassenste, der sanfteste und der gefälligste Mensch von der Erde wurde, der arme Stefan. So fühlten sie, als die Männer mit der Nachricht zurückkehrten, der Ertrunkene stamme auch nicht aus den Nachbardörfern, inmitten ihrer Tränen Jubel ausbrechen.

»Gelobt sei Gott«, seufzten sie. »Er ist unser!«

Die Männer glaubten, das Getue sei nichts als weibliche Leichtfertigkeit. Erschöpft von den verworrenen Nachforschungen der Nacht, hatten sie nur einen Wunsch, ein für allemal die Last des Neuankömmlings loszuwerden, bevor die Sonne jenes dürren windlosen Tages mit Macht herunterbrannte. So verfertigten sie mit Resten von Fockmasten und Giekbäumen eine Behelfsbahre, verschnürten sie mit Takelage, damit sie das Gewicht des Toten bis zu den Klippen aushielt. Sie hätten am liebsten den Anker eines Frachters an seine Knöchel gekettet, damit er unbehindert in die tiefsten Meere versank, wo die Fische blind sind und die Taucher aus Heimweh sterben, damit die bösen Strömungen ihn nicht wieder ans Ufer trügen, wie es mit anderen Leichnamen geschehen war. Doch je mehr sie sich eilten, desto mehr Dinge fielen den Frauen ein, um Zeit zu vergeuden. Sie zappelten umher wie aufgeregte Hühner, die nach Meeramuletten in den Truhen pickten, und die einen störten links, weil sie dem Ertrunkenen ein Skapulier des guten Windes umhängen wollten, die anderen störten rechts, um ihm ein Nordungsarmband umzuschnallen, und nach ausgiebigem Zupf dich Weib, geh hin wo du nicht störst, sieh, bald hätt' ich deinetwegen den Toten fallen lassen, schlich den Männern Argwohn über die Leber, und sie begannen zu murren, wozu all der Klempnerkram vom Hochaltar für einen Fremden, wenn trotz Zierknöpfen und Weihwasserkessel die Haie ihn kauen würden, doch sie häuften weiterhin ihre Schundreliquien auf ihn, schleppten fort und herbei, rempelten einander an, während sie in Seufzern loswurden, was sie nicht in Tränen loswurden, bis endlich die Männer lospolterten, seit wann habe es einen ähnlichen Aufruhr gegeben wegen einer treibenden Leiche, eines ertrunkenen Niemands, eines Stücks kalten Mittwochfleischs. Eine der Frauen, gekränkt von soviel Gefühllosigkeit, zog das Taschentuch vom Gesicht des Toten, und nun verschlug es auch den Männern den Atem.

Er war Stefan. Es brauchte nicht von neuem ausgesprochen zu werden, um ihn zu erkennen. Hätte man ihnen gesagt: Sir Walter Raleigh, vielleicht hätten seine Gringo-Aussprache, sein Ara auf der Schulter, seine Muskete zum Kannibalenschießen sie beeindruckt, doch Stefan konnte nur einer auf der Welt sein, und da lag er wie ein Pottwal, ohne Schuhe, mit den Hosen eines Siebenmonatskinds und diesen steinsplitternden

Fingernägeln, die nur mit einem Messer zu schneiden waren. Man brauchte ihm nur das Taschentuch vom Gesicht zu ziehen, um zu begreifen, daß er sich schämte, daß es nicht seine Schuld war, so groß, so schwer und so schön zu sein, und wenn er gewußt hätte, daß dies eintreten würde, so hätte er sich einen verschwiegeneren Ort zum Ertrinken ausgewählt, ernstlich, ich hätte mir einen Galleonenanker um den Hals gebunden und wäre wie einer, der es satt hat, über die Klippen gestolpert, um nur nicht mit diesem Mittwochtoten zu stören, wie ihr sagt, um niemandem mit dieser Schweinerei von kaltem Fleisch auf die Nerven zu gehen, das nichts mit mir zu tun hat. Es lag so viel Wahres in seinem Wesen, daß sogar die argwöhnischsten Männer, die, die die Bitternis endloser Nächte auf See fühlten, voller Sorge, ihre Frauen könnten müde werden, von ihnen zu träumen, um statt dessen von Ertrunkenen zu träumen, daß sogar sie und andere, härtere, über Stefans Aufrichtigkeit bis ins Mark erschauerten.

Und so veranstalteten sie das glänzendste Leichenbegängnis, das sie für einen ausgesetzten Ertrunkenen ersinnen konnten. Einige Frauen, die in den Nachbardörfern Blumen geholt hatten, kehrten mit anderen zurück, die das Erzählte nicht glauben wollten, und diese gingen noch mehr Blumen holen, als sie den Toten sahen, und brachten mehr und immer mehr, bis so viele Blumen und Menschen beieinander waren, daß man sich kaum noch bewegen konnte. Zu guter Letzt tat es ihnen weh, ihn als Waise den Wassern zurückzugeben, und sie wählten ihm unter den Besten einen Vater und eine Mutter, andere ernannten sie zu Brüdern, Onkeln und Vettern, so daß durch ihn schließlich alle Bewohner des Dorfs miteinander verwandt wurden. Etliche Seeleute, die in der Entfernung das Wehklagen hörten, verloren den richtigen Kurs, und man erfuhr, daß sich einer an den Hauptmast binden ließ, weil er sich an alte Sirenenfabeln erinnerte. Während sie um das Vorrecht stritten, ihn auf den Schultern den steilen Hohlweg in den Klippen hinabzutragen, wurden Männer und Frauen sich zum ersten Mal der Trostlosigkeit ihrer Gassen bewußt, der Dürre ihrer Hinterhöfe, der Enge ihrer Träume, im Vergleich zu der Pracht und Schönheit ihres Ertrunkenen. Sie gaben ihn ohne Anker frei, damit er zurückkehren könne, wenn er wolle und wann er wolle, und alle hielten den Atem an während des Bruchteils von Jahrhunderten, den der Sturz des Leichnams in den Abgrund dauerte. Sie brauchten einander nicht anzublicken, um sich klarzumachen, daß sie nicht mehr vollzählig waren und es auch nie mehr sein würden. Sie wußten aber auch, daß fortan alles anders sein würde, daß ihre Häuser breitere Türen haben würden, höhere Dächer, festere Fußböden, damit die Erinnerung an Stefan überall umgehen könne, ohne an Querbalken zu stoßen, und daß in Zukunft niemand zu flüstern wagen würde, tot ist der große Tölpel, wie schade, tot ist der hübsche Dummkopf, denn sie würden ihre Häuserfronten mit fröhlichen Farben anmalen, um die Erinnerung an Stefan zu verewigen, und sie würden sich das Kreuz brechen, um Quellen aus den Steinen zu graben und Blumen auf den Klippen zu säen, damit in kommenden Jahren die Passagiere der großen Schiffe bei Tagesanbruch auf hoher See erwachen würden, betäubt von Gartendüften; und der Kapitän in Galauniform von der Brücke herabstiege mit seinem Sternhöhenmesser, seinem Polarstern und seiner Ordensschnalle, und auf das Vorgebirge aus Rosen am Horizont deutend würde er in vierzehn Sprachen sagen, seht, dort, wo der Wind jetzt so zahm ist, daß er sich unter den Betten schlafen legt, dort, wo die Sonne so hell glänzt, daß die Sonnenblumen nicht wissen, wohin sie sich wenden sollen, ja, dort liegt Stefans Dorf.

Beständiger Tod über die Liebe hinaus

Dem Senator Onésimo Sánchez fehlten sechs Monate und elf Tage bis zu seinem Tod, als er der Frau seines Lebens begegnete. Er lernte sie in Rosenstock des Vizekönigs kennen, einem trügerischen Dörfchen, das nachts ein Unterschlupfhafen für die Hochseeschiffe der Schmuggler war und dafür im hellen Sonnenlicht der nutzlosesten Wüstenbucht an einem dürren ziellosen Meer glich, so fern von allem, daß niemand vermutet hätte, dort könne jemand wohnen, der imstande war, jemandes Schicksal zu verändern. Schon sein Name schien ein Scherz, denn die einzige Rose, die in jenem Dorf je zu sehen gewesen war, brachte der Senator Onésimo Sánchez höchstpersönlich an dem Nachmittag mit, da er Laura Farina kennenlernte.

Es war eine unumgängliche Etappe in der alle vier Jahre stattfindenden Wahlkampagne. Vormittags waren die Wohnwagen der Schmierenbühne eingetroffen. Dann trafen die Lastwagen mit den Mietindios ein, die von den Dörfern gestellt wurden, um die Menschenmenge bei den öffentlichen Auftritten zu ergänzen. Kurz vor elf, mit der Musik und dem Feuerwerk und dem Saumtieren des Gefolges, traf das erdbeersaftfarbene Ministeriumsautomobil ein. Der Senator Onésimo Sánchez saß still und zeitlos in seinem eisgekühlten Wagen, doch kaum öffnete er die Tür, durchschauerte ihn schon Feueratem, und sein Hemd aus Naturseide sog sich voll mit aschfahler Suppe, und er fühlte sich um viele Jahre älter und einsamer denn je. Im wirklichen Leben hatte er soeben das zweiundvierzigste Jahr vollendet, hatte in Göttingen mit Auszeichnung zum Hütteningenieur promoviert und war ein beharrlicher, wiewohl wenig glücklicher Leser der schlecht übersetzten lateinischen Klassiker. Er war mit einer strahlenden Deutschen verheiratet, mit der er fünf Kinder hatte, und alle waren glücklich in seinem Haus, und er war der glücklichste von allen gewesen, bis man ihm vor drei Monaten verkündet hatte, er werde am kommenden Weihnachtsfest für immer tot sein.

Während die Vorbereitungen für die öffentliche Kundgebung abgeschlossen wurden, hielt es den Senator nur eine Stunde in dem ihm zum Ausruhen bereitgestellten Haus. Vor dem Schlafengehen stellte er eine natürliche Rose ins Trinkwasser, die er durch die Wüste hindurch am Leben erhalten hatte, er aß von den mitgeführten Diätkörnern zu Mittag, um die ewigen gebratenen Ziegen umgehen zu können, die ihn für den Rest des Tages erwarteten, und schluckte mehrere schmerzstillende Pillen vor der vorgesehenen Stunde, so daß die Linderung vor dem Schmerz eintrat. Dann stellte er den elektrischen Ventilator nahe an die Hängematte und streckte sich fünfzehn Minuten lang nackt im Rosendämmer aus, angestrengt um geistige Zerstreuung bemüht, um nicht während des Schlummers an den Tod zu denken. Außer den Ärzten wußte niemand, daß er zu einem festen Termin verurteilt war, denn er hatte beschlossen, sein Geheimnis ohne jede Lebensveränderung allein zu erdulden, und zwar nicht aus Dünkel, sondern aus Schamgefühl.

Er fühlte sich im Vollbesitz seines freien Willens, als er um drei Uhr nachmittags wieder in der Öffentlichkeit erschien, ausgeruht und adrett in einer rohleinenen Hose, einem blumenbemalten Hemd und mit einer durch schmerzstillende Pillen aufgeräumten Seele. Übrigens war die Erosion des Todes viel heimtückischer, als er vermutet hatte, denn beim Ersteigen der Tribüne fühlte er eine seltsame Verachtung für die, die sich um das Glück stritten, ihm die Hand zu schütteln, und bemitleidete nicht wie zu anderen Zeiten die Koppeln der barfüßigen Indios, die kaum der Kalkglut des sterilen kleinen Platzes zu widerstehen vermochten. Er brachte den Beifall mit gebieterischer Hand, fast wütend, zum Verstummen und begann ohne Gebärden zu sprechen, die Augen fest aufs Meer gerichtet, das vor Hitze seufzte. Seine bedächtige, tiefe Stimme hatte die Beschaffenheit von stehendem Wasser, doch seine auswendig gelernte und so viele Male wiedergekäute Rede war ihm nur eingefallen, um die Wahrheit in Widerspruch zu einer schicksalsgläubigen Erkenntnis aus dem vierten Buch von Mark Aurels Erinnerungen zu setzen.

»Wir sind hier, um die Natur zu bezwingen«, begann er allen seinen Überzeugungen zum Trotz. »Wir sind nicht mehr die Findelkinder des Vaterlands, die Waisen Gottes im Reich des Durstes und des Unwetters, die Verbannten in unserem eigenen Land. Wir werden andere sein, meine Damen und Herren, wir werden groß sein und glücklich.«

Das waren die Formeln aus seinem Zirkus. Während er sprach, warfen seine Adjutanten Händevoll von Papiervögelchen in die Luft, und die falschen Tiere gewannen Leben, kreisten über der Brettertribüne und entflatterten übers Meer. Gleichzeitig holten andere aus den Packwagen Theaterbäume mit Filzblättern und pflanzten sie im Rücken der Menge im Schwefelboden auf. Zuletzt errichteten sie eine Pappfassade mit Scheinhäusern aus roten Backsteinen und Glasfenstern und tarnten mit ihr die Elendshütten des wirklichen Lebens.

Der Senator verlängerte seine Rede mit zwei Zitaten auf lateinisch, um der Posse Zeit zu lassen. Er versprach Regenmaschinen, tragbare Brutkästen für Tischtiere, Glücksöle, mit deren Hilfe Gemüse im Kalkabfall der Zimmerwände gedeihen würde und Stiefmütterchenanhängsel in den Fenstern. Als er sah, daß seine Traumwelt fertig war, deutete er mit dem Finger hin.

»So werden wir sein, meine Damen und Herren«, schrie er. »Schauen Sie. So werden wir sein.«

Das Publikum wandte sich um. Ein Überseedampfer aus bemaltem Papier fuhr hinter den Häusern vorüber, er war höher als die höchsten Häuser der künstlichen Stadt. Nur der Senator bemerkte, daß auch das Dorf aus aufeinandergestapelter Pappe, so viele Male auf- und abgebaut und von einem Ort zum anderen verfrachtet, vom Unwetter zerfressen, nun fast so arm und staubig und trostlos war wie Rosenstock des Vizekönigs.

Nelson Farina begrüßte zum ersten Mal in zwölf Jahren den Senator nicht. Er hörte die Rede von der Hängematte aus, in den Pausen seiner Mittagsruhe unter dem frischen Laubwerk eines Hauses aus ungehobelten Brettern, erbaut mit den nämlichen Apothekerhänden, mit denen er seine erste Frau gevierteilt hatte. Er war aus dem Strafgefängnis von Cayenne geflohen und in Rosenstock des Vizekönigs erschienen, in einem mit harmlosen Aras beladenen Schiff mit einer bildschönen und gotteslästerlichen Negerin, die er in Paramaribo kennengelernt und mit der er eine Tochter gehabt hatte. Die Frau starb kurz darauf eines natürlichen Todes und erlitt nicht das Los der anderen, deren einzelne Stücke seinen eigenen Blumenkohlgarten ernährt hatten, vielmehr wurde sie ganz und mit ihrem holländischen Namen auf dem Ortsfriedhof beerdigt. Die Tochter hatte ihre Farbe und ihre Formen geerbt sowie die gelblichen erschrockenen Augen des Vaters, und dieser hatte Gründe zu der Vermutung, daß er die schönste Frau der Welt aufzog.

Als er den Senator Onésimo Sánchez bei der ersten Wahlkampagne kennengelernt hatte, bat er ihn, ihm zu einem gefälschten Personalausweis zu verhelfen, der ihn vor der Verurteilung retten würde. Liebenswürdig, aber fest hatte der Senator das Gesuch abgelehnt. Nelson Farina ließ Jahre hindurch nicht locker und wiederholte sein Ansinnen bei jeder sich bietenden Gelegenheit mit einer neuen Ausrede. Doch stets erhielt er die gleiche Antwort. Daher blieb er diesmmal in seiner Hängematte liegen, dazu verurteilt, in diesem glutheißen Schmugglerunterschlupf lebendig zu verfaulen. Als er den Schlußapplaus hörte, hob er den Kopf und sah über den Stäben des Zauns die Kehrseite der Posse: die Stützbalken der Gebäude, die Gerippe der Bäume, die versteckten Gaukler, die den Überseedampfer schoben. Er schluckte seinen Groll hinunter.

»Merde«, sagte er. »C'est le Blacamán de la politique.«

Nach der Rede unternahm der Senator wie gewohnt einen Gang durch die Gassen des Dorfes zwischen der Musik und dem Feuerwerk hindurch und von der Dorfbevölkerung belagert, die ihm ihre Kümmernisse vortrug. Der Senator hörte sie gutwillig an und fand stets eine Form, alle zu trösten, ohne ihnen schwer zu erfüllende Gefallen zu erweisen. Einer zwischen ihren sechs kleinen Kindern auf einem Hausdach hokkenden Frau gelang es, sich über den Lärm und das Pulvergedonner hinweg Gehör zu verschaffen.

»Ich bitte nicht um viel, Herr Senator«, sagte sie. »Nur um einen Esel, damit ich Wasser vom Brunnen des Erhenkten holen kann.« Der Blick des Senators blieb auf den sechs schmutzigen Rangen haften.

»Wo ist dein Mann geblieben?« fragte er.

»Er hat sein Schicksal auf der Insel Aruba gesucht«, erwiderte die Frau gutgelaunt. »Und was er gefunden hat, war eine Fremde, eine von denen, die sich Diamanten in die Zähne einsetzen.« Die Antwort löste donnerndes Gelächter aus.

»Es ist gut«, entschied der Senator. »Du sollst deinen Esel haben.«

Kurz darauf brachte einer seiner Adjutanten einen Lastesel zum Haus der Frau, auf dessen Flanke mit Dauerfarbe eine Wahllosung geschrieben war, damit niemand vergaß, daß es ein Geschenk des Senators war.

Auf der kurzen Strecke durch die Gasse gewährte der Senator weitere kleinere Vergünstigungen und gab überdies einem Kranken einen Löffel Arznei, der sich sein Bett vor die Tür hatte stellen lassen, um ihn vorübergehen zu sehen. An der letzten Ecke sah er zwischen den Zaunpfählen des Innenhofs Nelson Farina in der Hängematte, der ihm aschfahl und niedergeschlagen vorkam, doch er grüßte ihn ohne Freundlichkeit: »Wie geht's?«

Nelson Farina drehte sich in der Hängematte um und verschlang ihn mit dem trostlosen Ambra seines Blicks.

»Moi, vous savez«, sagte er.

Als seine Tochter den Gruß hörte, trat sie in den Innenhof hinaus. Sie trug einen gewöhnlichen, verschlissenen Guajira-Kittel, ihr Kopf war geschmückt mit bunten Haarschleifen, ihr Gesicht war von der Sonne bemalt, doch auch in diesem schlampigen Aufzug war zu vermuten, daß es keine schönere Frau auf der Welt gab. Dem Senator stockte der Atem.

»Donnerkeil!« stöhnte er staunend, »was sich Gott alles einfallen läßt!«

An jenem Abend steckte Nelson Farina seine Tochter in ihre besten Kleider und schickte sie zum Senator. Zwei flintenbewaffnete Wächter, die in dem gemieteten Haus dösten, hießen sie auf dem einzigen Stuhl der Diele warten.

Der Senator hatte sich im angrenzenden Raum mit den Honoratioren von Rosenstock des Vizekönigs versammelt, die er zusammengerufen hatte, um ihnen die Wahrheiten, die er in seinen Reden versteckte, unverblümt zu verkünden. Diese Honoratioren glichen so sehr allen, die stets in diesen Wüstendörfern auftraten, daß es den Senator verdroß, allabendlich die gleiche Sitzung zu erleben. Sein Hemd war schweißverklebt, und er versuchte es auf dem Leib in der heißen Brise des elektrischen Ventilators zu trocknen, der wie eine Schmeißfliege im schlaftrunkenen Zimmer summte. »Natürlich essen wir keine Papiervögel«, sagte er. »Sie und ich wissen eines: an dem Tag, an dem es Bäume und Vögel in diesem Ziegenscheißhaus gibt, an dem Tag, an dem es Wasserasseln in den Brunnen gibt statt Würmer, an diesem Tag haben weder Sie noch ich das geringste hier zu schaffen. Stimmt's?«

Niemand antwortete. Während er sprach, hatte der Senator einen Kalenderfarbdruck abgerissen und daraus einen Papierfalter verfertigt. Unabsichtlich hielt er ihn in den Luftstrom des Ventilators, und der Falter flatterte durchs Zimmer und entschwebte durch die halbgeöffnete Tür. Mit seiner vom Einverständnis mit dem Tod aufrechterhaltenen Selbstbeherrschung sprach der Senator weiter. »Nun brauche ich nur noch zu wiederholen, was Sie zur Genüge wissen«, sagte er. »Daß meine Wiederwahl für Sie ein besseres Geschäft ist als für mich, weil mir das faulige Wasser und der Schweiß der Indios bereits bis hier stehen, während Sie genau davon leben.«

Laura Farina sah den Papierfalter herausflattern. Nur sie sah ihn, weil die Wächter der Diele auf der Bank mit den Flinten im Arm eingeschlafen waren. Nach mehreren Kehren entfaltete sich der lithographierte Falter vollkommen, prallte breit gegen die Wand und blieb daran haften. Laura Farina versuchte ihn mit den Fingernägeln abzureißen. Einer der Wächter, der vom Applaus im Nebenzimmer erwacht war, bemerkte ihr ergebnisloses Bemühen.

»Man kann ihn nicht abreißen«, sagte er zwischen zwei Träumen. »Er ist an die Wand gemalt.«

Laura Farina setzte sich wieder, als die Männer aus der Versammlung herauskamen. Der Senator blieb mit der Türklinke in der Hand auf der Schwelle stehen und entdeckte Laura Farina erst, als die Diele sich geleert hatte.

»Was suchst du hier?«

»C'est de la part de mon père«, sagte sie.

Der Senator begriff. Er musterte den schlaftrunkenen Wächter, er mustere Laura Farina, deren unwahrscheinliche Schönheit beherrschender war als sein Schmerz, und nun beschloß er, daß der Tod für ihn entscheiden sollte.

»Komm rein«, sagte er.

Laura Farina blieb verwundert in der Zimmertür stehen: Tausende von Banknoten schwebten, wie der Falter flatternd, durch die Luft. Doch der Senator stellte den Ventilator ab, und nun, ohne Aufwind, ließen sich die Banknoten auf den Gegenständen des Zimmers nieder.

»Du siehst«, lächelte er, »sogar die Scheiße fliegt.«

Laura Farina setzte sich auf einen Schulhocker. Sie hatte eine glatte gespannte Haut von der Farbe und Sonnendichte des Rohöls, ihr Haar war die Mähne eines Stutenfüllens, und ihre riesigen Augen waren heller als das Licht. Der Senator folgte dem Strahl ihres Blicks und stieß schließlich auf die vom Schwefel mitgenommene Rose.

»Es ist eine Rose«, sagte er.

»Ja«, sagte sie mit einer Spur von Ratlosigkeit. »Ich habe die Rosen in Riohacha kennengelernt.«

Von den Rosen sprechend, setzte sich der Senator auf das Feldbett, während er sich das Hemd aufknöpfte. Auf der Seite der Brust, unter der er sein Herz vermutete, trug er die Seeräubertätowierung eines vom Pfeil durchbohrten Herzens. Er warf das nasse Hemd auf den Boden und bat Laura Farina, ihm beim Ausziehen der Stiefel zu helfen.

Sie kniete vor der Pritsche nieder. Der Senator musterte sie nachdenklich, und während sie ihm die Schnürsenkel löste, fragte er sich, wem von beiden diese Begegnung Unglück bringen würde.

»Du bist ja noch ein Kind«, sagte er.

»Glauben Sie das nicht«, sagte sie. »Ich werde neunzehn im April.«

Der Senator wurde neugierig.

»An welchem Tag?«

»Am elften«, sagte sie.

Der Senator fühlte sich besser. »Wir sind Widder«, sagte er. Und fügte lächelnd hinzu: »Das ist das Zeichen der Einsamkeit.«

Laura Farina schenkte ihm keine Aufmerksamkeit, denn sie wußte nicht, was sie mit den Stiefeln anfangen sollte. Der Senator seinerseits wußte nicht, was er mit Laura Farina anfangen sollte, weil er nicht an unvorhergesehene Liebschaften gewöhnt war, außerdem war ihm bewußt, daß so etwas seinen Ursprung in Würdelosigkeit hatte. Nur um Zeit zu gewinnen, hielt er Laura Farina mit den Knien gefangen, umschlang ihre Taille und legte sich mit dem Rücken auf die Pritsche. Nun begriff er, daß sie unter dem Kleid nackt war, weil ihr Körper einen dunklen Waldtiergeruch verströmte, doch ihr Herz war erschrocken und ihre Haut von eiskaltem Schweiß verstört.

»Niemand mag uns«, seufzte er.

Laura Farina wollte etwas sagen, aber die Luft reichte ihr nur zum Atmen. Um ihr zu helfen, legte er sie neben sich, löschte das Licht, und der Raum sank ins Halbdunkel der Rose. Sie überließ sich der Barmherzigkeit ihres Schicksals. Der Senator liebkoste sie lange, suchte sie mit der Hand, ohne sie richtig zu berühren, doch wo er sie zu finden hoffte, stieß er gegen ein eisernes Hindernis.

»Was hast du da?«

»Ein Schloß«, sagte sie.

»Was für ein Unsinn!« sagte der Senator wütend und fragte, was er genau wußte: »Wo ist der Schlüssel?«

Laura Farina atmete erleichtert auf.

»Mein Papa hat ihn«, erwiderte sie. »Er hat gesagt, ich soll Ihnen sagen, Sie sollen ihn durch einen Boten holen lassen und sollen ihm eine schriftliche Bestätigung mitgeben, daß Sie seine Angelegenheit regeln werden.«

Der Senator verkrampfte sich. »Hahnreihfranzmann« murmelte er empört. Dann schloß er die Augen, um sich zu entspannen, und begegnete sich selber in der Dunkelheit. *Denk daran,* so erinnerte er sich, *daß ihr, bist du es nun oder ist es ein anderer, in Kürze tot sein werdet und bald danach von euch nicht mal der Name übrig sein wird.* Er wartete, bis sein Schüttelfrost vorüber war.

»Sag mir etwas«, fragte er dann. »Was hast du von mir reden hören?«

»Die wahrhaftige Wahrheit?«

»Die wahrhaftige Wahrheit.«

»Gut«, wagte Laura Farina zu sagen. »Man sagt von Ihnen, daß Sie schlimmer sind als die anderen, weil Sie verschieden von ihnen sind.«

Der Senator wurde nicht ärgerlich. Er schwieg lange mit geschlossenen Augen, und als er sie öffnete, schien er zurückgekehrt von seinen verborgensten Instinkten.

»Zum Donnerkeil«, schloß er. »Sag dem Hahnrei von deinem Vater, daß ich seine Angelegenheit regeln werde.«

»Wenn Sie wollen, hol' ich selber den Schlüssel«, sagte Laure Farina.

Der Senator hielt sie zurück.

»Vergiß den Schlüssel«, sagte er, »und schlaf ein Weilchen mit mir. Es ist gut, jemanden bei sich zu haben, wenn man allein ist.«

Nun bettete sie ihn auf ihre Schulter, die Augen auf die Rose geheftet. Der Senator umschlang ihre Taille, verbarg sein Gesicht in ihrer Waldtierachselhöhle und erlag dem Schrekken. Sechs Monate und elf Tage später sollte er in der gleichen Stellung sterben, zerrüttet und verworfen durch das öffentliche Ärgernis mit Laura Farina, und weinend aus Wut, daß er ohne sie starb.

Die letzte Reise des Gespensterschiffs

Jetzt sollt ihr sehen, wer ich bin, sagte er zu sich mit seiner neuen Männerstimme, viele Jahre nachdem er zum ersten Mal den riesigen Überseedampfer gesehen hatte, der ohne Lichter und ohne Lärm eines Nachts am Dorf vorübergefahren war wie ein großer unbewohnter Palast, größer als das ganze Dorf und viel höher als der Turm seiner Kirche, und im Dunkeln auf die auf der anderen Seite der Bucht gegen die Bukaniere befestigte Kolonialstadt zugesegelt war mit ihrem alten Negersklavenhafen und dem kreisenden Leuchtturm, dessen düstere Windmühlenflügel aus Licht alle fünfzehn Sekunden das Dorf zu einem Mondlager aus phosphoreszierenden Häusern und vulkanischem Wüstenstraßen verklärte, und wenn er auch damals ein Knabe ohne Männerstimme gewesen war, aber die Erlaubnis seiner Mutter hatte, bis spät am Strand die nächtlichen Harfen des Windes zu hören, so konnte er sich noch so daran erinnern, als sähe er, wie der Überseedampfer verschwand, wenn das Licht des Leuchtturms ihn in der Flanke traf, und wieder auftauchte, wenn das Licht vorbeigeglitten war, so daß es ein Wechselschiff war, das bis zur Einfahrt in die Bucht auftauchte und untertauchte und schlafwandlerisch tastend die Bojen suchte, die die Fahrtrinne des Hafens anzeigten, bis wohl etwas mit seiner Kompaßnadel schiefging, denn das Schiff trieb auf die Klippen zu, lief auf Grund, ging in Stücke und sank ohne jegliches Geräusch, auch wenn ein derartiger Aufprall auf die Riffe ein eisernes Getöse hätte hervorrufen müssen und eine Maschinenexplosion, die die im Tiefschlaf versunkenen Drachen hätte zu Eis erstarren lassen müssen in dem prähistorischen Urwald, der in den letzten Straßen der Stadt begann und auf der anderen Seite der

Welt endete, so daß der Junge selber glaubte, es sei ein Traum gewesen, zumal am nächsten Tag, als er das strahlende Aquarium der Bucht sah, das farbige Wirrwarr der Negerbaracken auf den Hügeln des Hafens, die Schoner der Schmuggler aus den Guayanas, die ihre Ladungen unschuldiger Papageien empfingen, die die Kröpfe voller Diamanten hatten, und er dachte, ich bin eingeschlafen, als ich die Sterne zählte, und habe von diesem gewaltigen Schiff geträumt, gewiß, er war so überzeugt davon, daß er es niemandem erzählte und sich auch nicht an die Vision erinnerte bis zur gleichen Nacht im darauffolgenden März, als er rötliches Gewölk von Delphinen im Meer suchte, und was er fand, war der trügerische Überseedampfer, düster, ein Wechseldampfer, mit der gleichen verfehlten Fahrtrichtung wie beim ersten Mal, nur daß der Junge diesmal so sicher war, wach zu sein, daß er lief und es seiner Mutter erzählte, und sie stöhnte drei Wochen lang vor Enttäuschung, weil dir dein Gehirn verfault, wenn du immer alles auf den Kopf stellst, den Tag verschläfst und die Nacht verbummelst wie Leute mit schlechtem Lebenswandel, und da sie in jenen Tagen in die Stadt gehen mußte, eine bequeme Sitzgelegenheit zu kaufen, um darauf an den toten Ehemann zu denken, weil die Kufen ihres Schaukelstuhls nach elf Jahren Witwenschaft verbraucht waren, nutzte sie die Gelegenheit, den Bootsmann zu bitten, daß er an den Riffen entlangfuhr, damit ihr Sohn sehen könne, was er auch tatsächlich im Schaufenster des Meeres sah, das Liebesspiel der Stachelrochen in einem Frühling von Schwämmen, rosafarbene Meerwölfe und die blauen Korvinen, die in andere Brunnen weicheren Wassers tauchten, die es zwischen dem Wasser gab, und sogar die umherirrenden Haarschöpfe der Ertrunkenen eines kolonialen Schiffbruchs, aber weder Spuren von untergegangenen Überseedampfern noch die irgendeines toten Kindes, und trotzdem war er so halsstarrig, daß seine Mutter versprach, ihn am Vorabend des nächsten Märztages zu begleiten, sicherlich ohne zu wissen, daß das einzig Sichere ihrer Zukunft ein Sessel aus Francis Drakes Zeiten war, den sie bei einer Türkenversteigerung erstanden hatte und auf den sie sich am selben Abend zum Ausruhen setzte, seufzend, ach mein armer Holofernes, wenn du sähest, wie gut man an dich denkt auf diesem Samtbezug mit Brokatverzierung vom Katafalk einer Königin, doch je heftiger sie ihren toten Mann beschwor, desto heftiger siedete das Blut in ihrem Herzen und wurde zu Schokolade, als renne sie statt zu sitzen, durchnäßt von Schüttelfrösten, den Atem voller Erde, bis der Sohn im Morgengrauen heimkehrte und sie tot im Sessel fand, noch warm, doch schon halb verfault wie nach einem Schlangenbiß, genauso, wie es später vier anderen Señoras erging, bevor sie den Mördersessel ins Meer warfen, weit hinaus, wo er niemandem etwas zuleide tun konnte, denn er war durch die Jahrhunderte derart abgenutzt worden und hatte folglich die Fähigkeit, Entspannung zu spenden, eingebüßt, so daß der Junge sich an die elende Eigenschaft einer Waise gewöhnen mußte und von allen als der Sohn der Witwe bezeichnet wurde, die den Thronsessel des Unglücks ins Dorf gebracht hatte, und er lebte dort weniger von der öffentlichen Nächstenliebe als von Fischen, die er aus den Booten stahl, während seine Stimme zu einem Brüllen anschwoll und er sich nicht mehr an seine einstige Vision erinnerte bis zu einer anderen Märznacht, in der er zufällig aufs Meer hinaussah, und dort, gute Mutter, dort ist er, der unheimliche Asbestwal, das brüllende Biest, kommt und seht es euch an, schrie er wahnsinnig, kommt und seht es, und er vollführte ein solches Hundegebell und Weibergezeter, daß sogar die ältesten Männer sich an ihre Urgroßväterschrecken erinnerten und unter ihre Betten krochen im Glauben, William Dampier sei zurückgekehrt, aber die, die auf die Gasse stürzten, machten sich nicht die Mühe, den unwahrscheinlichen Apparat anzuschauen, der sich in diesem Augenblick im Osten verlor und im jährlichen Verhängnis unterging, sondern sie hieben auf den Sohn der Witwe ein und ließen ihn so kreuzlahm auf der Strecke, daß er sich auf der Stelle wutschnaubend schwor, jetzt sollt ihr sehen, wer ich bin, aber er hütete sich, jemanden seinen Entschluß anzuvertrauen, sondern er käute ein Jahr lang seine fixe Idee wieder, jetzt sollt ihr sehen, wer ich bin, während er auf die Wiederkehr des Vorabends der Erscheinungen wartete, damit er das tun könne, was er tat, er stahl sich nämlich ein Boot, überquerte die Bucht und wartete den ganzen Abend auf seine große Stunde im Gassengewirr des Sklavenhafens zwischen dem menschlichen Absud der Kariben, so versunken in sein Abenteuer, daß er weder wie sonst vor den Marktbuden der Hindus stehenblieb und die aus einem ganzen Elefantenzahn geschnitzten Elfenbeinmandarine angaffte, noch sich über die holländischen Neger auf ihren orthopädischen Velozipeden lustigmachte, auch hatte er nicht wie zu anderen Zeiten Angst vor den kupferhäutigen Malaien, die um die Welt gereist waren, angelockt von der Schimäre eines verborgenen Gasthofs, wo es Lenden von Brasilianerinnen vom Holzkohlenfeuer zu essen gab, denn er merkte gar nichts, bis die Nacht mit dem ganzen Gewicht der Sterne ihn überfiel und der Urwald das süße Arom der Gardenien und modrigen Salamander verströmte, und schon ruderte er im gestohlenen Boot bis zur Einfahrt der Bucht, mit gelöschter Lampe, um nicht die Zollbeamten aufmerksam zu machen, alle fünfzehn Sekunden vom grünen Flügelschlag des Leuchtturms verklärt und gleich wieder von der Dunkelheit vermenschlicht, wohl wissend, daß er in die Nähe der Bojen geriet, die die Fahrtrinne des Hafens markierten, nicht nur weil ihr beklemmender Schimmer zunahm, sondern weil der Atem des Wassers trauriger wurde, und er ruderte so selbstversunken, daß er weder wußte, woher so plötzlich das fürchterliche Haigeschnaube drang, noch warum die Nacht so dicht wurde, als seien plötzlich die Sterne gestorben, doch da war der Überseedampfer mit all seinem unfaßbaren Umfang, Mutter, größer als irgend etwas Großes auf der Welt und dunkler als irgend etwas Dunkles auf der Erde oder im Wasser, dreihunderttausend Tonnen Haigeruch, und glitt so nahe an seinem Boot vorüber, daß er die Ränder des stählernen Abgrunds sehen konnte, ohne ein einziges Licht in den endlosen Bullaugen, ohne einen Seufzer in den Maschinen, ohne eine Seele, und nahm seine ureigene Welt der Stille mit, seinen eigenen leeren Himmel, seine eigene tote Luft, seine stillstehende Zeit, sein umherirrendes Meer, in dem eine ganze Welt ertrunkener Fische schwamm, und plötzlich verschwand all das mit dem Schein des Leuchtturms, und einen Augenblick lang kehrte die durchscheinende Karibische See wieder, die Märznacht, die alltägliche Luft der Pelikane, so daß der Junge allein blieb zwischen den Bojen, ohne zu wissen was tun, und sich verwundert fragte, ob er nicht einem Wachtraum erlegen sei, nicht nur jetzt, sondern auch bei den anderen Malen, doch kaum hatte er sich das gefragt, als ein geheimnisvoller Hauch die Bojen von der ersten bis zur letzten löschte, so daß, als die Helligkeit des Leuchtturms schwand, der Überseedampfer wieder erschien mit verdrehten Kompässen, vielleicht ohne zu wissen, an welcher Stelle des ozeanischen Meers er sich befand, tastend die unsichtbare Fahrtrinne suchte, aber in Wirklichkeit den Klippen zutrieb, bis der Junge die überwältigende Offenbarung erfuhr, daß das Mißgeschick mit den Bojen der letzte Schlüssel der Verzauberung war, und so zündete er die Bootslampe an, ein winziges rotes Lämpchen, das niemanden auf den Wachtürmen zu beunruhigen brauchte, das aber für den Lotsen wie eine orientalische Sonne sein mußte, denn dank seiner berichtigte der Überseedampfer seinen Kurs und fuhr mit einem Manöver glücklicher Auferstehung in das große Tor der Fahrtrinne ein, und nun leuchteten all seine Lichter gleichzeitig auf, die Kessel summten von neuem, die Sterne hefteten sich an ihren Himmel, und die Tierleichen sanken in die Tiefe, und da gab es Tellergeklapper und Lorbeertunkenduft in den Küchen, und man hörte die Baßtuba der Schiffskapelle auf den Monddecks und das Pochen im Blut der Hochseeverliebten im Halbdunkel der Kabinen, der Sohn der Witwe aber trug noch so viel verspätete Wut mit sich herum, daß er sich nicht von der Erregung betören noch vom Wunder einschüchtern ließ, sondern er sagte sich entschlossener denn je, jetzt sollt ihr sehen, wer ich bin, Feiglinge, jetzt sollt ihr es sehen, und statt beizudrehen, um nicht von der kolossalen Maschine gerammt zu werden, begann er vor ihr her zu rudern, denn jetzt sollt ihr sehen, wer ich bin, und er gab dem Schiff mit seiner Lampe die Richtung an, bis er dessen Gefolgschaft so sicher war, daß er es zwang, den Kurs auf die Kais von neuem zu ändern, und er lenkte es von der unsichtbaren Fahrtrinne fort und führte es am Halfter wie ein Seelamm auf die Lichter des schlafenden Dorfs zu, ein Schiff, lebendig und unverwundbar durch die Speere des Leuchtturms, die es nun nicht mehr unsichtbar machten, sondern alle fünfzehn Sekunden in Aluminium verwandelten, und schon begannen sich die Kreuze der Kirche abzuzeichnen, das Elend der Häuser, die Selbsttäuschung, und noch immer fuhr der Überseedampfer hinter ihm her, folgte ihm mit allem, was er in seinem Rumpf mitführte, seinem auf der Herzseite schlagenden Kapitän, den Kampfstieren im Schnee seiner Speisekammern, den einsamen Kranken in seinem Krankenrevier, dem verwaisten Wasser in seinen Zisternen, dem unerlösten Lotsen, der wohl die Klippen mit den Kaimauern verwechselt hatte, denn in diesem Augenblick brach das unheimliche Sirenengeheul los, zum ersten Mal, und er wurde von dem herabschießenden Dampfstrahl durchnäßt, zum zweiten Mal, und das fremde Boot kenterte fast, zum dritten Mal, aber schon war es zu spät, denn da waren die Muscheln des Strandes, die Steine der Straße, die Türen der Ungläubigen, das ganze Dorf, erleuchtet von den Lichtern des entsetzten Überseedampfers, und der Sohn der Witwe fand kaum Zeit, der Flutkatastrophe auszuweichen und inmitten des Aufruhrs zu brüllen, da habt ihr's, ihr Feiglinge, eine Sekunde bevor der gewaltig-stählerne Schiffsrumpf die Erde spaltete und das deutliche Höllengeklirr der neunzigtausendfünfhundert Champagnergläser aufbrandete, die eines nach dem anderen vom Bug zum Heck zerbarsten, und dann ward Licht, und es war nicht mehr das märzliche Morgenrot, sondern ein strahlender Mittwochnachmittag, und mit Vergnügen sah er die Ungläubigen, die den größten Überseedampfer dieser Welt und der anderen Welt betrachteten, gestrandet gegenüber der Kirche, weißer als alles, zwanzig Mal höher als der Kirchturm und etwa siebenundneunzig Mal länger als das Dorf, der Name *Halalcsillag* war mit eisernen Lettern eingegraben, und noch immer rannen über seine Seiten die uralten ermatteten Wasser der Todesmeere.

Die unglaubliche und traurige Geschichte von der einfältigen Eréndira und ihrer herzlosen Großmutter

Eréndira badete die Großmutter, als der Wind ihres Unglücks zu wehen begann. Das in der Wüsteneinsamkeit verirrte riesige Herrenhaus aus Mondmörtelkalk erbebte beim ersten Stoß bis in seine Grundpfeiler. Doch Eréndira und die Großmutter waren für die Gefahren der entfesselten Natur geschaffen und merkten kaum die Heftigkeit des Windes in dem mit Pfauenreihen und Mosaikknaben römischer Thermen geschmückten Bad.

Die Großmutter, nackt und massig, glich in dem Marmorbecken einem herrlichen weißen Wal. Die Enkelin hatte kaum das vierzehnte Lebensjahr erreicht, war schmächtig und von zartem Knochenbau und zu sanft für ihr Alter. Mit einer Sparsamkeit, der etwas von heiliger Strenge anhaftete, machte sie der Großmutter Waschungen mit Wasser, in dem sie blutreinigende Pflanzen und duftende Blütenblätter aufgekocht hatte, die an dem saftigen Rücken hängen blieben, im drahtigen losen Haar, auf der machtvollen, erbarmungslos mit Seemannslohn tätowierten Schulter.

»Heute nacht habe ich geträumt, ich hätte einen Brief erwartet«, sagte die Großmutter.

Eréndira, die nur sprach, wenn es unerläßlich war, fragte: »Welcher Tag war es im Traum?«

»Donnerstag.«

»Dann war es ein Brief mit schlechten Nachrichten«, sagte Eréndira. »Aber er wird nie ankommen.«

Als sie die Großmutter gebadet hatte, brachten sie sie in ihr Schlafzimmer. Sie war so fett, daß sie nur gehen konnte, wenn sie sich auf die Schulter der Enkelin stützte oder auf einen Stock, der einem Bischofsstab glich, doch selbst ihren schwierigsten Bemühungen war noch die Selbstzucht veralteter Größe anzumerken. In der Bettnische, die wie das übrige Haus nach übertriebenen, fast aberwitzigen Maßstäben ausgestattet war, benötigte Eréndira zwei weitere Stunden, um die Großmutter herzurichten. Sie entwirrte ihre Frisur, Haar für Haar, parfümierte und kämmte das Haar, legte ihr ein Kleid mit äquatorialen Farben an, puderte ihr Gesicht mit Talkum, tönte ihre Lippen mit Karmin, die Wangen mit Schminke, die Lider mit Moschus und die Fingernägel mit Perlmuttemail, und als sie sie herausgeputzt hatte wie eine überlebensgroße Puppe, führte sie sie in einen künstlichen Garten mit Blumen, ebenso atemberaubend wie die ihres Kleides, setzte sie in einen Sessel, der gesetzt und vornehm wie ein Thron war, und ließ sie auf dem Trichtergrammophon vergängliche Schallplattenmusik hören.

Während die Großmutter durch die Sümpfe der Vergangenheit segelte, machte Eréndira sich ans Fegen des Hauses, das dunkel war und buntscheckig von bizarren Möbeln und Statuen erfundener Cäsaren, von Tränenspinnen und Alabasterengeln, von einem Klavier mit Goldfirnis und zahlreichen Uhren ungeahnter Formen und Ausmaße. Das Haus hatte im Innenhof eine Zisterne, die das auf Indiorücken aus entlegenen Quellen herbeigeschleppte Wasser viele Jahre lang frisch hielt, und auf einem Metallring an der Zisterne saß ein rachitischer Vogel Strauß, das einzige gefiederte Tier, das die Marter jenes bösartigen Klimas zu überleben verstand. Das Haus lag weit weg von allem im Herzen der Wüste, in der Nähe eines Gewirrs erbärmlicher, glutheißer Gassen, in denen die Ziegenböcke aus Trostlosigkeit Selbstmord begingen, wenn der Wind des Unglücks wehte.

Dieser unbegreifliche Zufluchtsort war vom Ehemann der Großmutter erbaut worden, einem legendären Schmuggler, mit dem sie einen Sohn hatte, der gleichfalls Amadís hieß und Eréndiras Vater war. Niemand kannte die Ursprünge noch Beweggründe dieser Familie. Die in der Indiosprache bekannteste Lesart besagte, Amadís der Vater habe seine schöne Frau in einem Bordell der Antillen, in dem er einen Mann erstochen hatte, freigekauft und für immer in die Straflosigkeit der Wüste versetzt. Als die Amadise starben, der eine erlag schwermütigen Fieberanfällen, der andere wurde bei einem Duell durchlöchert, begrub die Frau die Leichen im Innenhof, entließ die vierzehn barfüßigen Dienerinnen und fuhr fort, ihre größenwahnsinnigen Träume im Dämmer des verschwiegenen Hauses zu nähren – dank der Opferbereitschaft der illegitimen Enkelin, die sie von Geburt an aufgezogen hatte.

Nur um die Uhren aufzuziehen und zu stellen, benötigte Eréndira sechs Stunden. Am Tag, an dem ihr Unglück begann, brauchte sie es nicht zu tun, denn die Uhren waren bis zum nächsten Morgen aufgezogen, doch dafür mußte sie die Großmutter baden und ankleiden, die Fußböden schrubben, das Mittagessen kochen und das Kristall glänzend reiben. Gegen elf Uhr, als sie das Wasser im Bottich des Straußes wechselte und die Wüstengräser auf den angrenzenden Gräbern der Amadise begoß, mußte sie dem Mut des Windes widerstehen, der wieder einmal unerträglich geworden war, doch hatte sie keine böse Vorahnung, daß dies der Wind ihres Unglücks war. Um zwölf rieb sie die letzten Champagnergläser glänzend, als sie den Duft von zarter Brühe roch, erreichte wie ein Wunder rennend die Küche, ohne ein splitterndes Verhängnis venezianischen Kristalls hinter sich zu lassen.

Es gelang ihr kaum, den Topf wegzureißen, der auf dem Herd überzulaufen drohte. Dann setzte sie ein schon vorbereitetes Gericht aufs Feuer und ließ sich auf der Küchenbank zum Ausruhen nieder. Sie schloß die Augen, öffnete sie gleich darauf mit ausgeruhtem Gesichtsausdruck und begann die Suppe in die Suppenschüssel zu schöpfen. Sie arbeitete schlafend.

Die Großmutter hatte sich allein ans Kopfende eines Bankett-Tischs mit silbernen Kandelabern und Gedecken für zwölf Personen gesetzt. Sie ließ die Glocke ertönen, und fast unverzüglich erschien Eréndira mit der dampfenden Suppenschüssel. In dem Augenblick, als sie die Suppe servierte, merkte die Großmutter ihr schlafwandlerisches Wesen und fuhr ihr mit der Hand über die Augen, als wolle sie eine unsichtbare Glasscheibe abwischen. Das Mädchen sah die Hand nicht. Die Großmutter folgte ihr mit dem Blick, und als Eréndira ihr den Rücken zuwandte, um in die Küche zurückzukehren, schrie sie: »Eréndira.«

Jäh geweckt, ließ das Mädchen die Suppenschüssel auf den Teppich fallen.

»Macht nichts, Tochter«, sagte die Großmutter mit einer gewissen Zärtlichkeit. »Du hast wieder im Gehen geschlafen.«

»Es ist die Gewohnheit des Körpers«, entschuldigte sich Eréndira. Schlaftrunken hob sie die Suppenschüssel auf und machte sich ans Entfernen der Flecken auf dem Teppich.

»Laß nur«, riet die Großmutter. »Wasch sie heute nachmittag ab.«

So hatte Eréndira neben ihren üblichen Nachmittagsbeschäftigungen auch noch den Eßzimmerteppich zu säubern, und da sie einmal in der Waschküche war, nutzte sie die Gelegenheit, auch die Montagswäsche zu waschen, während der Wind ums Haus fegte und einen Winkel suchte, um hineinzuschlüpfen. Sie hatte so viel zu tun, daß die Nacht sie überfiel, ohne daß sie es merkte, und als sie den Teppich wieder ins Eßzimmer legte, war es Schlafenszeit.

Die Großmutter hatte den ganzen Nachmittag auf dem Klavier geklimpert und sich dazu die Chansons ihrer Zeit im Falsett vorgesungen, und noch immer hingen an ihren Lidern moschusfarbene Tränen. Doch als sie sich mit ihrem Musselinhemd ins Bett legte, hatte sie sich von der Bitternis ihrer schönen Erinnerungen erholt.

»Nutz den Tag morgen, um auch den Wohnzimmerteppich zu säubern«, sagte sie zu Eréndira. »Der hat nämlich seit den Zeiten des Lärms die Sonne nicht mehr gesehen.«

»Ja, Großmutter«, antwortete das Mädchen.

Sie ergriff einen Federfächer und begann die unerbittliche Matrone zu fächeln, die den nächtlichen Befehlskodex aufsagte, während sie in Schlaf sank.

»Bügle die ganze Wäsche, bevor du zu Bett gehst, damit du reinen Gewissens schläfst.«

»Ja, Großmutter.«

»Sieh mir gut die Kleiderschränke durch, denn in windigen Nächten haben die Motten mehr Hunger.«

»Ja, Großmutter.«

»In der restlichen Zeit stellst du die Blumen in den Innenhof hinaus, damit sie Luft kriegen.«

»Ja, Großmutter.«

»Und gib dem Vogel Strauß sein Futter.«

Sie war eingeschlafen, erteilte jedoch ihre Befehle weiter, denn von ihr hatte die Enkelin die Tugend geerbt, im Schlaf weiterzuleben. Eréndira ging aus dem Zimmer, ohne Lärm zu machen und verrichtete die letzten Nachtpflichten, während sie weiter die Anordnungen der eingeschlafenen Großmutter bestätigte.

»Gib den Gräbern zu trinken.«

»Ja, Großmutter.«

»Bevor du dich hinlegst, denk daran, daß alles in bester Ordnung sein muß, denn die Dinge leiden sehr, wenn man sie zum Schlafen nicht an ihren Platz stellt.«

»Ja, Großmutter.«

»Und wenn die Amadise kommen, sag ihnen, sie sollen nicht hereinkommen«, sagte die Großmutter, »weil Porfirio Galáns Bande nur darauf wartet, sie unzulegen.«

Eréndira antwortete ihr nicht mehr, denn sie wußte, daß sie sich in Träumen zu verirren begann, übersprang jedoch keinen einzigen Befehl. Als sie die Fensterriegel überprüft und die letzten Lichter gelöscht hatte, nahm Eréndira einen Kandelaber aus dem Eßzimmer und leuchtete sich bis in ihr Schlafzimmer, während die Pausen des Windes sich mit dem friedlich-gewaltigen Atem der schlafenden Großmutter füllten.

Ihr Zimmer war auch luxuriös, wenn auch weniger luxuriös ausgestattet als das der Großmutter und vollgestopft mit den Stoffpuppen und Aufziehtieren ihrer jüngsten Kindheit. Überwältigt von der unmenschlichen Kraftanstrengung des Tags, verspürte Eréndira keine Lust, sich zu entkleiden, sondern stellte den Kandelaber auf den Nachttisch und fiel ins Bett. Bald darauf stob der Wind ihres Unglücks ins Zimmer wie eine Meute Hunde und kippte den Kandelaber gegen die Vorhänge.

Als es tagte und der Wind endlich aufhörte, begannen ein paar einzelne dicke Regentropfen zu fallen, die die letzte Glut löschten und die rauchende Asche des Hauses verkrusteten. Die Leute vom Dorf, meist Indios, machten sich daran, die Überreste des Unheils zu retten: die verkohlte Leiche des Vogels Strauß, das Gerippe des vergoldeten Klaviers, den Torso einer Statue. Die Großmutter betrachtete mit undurchdringlicher Niedergeschlagenheit die Abfälle ihres Vermögens. Eréndira, zwischen den Gräbern der Amadise hockend, hatte aufgehört zu weinen. Als die Großmutter sich davon überzeugt hatte, daß wenige Dinge unter den Ruinen unversehrt geblieben waren, blickte sie die Enkelin mit aufrichtigem Bedauern an.

»Armes Kind«, seufzte sie. »Dein Leben wird nicht lang genug sein, um mir diesen Verlust zu bezahlen.«

Noch am selben Tag begann sie, sich im Regengeprassel den Verlust zurückzahlen zu lassen, als sie Eréndia zum Krämer des Dorfes mitnahm, einem knochenmageren, frühzeitigen Witwer, der in der Wüste dafür bekannt war, daß er gute Preise für Jungfräulichkeit zahlte. Angesichts der kaltblütigen Erwartung der Großmutter musterte der Witwer Eréndira mit wissenschaftlicher Strenge: er schätzte die Kraft ihrer Muskeln ab, den Umfang ihrer Brüste, den Durchmesser ihrer Hüften. Er sagte kein Wort, bevor er ihren Wert errechnet hatte.

»Sie ist noch sehr grün«, sagte er dann. »Sie hat die Zitzen einer Hündin.«

Dann hieß er sie auf eine Waage steigen, um seinen Urteilsspruch mit Zahlen zu erhärten. Eréndira wog 42 Kilo.

»Sie ist nicht mehr wert als hundert Pesos«, sagte der Witwer.

Die Großmutter war empört.

»Hundert Pesos für ein vollkommen neues Geschöpf!« schrie sie. »Nein, Mann, das hieße ja, die Tugend völlig mißachten.«

»Ich gehe bis hundertfünfzig«, sagte der Witwer.

»Das Kind hat mir einen Schaden von über einer Million Pesos verursacht«, sagte die Großmutter. »Bei dem Tempo braucht sie etwa zweihundert Jahre, um mich zu entschädigen.«

»Zum Glück«, sagte der Witwer, »ist das einzig Gute, was sie hat, ihr Alter.«

Das Unwetter drohte das Haus aus den Angeln zu heben, und das Dach hatte so viele Löcher, daß es drinnen fast so heftig regnete wie draußen. Die Großmutter fühlte sich allein in einer Welt des Unheils.

»Gehen Sie wenigstens bis dreihundert«, sagte sie.

»Zweihundert Pesos.«

Schließlich einigten sie sich auf zweihundertzwanzig Pesos in bar und einige Eßwaren. Dann bedeutete die Großmutter Eréndira, mit dem Witwer zu gehen, und dieser führte sie an der Hand zum Laden, als begleite er sie in die Schule.

»Ich warte hier auf dich«, sagte die Großmutter.

»Ja, Großmutter«, sagte Eréndira.

Der Laden war eine Art Schuppen mit vier Backsteinsäulen, einem Dach aus verfaulten Palmblättern und einer einen Meter hohen Lehmziegelmauer, über die das Tosen des Unwetters ins Haus drang. Auf der Einfassung aus Lehmziegeln standen Töpfe mit Kakteen und anderen Pflanzen der Dürre. Zwischen zwei Säulen hing, flatternd wie das lose Segel einer treibenden Schaluppe, eine ausgebleichte Hängematte. Über das Pfeifen des Sturms und das Geprassel des Wassers hinweg waren ferne Schreie zu hören, das Gebrüll flüchtender Tiere, die Stimmen Schiffbrüchiger.

Als Eréndira und der Witwer unter das Dach des Schuppens

traten, mußten sie einander stützen, um nicht von einem Regenguß, der sie bis auf die Haut durchnäßte, umgerissen zu werden. Ihre Stimmen waren nicht zu hören, ihre Bewegungen wurden vom Krachen des Wirbelsturms verzerrt. Beim ersten Versuch des Witwers schrie Eréndira unhörbar und versuchte zu entkommen. Der Witwer antwortete ihr ohne Stimme, verrenkte ihr den Arm am Handgelenk und zerrte sie zur Hängematte. Sie wehrte sich, indem sie ihm das Gesicht zerkratzte und wieder schweigend schrie, und er antwortete mit einer feierlichen Ohrfeige, die sie vom Erdboden hob und einen Augenblick in der Luft schweben ließ, so daß ihr langes Medusenhaar durch den Raum wogte, er faßte sie um die Taille, bevor sie wieder die Erde berührte, schleuderte sie mit einem brutalen Stoß in die Hängematte und lähmte sie mit dem Druck seiner Knie. Nun erlag Eréndira dem Schrecken, verlor das Bewußtsein und war wie gebannt von den Mondfransen eines Fischs, der durch die Luft des Unwetters segelte, während der Witwer sie nackt auszog, ihr die Kleider mit behäbigen Tatzenhieben vom Leib reißend, wie man Unkraut ausreißt, und diese in lange farbige Streifen zerfetzte, die wie Schlangen im Wind davonflatterten.

Als im Dorf kein Mann mehr übrig war, der etwas für Eréndiras Liebe hätte zahlen können, entführte die Großmutter sie in einem Lastwagen in die Jagdgründe der Schmuggler. Sie unternahm die Reise auf dem offenen Fuhrwerk zwischen Reissäcken und Butterbüchsen und den Überbleibseln des Brandes: dem Kopfende der vizeköniglichen Bettstatt, einem Kriegsengel, dem versengten Thron und anderem unbrauchbaren Plunder. In einer Truhe mit zwei dickpinselig aufgemalten Kreuzen reisten die Gebeine der Amadise mit.

Die Großmutter schützte sich gegen die ewige Sonne mit einem zerfransten Regenschirm und atmete schwer wegen der Marter aus Schweiß und Staub, doch auch in diesem mißlichen Zustand bewahrte sie die Selbstzucht ihrer Würde. Hinter den gestapelten Büchsen und Reissäcken zahlte Eréndira die Reise und den Transport des Mobiliars, indem sie dem

Lastträger des Wagens Liebe zum Stückpreis von zwanzig Pesos gab. Anfangs verteidigte sie sich nach demselben System, mit dem sie sich gegen den Witwer zur Wehr gesetzt hatte. Doch der Lastträger ging anders vor, langsam und bedächtig, schließlich zähmte er sie durch Zärtlichkeit. Als sie daher nach einer tödlichen Tagesreise im ersten Dorf anlangten, ruhten Eréndira und der Lastträger aus von der guten Liebe hinter der Brustwehr der Ladung. Der Lastwagenfahrer schrie der Großmutter zu: »Von hier ab ist bereits alles Welt.«

Ungläubig betrachtete die Großmutter die erbärmlichen, einsamen Gassen eines etwas größeren, jedoch ebenso trostlosen Dorfes wie des verlassenen.

»Man merkt es nicht«, sagte sie.

»Es ist Missionsgebiet«, sagte der Fahrer.

»Mich interessiert nicht die Nächstenliebe, sondern nur der Schmuggel«, sagte die Großmutter.

Während sie hinter der Ladung dem Gespräch zuhörte, bohrte Eréndira mit dem Finger einen Reissack an. Sie fand bald einen Faden, zupfte daran und zog ein langes Halsband aus echten Perlen heraus. Sie hielt es wie eine tote Schlange in den Fingern und betrachtete es erschrocken, während der Fahrer der Großmutter erwiderte: »Träumen Sie nicht im Wachen, Señora. Es gibt keine Schmuggler.«

»Wieso nicht?« sagte die Großmutter. »Erklären Sie mir das!«

»Suchen Sie sie, und Sie werden sehen«, scherzte der Fahrer gutgelaunt. »Alle Welt spricht von ihnen, aber niemand sieht sie.«

Der Lastträger merkte, daß Eréndira das Halsband herausgezogen hatte, nahm es ihr eilends ab und steckte es wieder in den Reissack. Nun rief die Großmutter, die trotz der Armut des Dorfes zu bleiben beschlossen hatte, ihre Enkelin, um sich beim Aussteigen helfen zu lassen. Eréndira verabschiedete sich mit einem hastigen, doch unmittelbaren, gutgezielten Kuß vom Lastträger.

Die Großmutter wartete sitzend auf dem Thronsessel mitten auf der Gasse, bis die Fracht abgeladen war. Das letzte war die Truhe mit den sterblichen Resten der Amadise.

»Das wiegt wie ein Toter«, lachte der Fahrer.

»Es sind zwei«, sagte die Großmutter. »Also behandeln Sie sie mit gebührendem Respekt.«

»Ich wette, es sind zwei Elfenbeinstatuen«, lachte der Fahrer.

Er stellte die Truhe mit den Gerippen irgendwie zwischen die versengten Möbel und streckte der Großmutter die offene Handfläche entgegen.

»Fünfzig Pesos«, sagte er.

Die Großmutter deutete auf den Lastträger.

»Hat Ihr Sklave bereits freiwillig bezahlt.«

Der Fahrer blickte erstaunt seinen Gehilfen an, und dieser machte ein zustimmendes Zeichen. Er stieg wieder auf seinen Sitz ins Fahrerhaus, wo eine Frau in Trauerkleidung mit einem vor Hitze schreienden Säugling mitfuhr. Der Lastträger sagte höchst selbstsicher zur Großmutter: »Eréndira fährt mit mir, sofern Sie nichts anderes befehlen. Ich meine es ernst.«

Entsetzt warf das Mädchen ein: »Ich habe nichts gesagt!«

»Ich sage ja, daß es meine Idee war«, sagte der Lastträger.

Die Großmutter musterte ihn von oben bis unten ohne Geringschätzung, nur um das wahre Ausmaß seines Schneids zu ermessen.

»Meinetwegen«, sagte sie, »wenn du mir bezahlst, was ich durch ihre Unvorsichtigkeit verloren habe. Es sind achthundertundzweiundsiebzigtausenddreihundertfünfzehn Pesos weniger vierhundertundzwanzig, die sie mir bereits bezahlt hat, das heißt: achthunderteinundsiebzigtausendachthundertfünfundneunzig.«

Der Lastwagen fuhr an.

»Glauben Sie mir, ich würde Ihnen diesen Haufen Geld geben, wenn ich ihn hätte«, sagte der Lastträger ernst. »Die Kleine ist ihn wert.«

Der Großmutter gefiel die Entschlossenheit des jungen Mannes.

»Dann komm wieder, wenn du sie hast, Sohn«, erwiderte sie in leutseligem Ton. »Doch schau, wenn wir die Rechnung nochmal aufstellen, schuldest du mir zehn weitere Pesos.«

Der Lastträger sprang auf die Ladefläche des Wagens, der sich entfernte. Von dort aus winkte er Eréndira ein Lebewohl zu, doch sie war noch so verschreckt, daß sie nicht zurückwinkte.

Auf dem leeren Gelände, wo der Lastwagen sie abgesetzt hatte, bauten Eréndira und die Großmutter sich ein Behelfszelt aus Blechplatten und Resten asiatischer Teppiche. Sie breiteten zwei Matten auf den Fußboden und schliefen darauf so gut wie einst im Herrenhaus, bis die Sonne Löcher im Dach öffnete und ihnen aufs Gesicht brannte.

Im Gegensatz zu sonst war es die Großmutter, die an diesem Morgen daran ging, Eréndira herzurichten. Sie bemalte ihr das Gesicht im Stil grabartiger Schönheit, der in ihrer Jugend Mode gewesen war, und vollendete ihr Werk mit künstlichen Wimpern und einer Schleife aus Organdy, die einem Falter auf Eréndiras Kopf glich.

»Du siehst grausig aus«, gab sie zu, »aber es ist besser so: die Männer sind sehr primitiv in Weibersachen.«

Beide erkannten die Tritte der Maulesel im Zunder der Wüste, lange bevor sie sie sehen konnten. Auf einen Befehl der Großmutter lehnte Eréndira sich auf ihr Bündel wie ein Theaterlehrling beim Aufgehen des Vorhangs. Auf ihren Bischofsstab gestützt, verließ die Großmutter ihre Blechbude und nahm in Erwartung der Maulesel Platz auf ihrem Thron.

Der Postbote näherte sich. Wenn auch durch seinen Beruf gealtert, war er nicht älter als zwanzig Jahre und trug einen Anzug aus Khaki, Gamaschen, Korkhelm und eine Militärpistole im Patronengürtel. Er ritt einen guten Maulesel und führen einen zweiten, weniger kräftigen am Zügel, auf dem sich die Postsäcke aus Jute stapelten.

Als er an der Großmutter vorüberritt, hob er die Hand zum Gruß und ritt weiter. Doch sie gab ihm ein Zeichen, er solle einen Blick in das Blechzelt werfen. Der Mann hielt an und sah Eréndira in ihrer posthumen Bemalung und einem maulbeerfarben gestreiften Kleid auf der Matte liegen.

»Gefällt sie dir?« fragte die Großmutter.

Der Postbote verstand zunächst nicht, was man ihm vorschlug.

»Ungefrühstückt ist sie nicht übel«, lächelte er.

»Fünfzig Pesos«, sagte die Großmutter.

»Junge Junge, das ist ja ein Vermögen«, sagte er. »So viel kostet mich mein Essen im ganzen Monat.«

»Sei nicht so geizig«, sagte die Großmutter. »Der Luftpostbote wird besser bezahlt als ein Pfarrer.«

»Ich bin von der Landpost«, sagte der Mann. »Der von der Luftpost fährt im Lieferwagen.«

»Jedenfalls ist Liebe so wichtig wie Essen«, sagte die Großmutter.

»Sie ernährt aber nicht.«

Die Großmutter begriff, daß einem Mann, der von überspannten Hoffnungen lebte, zuviel Zeit zum Feilschen blieb.

»Wieviel hast du?« fragte sie ihn.

Der Postbote saß ab, zog aus der Tasche ein paar zerfledderte Scheine und zeigte sie der Großmutter. Sie packte sie alle mit einem einzigen habgierigen Griff, als seien sie ein Ball.

»Ich mach' dir's billiger«, sagte sie. »Aber unter einer Bedingung: daß du überall Reklame machst.«

»Bis ans andere Ende der Welt«, sagte der Postbote. »Darauf verstehe ich mich.«

Eréndira, die nicht hatte blinzeln können, nahm sich die künstlichen Wimpern ab und rückte auf der Matte zur Seite, um dem Zufallsbräutigam Platz zu machen. Sobald er im Blechzelt war, schloß die Großmutter den Eingang mit einem energischen Ruck des Schiebevorhangs.

Es war eine wirkungsvolle Vereinbarung. Von der Reklame des Postboten angelockt, kamen Männer von weither, um Eréndira, die Neuigkeit, kennenzulernen. Nach den Männern kamen die Lotterietische und Imbißstände, und nach all dem kam ein radfahrender Photograph, der vor dem Lagerplatz auf einem Stativ seine Kamera mit Trauerärmel aufstellte, dazu einen Hintergrund mit einem See und kraftlosen Schwänen.

Die Großmutter, die sich auf ihrem Thronsitz fächelte, schien ihrem eigenen Jahrmarkt entrückt. Sie interessierte einzig die Schlange der Kunden, die darauf warteten, an die Reihe zu kommen, sowie der genaue Anzahlungsbetrag, den sie vor dem Betreten von Eréndiras Zelt zu entrichten hatten. Anfangs war sie so streng gewesen, daß sie einen guten Kunden zurückwies, nur weil ihm fünf Pesos fehlten. Doch im Verlauf der Monate begriff sie die Lehren der Wirklichkeit und gestattete schließlich, daß die Bezahlung mit Heiligenmedaillons ausgeglichen wurde, mit Familienreliquien, mit Eheringen und allem, was ihren Zähnen beweisen konnte, daß es auch ohne Glanz hochkarätiges Gold war.

Nach einem langen Aufenthalt in diesem ersten Dorf besaß die Großmutter genug Geld, um einen Esel zu kaufen, und zog sich in die Wüste zurück auf der Suche nach anderen günstigeren Ortschaften, um die Schuld einzutreiben. Sie reiste auf einer Sänfte, die behelfsmäßig auf dem Esel befestigt war und schützte sich gegen die regungslose Sonne mit einem zerfledderten Schirm, den Eréndira über ihren Kopf hielt. Hinter ihr trabten vier Indiolastträger mit den Besitztümern: den Schlafmatten, dem restaurierten Thronsessel, dem Alabasterengel und der Truhe mit den sterblichen Resten der Amadise. Der Photograph folgte der Karawane auf seinem Fahrrad, doch ohne sie je einzuholen, als reise er zu einem anderen Fest.

Seit dem Brand waren sechs Monate verstrichen, und die Großmutter hatte nun einen Gesamtüberblick über das Geschäft gewonnen.

»Wenn alles so weiterläuft«, sagte sie zu Eréndira, »wirst du mir die Schuld binnen acht Jahren, sieben Monaten und elf Tagen abbezahlt haben.«

Mit geschlossenen Augen wiederholte sie ihre Berechnungen, auf den Kernen herumkauend, die sie aus einem Faltenbeutel zog, in dem sie auch ihr Geld verwahrte, und berichtigte: »Natürlich ohne Berücksichtigung von Lohn und Verköstigung der Indios und anderer kleinerer Unkosten.«

Eréndira, die, übermannt von Hitze und Staub, mit dem Esel Schritt hielt, brachte gegen die Rechnung der Großmutter keine Einwände vor, mußte sich aber beherrschen, um nicht zu weinen.

»Ich habe kleingehacktes Glas in den Knochen«, sagte sie.

»Versuche zu schlafen.«

»Ja, Großmutter.«

Sie schloß die Augen, atmete tief einen Mundvoll sengendheißer Luft ein und schritt schlafend weiter.

Ein mit Käfigen beladener Lastwagen erschien und erschreckte Ziegenböcke im Staubgewirbel des Horizonts, und der Jubel der Vögel war ein Sprühregen frischen Wassers in der Sonntagsschläfrigkeit von Sankt Michael von der Wüste. Am Steuer saß ein beleibter holländischer Landwirt mit wettergefurchter Haut und eichhörnchenfarbenem Schnauzbart, den er von einem Urgroßvater geerbt hatte. Sein Sohn Ulysses, der auf dem Beifahrersitz reiste, war ein goldgelockter Jüngling mit einsamen Seefahreraugen und dem Aussehen eines heimlichen Engels. Die Aufmerksamkeit des Holländers wurde auf ein Feldzelt gelenkt, vor dem alle Soldaten der örtlichen Garnison Schlange standen. Sie hockten am Boden und tranken aus ein und derselben Flasche, die von Mund zu Mund ging, und hatten Mandelbaumzweige auf dem Kopf, als lägen sie für ein Überraschungsgefecht im Hinterhalt. Der Holländer fragte in seiner Sprache: »Was zum Teufel wird denn hier verkauft?«

»Eine Frau«, erwiderte sein Sohn in aller Natürlichkeit. »Sie heißt Eréndira.«

»Woher weißt du das?«

»Alle Welt weiß es in der Wüste«, erwiderte Ulysses.

Der Holländer stieg in dem kleinen Dorfhotel ab. Ulysses blieb im Lastwagen sitzen, öffnete mit bebenden Fingern eine Aktentasche, die sein Vater auf dem Sitz gelassen hatte, zog ein

Bündel Banknoten heraus, steckte mehrere in seine Tasche und legte alles wieder an seinen Platz. Als sein Vater in jener Nacht schlief, stieg er durchs Hotelfenster hinaus und stellte sich an den Schwanz der Schlange vor Eréndiras Zelt.

Das Fest war auf seinem Höhepunkt. Die betrunkenen Rekruten tanzten solo, um die Gratismusik nicht ungenutzt verhallen zu lassen, und der Photograph machte Nachtaufnahmen mit Magnesiumpapier. Während die Großmutter das Geschäft überwachte, zählte sie die Banknoten in ihrem Schoß; sie teilte sie in gleichgroße Bündel und schichtete sie in einen Korb. Zu diesem Zeitpunkt waren nicht mehr als zwölf Soldaten da, doch die Abendschlange hatte sich durch Zivilkunden verlängert. Ulysses war der letzte.

Nun kam ein Soldat von düsterem Aussehen an die Reihe. Die Großmutter versperrte ihm nicht nur den Weg, sondern vermied die Berührung mit seinem Geld.

»Nein, Sohn«, sagte sie. »Hier kommst du mir nicht herein, nicht um alles Geld des Mohrenkönigs. Du bringst Pech.«

Der Soldat, der nicht aus der Gegend stammte, war überrascht. »Was soll das heißen?«

»Daß du mit dem bösen Schatten ansteckst«, sagte die Großmutter. »Man braucht dir nur ins Gesicht zu sehen.«

Sie wies ihn ab, ohne ihn zu berühren, und ließ den nächsten Soldaten vortreten.

»Komm näher, Gefreiter«, sagte sie gutgelaunt. »Und halt dich nicht auf, das Vaterland braucht dich.«

Der Soldat trat ein, machte aber sofort kehrt, weil Eréndira mit der Großmutter sprechen wollte. Diese hing sich den Geldkorb über den Arm und betrat das Feldzelt, dessen Raum eng war, doch aufgeräumt und reinlich. Hinten, auf einem Leinenbett, vermochte Eréndira das Zittern ihres Körpers nicht zurückzuhalten, sie war geschunden und schmutzig vom Schweiß der Soldaten.

»Großmutter«, schluchzte sie. »Ich sterbe.«

Die Großmutter berührte ihre Stirn, und als sie feststellte, daß Eréndira kein Fieber hatte, suchte sie sie zu trösten.

»Es fehlen nur noch zehn Militärs«, sagte sie.

Eréndira brach in Tränen aus und pfiff wie ein erschrockenes Tier. Nun wußte die Großmutter, daß die Enkelin die Grenzen des Schreckens überwunden hatte, und half ihr, sich zu beruhigen, indem sie ihr den Kopf streichelte.

»Du bist eben schwach«, sagte sie. »Los, weine nicht mehr, nimm ein Salbeibad, damit sich dein Blut beruhigt.«

Sie verließ das Zelt, als Eréndira ruhiger wurde und gab dem wartenden Soldaten sein Geld zurück. »Für heute ist Schluß«, schrie sie den in der Schlange Wartenden zu: »Schluß, Jungens. Bis morgen um neun in der Früh.«

Soldaten und Zivilisten brachen mit Protestrufen aus der Reihe. Die Großmutter pflanzte sich gutwillig vor ihnen auf, schwenkte aber ernsthaft den vernichtenden Stab.

»Menschenschinder! Schlappschwänze!« schrie sie. »Ihr glaubt wohl, das Geschöpf ist aus Eisen. Ich möcht euch in ihrer Lage sehen. Schandbuben! Vaterlandslose Scheißkerle!«

Die Männer antworteten mit unflätigen Beschimpfungen, aber schließlich wurde sie des Aufruhrs Herr und hielt mit ihrem Stab Wache, bis alle mit den Bratfischtischen abgezogen und die Lotteriestände abgebaut waren. Sie wollte gerade zum Zelt zurückkehren, als sie Ulysses in voller Größe sah, allein in dem leeren dunklen Raum, den vorher die Schlange der Männer eingenommen hatte. Eine unwirkliche Aura umgab ihn, und nur der Glanz seiner Schönheit schien ihn in der Dämmerung sichtbar zu machen.

»Und du«, sagte die Großmutter. »Wo hast du deine Flügel gelassen?«

»Wer die hatte, war mein Großvater«, erwiderte Ulysses ganz natürlich. »Aber das will niemand glauben.«

Wieder musterte die Großmutter ihn mit verzauberter Aufmerksamkeit. »Ich glaube es dir«, sagte sie. »Zieh sie morgen an.«

Sie betrat das Zelt und ließ Ulysses leuchtend stehen, wo er stand.

Eréndira fühlte sich nach dem Bad wohler. Sie hatte einen

kurzen bestickten Unterrock angezogen und trocknete ihr Haar, um sich hinzulegen, hielt aber noch immer mühsam die Tränen zurück. Die Großmutter schlief.

Hinter Eréndiras Bett erschien sehr langsam Ulysses' Kopf. Sie sah seine ängstlichen, durchsichtigen Augen, doch bevor sie etwas sagte, rieb sie sich das Gesicht mit dem Handtuch, um sich zu beweisen, daß es keine Sinnestäuschung war. Als Ulysses zum ersten Mal blinzelte, fragte Eréndira mit ganz leiser Stimme: »Wer bist du?«

Ulysses zeigte sich bis zu den Schultern. »Ich heiße Ulysses«, sagte er. Er deutete auf die gestohlenen Banknoten und fügte hinzu: »Ich bringe das Geld.«

Eréndira legte die Hände aufs Bett, näherte ihr Gesicht dem von Ulysses und sprach mit ihm wie in einem Kleinkinderspiel weiter.

»Du hättest dich in die Schlange stellen sollen«, sagte sie.

»Ich habe die ganze Nacht gewartet«, sagte Ulysses.

»Denn jetzt mußt du bis morgen früh warten«, sagte Eréndira. »Mir ist so, als hätten sie mich in die Nieren getreten.«

In diesem Augenblick begann die Großmutter im Schlaf zu reden.

»Es wird zwanzig Jahre her sein, daß es zum letzten Mal geregnet hat«, sagte sie. »Es war ein so schrecklicher Sturm, daß der Regen mit Meerwasser vermischt fiel und das Haus morgens voll war von Fischen und Schnecken, und dein Großvater Amadis, er ruhe in Frieden, sah einen Johanniskäfer durch die Luft segeln.«

Ulysses versteckte sich wieder hinter dem Bett. Eréndira setzte ein belustigtes Lächeln auf.

»Ruhig Blut«, sagte sie. »Sie redet immer komisch, wenn sie schläft, aber kein Erdbeben weckt sie auf.«

Ulysses erschien von neuem. Eréndira betrachtete ihn mit verstohlenem, fast liebevollem Lächeln und zog von der Matte das gebrauchte Laken.

»Komm«, sagte sie, »hilf mir das Laken wechseln.«

Nun tauchte Ulysses hinter dem Bett auf und faßte das

Laken an einem Ende. Da das Laken viel größer war als die Matte, mußte sie es mehrmals falten. Nach jeder Falte stand Ulysses näher bei Eréndira.

»Ich war wild darauf, dich zu sehen«, sagte er plötzlich. »Alle Welt sagt, du seist sehr schön, und das ist wahr.«

»Aber ich werde sterben«, sagte Eréndira.

»Meine Mama sagt, wer in der Wüste stirbt, kommt nicht in den Himmel, sondern ins Meer«, sagte Ulysses.

Eréndira legte das schmutzige Laken beiseite und bedeckte die Matte mit dem sauberen, gebügelten.

»Ich kenne das Meer nicht«, sagte sie.

»Es ist wie die Wüste, aber mit Wasser«, sagte Ulysses.

»Dann kann man also nicht darauf gehen.«

»Mein Papa kannte einen Mann, der das konnte«, sagte Ulysses. »Aber das ist lange her.«

Eréndira war enzückt, wollte aber schlafen.

»Wenn du morgen ganz früh kommst, stell ich dich auf den ersten Platz«, sagte sie.

»Ich fahre in aller Frühe fort mit meinem Papa«, sagte Ulysses.

»Kommt ihr nicht wieder hier vorbei?«

»Wer weiß, wann«, sagte Ulysses. »Wir sind zufällig vorbeigekommen, weil wir uns auf dem Weg zur Grenze verirrt haben.«

Eréndira warf einen nachdenklichen Blick auf die Großmutter. »Gut«, entschied sie. »Gib mir das Geld.«

Ulysses gab es ihr. Eréndira legte sich aufs Bett, aber er blieb zitternd auf der Stelle stehen: im entscheidenden Augenblick war seine Entschlossenheit ins Wanken geraten. Eréndira faßte ihn an der Hand, damit er sich beeile, und erst jetzt merkte sie seine Verwirrung. Sie kannte diese Angst.

»Ist es das erste Mal?« fragte sie.

Ulysses antwortete nicht, setzte aber ein trostloses Lächeln auf. Eréndira änderte ihr Verhalten.

»Atme langsam«, sagte sie. »Am Anfang ist es immer so, nachher merkst du es gar nicht mehr.«

Sie zog ihn zu sich, und während sie ihn auszog, besänftigte sie ihn mit mütterlichen Mitteln. »Wie heißt du?«

»Ulysses.«

»Name eines Grünhorns«, sagte Eréndira.

»Nein, eines Seefahrers.«

Eréndira entblößte seine Brust, gab ihm Waisenküßchen, beschnupperte ihn. »Du scheinst ganz aus Gold zu sein«, sagte sie. »Aber du riechst nach Blumen.«

»Vermutlich nach Orangen«, sagte Ulysses.

Schon ruhiger geworden, zeigte er ein Verschwörerlächeln.

»Wir reisen mit vielen Vögeln, um abzulenken«, fügte er hinzu. »Aber zur Grenze nehmen wir Orangen zum Schmuggeln mit.«

»Orangen sind kein Schmuggel«, sagte Eréndira.

»Doch«, sagte Ulysses. »Jede kostet fünfzigtausend Pesos.«

Eréndira lachte zum ersten Mal seit langer Zeit.

»Was mir an dir am meisten gefällt«, sagte sie, »ist die Ernsthaftigkeit, mit der du diesen Unsinn erfindest.«

Sie war spontan und redselig geworden, als habe Ulysses' Unschuld nicht nur ihre Laune, sondern auch ihr Wesen verwandelt. Die Großmutter, in nächster Nähe des Verhängnisses, redete im Schlaf seelenruhig weiter.

»In jener Zeit, Anfang März, brachten sie dich ins Haus«, sagte sie. »Du glichst einer in Watte gewickelten Eidechse. Amadís, dein Vater, jung und schmuck, war an jenem Nachmittag so froh, daß er rund zwanzig mit Blumen beladene Ochsenkarren holen ließ und johlend und blumenwerfend durch die Gassen zog, bis das ganze Dorf vergoldet von Blumen war wie das Meer.«

Sie redete mehrere Stunden irr, mit lauter Stimme und steter Leidenschaft. Doch Ulysses hörte sie nicht, denn Eréndira hatte ihn so heftig und so echt begehrt, daß sie ihn, während die Großmutter irre redete, zum halben Preis von neuem begehrte und ohne Bezahlung weiter begehrte bis zum Morgengrauen.

Eine Gruppe Missionare mit hocherhobenen Kruzifixen hatte sich Schulter an Schulter mitten in der Wüste aufgepflanzt. Ein Wind, so wild wie der des Unglücks, rüttelte so an ihren Ordenskleidern aus Hanfkanevas und ihren zerzausten Bärten, daß sie sich kaum auf den Füßen halten konnten. Hinter ihnen lag das Missionshaus, ein koloniales Vorgebirge mit einem winzigen Glockenturm auf den rauhen gekalkten Mauern.

Der jüngste Missionar, der die Gruppe anführte, deutete mit dem Zeigefinger auf eine natürliche Spalte im glänzenden Tonschieferboden.

»Überschreitet nicht diesen Streifen«, schrie er.

Die vier Indioträger, die die Großmutter auf einem Tragsessel aus Brettern transportierten, blieben auf den Schrei hin stehen. Obgleich die Großmutter unbequem auf dem Bretterboden saß und ihr Kopf von Wüstenstaub und -schweiß benebelt war, hielt sie sich dank ihres Hochmuts aufrecht. Eréndira ging zu Fuß. Hinter dem Tragsessel marschierte eine Reihe aus acht Indioträgern, den Schwanz bildete der Photograph auf seinem Fahrrad.

»Die Wüste gehört niemand«, sagte die Großmutter.

»Sie gehört Gott«, sagte der Missionar, »und Ihr mit eurem schändlichen Schacher verletzt seine heiligen Gesetze.«

Nun erkannte die Großmutter die auf der Halbinsel übliche Umgangs- und Redeweise des Missionars und zog es vor, einen Zusammenstoß zu vermeiden, um nicht an seiner Unnachgiebigkeit zu scheitern. Und sagte in natürlichem Tonfall: »Ich verstehe deine Mysterien nicht, Sohn.«

Der Missionar deutete auf Eréndira.

»Dieses Geschöpf ist minderjährig.«

»Aber sie ist meine Enkelin.«

»Um so schlimmer«, erwiderte der Missionar. »Geben Sie sie freiwillig in unsere Obhut, oder wir werden zu anderen Mitteln greifen müssen.«

Die Großmutter ließ es nicht so weit kommen.

»Es ist gut, Dummkopf«, gab sie erschrocken nach. »Aber

früher oder später werde ich den Streifen überschreiten, du wirst's sehen.«

Drei Tage nach der Begegnung mit den Missionaren schliefen die Großmutter und Eréndira in einem Dorf in der Nähe des Klosters, als einige geheimnisvolle, stumme Körper wie ein Überfallkommando in das Feldzelt gerobbt kamen. Es waren sieben Indio-Novizinnen, kräftig und blutjung in ihren rohleinenen Ordenskleidern, die in den Mondböen zu schillern schienen. Ohne den geringsten Lärm zu verursachen, deckten sie Eréndira mit einem Moskitonetz zu, hoben sie auf, ohne sie zu wecken, und trugen sie fort wie einen großen, zerbrechlichen, in einem Mondnetz gefangenen Fisch.

Es gab kein Hilfsmittel, mit dem die Großmutter ihre Enkelin nicht dem Kuratel der Missionare zu entziehen versucht hätte. Erst als alle, von den rechtmäßigen bis hin zu den raffiniertesten, fehlgeschlagen waren, nahm sie ihre Zuflucht zur zivilen Amtsgewalt, die von einem Militär ausgeübt wurde. Sie traf ihn mit nacktem Oberkörper im Innenhof seines Hauses, wo er mit einem Armeegewehr auf eine dunkle einsame Wolke im glühenden Himmel schoß. Er versuchte sie zu durchlöchern, damit es regne, und seine Schießerei war erbittert und nutzlos, aber er legte die notwendige Pause ein, um die Großmutter anzuhören.

»Ich kann nichts mehr machen«, erklärte er, als er sie gehört hatte. »Die Paterchen haben in Übereinstimmung mit dem Konkordat das Recht, das Mädchen zu behalten, bis es volljährig ist. Oder bis es heiratet.«

»Und wozu hat man dann Sie als Bürgermeister?« fragte die Großmutter.

»Damit ich Regen mache«, sagte der Bürgermeister.

Dann, als er sah, daß die Wolke sich seiner Reichweite entzogen hatte, unterbrach er seine Berufspflichten und widmete der Großmutter seine uneingeschränkte Aufmerksamkeit.

»Was Sie brauchen, ist eine sehr gewichtige Persönlichkeit, die sich für Sie einsetzt«, sagte er. »Jemand, der für Ihre Moral und Ihre guten Sitten bürgt. Kennen Sie nicht den Senator Onésimo Sánchez?«

In der prallen Sonne auf einem für ihre himmelskörperhaften Hinterbacken zu schmalen Hocker sitzend, erwiderte die Großmutter mit feierlicher Wut: »Ich bin eine arme Frau in der Unermeßlichkeit der Wüste.«

Mit seinem hitzeverzerrten rechten Auge betrachtete der Bürgermeister sie mitleidig.

»Dann verlieren Sie keine Zeit mehr, Señora«, sagte er. »Dann ist sie zum Teufel.«

Sie war natürlich nicht zum Teufel. Die Großmutter schlug ihr Zelt vor dem Missionskloster auf und setzte sich zum Nachdenken nieder wie ein einsamer Krieger, der eine befestigte Stadt im Belagerungszustand hält. Der fahrende Photograph, der sie sehr gut kannte, lud seine Siebensachen auf den Gepäckständer und wollte allein abfahren, als er sie in der pallen Sonne sitzen sah, den Blick starr auf das Kloster gerichtet.

»Wollen mal sehen, wer zuerst müde wird«, sagte die Großmutter. »Die dort oder ich.«

»Die sind seit dreihundert Jahren da und halten es immer noch aus«, sagte der Photograph. »Ich gehe.«

Erst jetzt bemerkte die Großmutter das beladene Fahrrad.

»Wohin gehst du?«

»Wohin mich der Wind mitnimmt«, sagte der Photograph und fuhr ab. »Die Welt ist groß.«

Die Großmutter seufzte.

»Nicht so groß, wie du glaubst, Nichtswürdiger.«

Doch trotz ihres Grolls bewegte sie nicht den Kopf, um nicht den Blick vom Kloster zu wenden. Sie wandte ihn auch nicht ab während vieler Tage mineralischer Hitze, vieler Nächte verirrter Winde, viel Zeit der Meditation, in der niemand das Kloster verließ. Die Indios errichteten neben dem Zelt ein Palmendach und spannten darunter ihre Hängematten auf, aber die Großmutter, auf ihrem Thron schwankend und die rohen Getreidekerne aus ihrer Faltentasche mit der unüberwindbaren Trägheit eines ruhenden Rindes kauend, wachte bis in die späten Stunden.

Eines Nachts fuhr dicht neben ihr langsam eine Reihe bedeckter Lastwagen vorüber, deren einzige Beleuchtung bunte Lichtgirlanden waren, die ihnen das gespenstische Aussehen schlafwandelnder Altäre verlieh. Die Großmutter erkannte die Fahrzeuge sofort, denn sie glichen den Lastwagen der Amadise aufs Haar. Der letzte Lastzug blieb zurück, hielt an, und ein Mann sprang aus dem Fahrerhaus und machte sich an der Ladeplattform zu schaffen. Er schien ein Abbild der Amadise zu sein, mit seiner weitschwingenden Hutkrempe, hohen Stiefeln, zwei auf der Brust verschränkten Patronengürteln, einem Armeegewehr und zwei Pistolen. Von unwiderstehlicher Verlockung bezwungen, sprach die Großmutter den Mann an. »Weißt du nicht, wer ich bin?«

Der Mann leuchtete ihr mit einer elektrischen Taschenlampe erbarmungslos ins Gesicht. Betrachtete einen Augenblick das vom Lachen verwüstete Gesicht, die von Ermüdung erloschenen Augen, das welke Haar der Frau, die trotz ihres Alters, ihrer schlimmen Verfassung und des rohen Lichts im Gesicht hätte sagen können, sie sei die schönste auf der Welt gewesen. Als er sie lange genug gemustert hatte, um sicher zu sein, daß er sie gesehen hatte, schaltete er die Lampe aus.

»Das einzige, was ich mit aller Sicherheit weiß«, sagte er, »ist, daß Sie nicht die Mutter Gottes von den Heilmitteln sind.«

»Im Gegenteil«, sagte die Großmutter mit süßer Stimme. »Ich bin die Dame.«

Instinktiv legte der Mann die Hand an die Pistole.

»Welche Dame?«

»Die von Amadís dem Großen.«

»Dann sind Sie nicht von dieser Welt«, sagte er wachsam. »Was wollen Sie?«

»Daß ihr mir helft, meine Enkelin loszukaufen, die Enkelin von Amadís dem Großen, die Tochter von unserem Amadís, die in diesem Kloster gefangen sitzt.«

Der Mann bezwang seine Furcht.

»Sie haben sich in der Adresse getäuscht«, sagte er. »Wenn Sie glauben, daß wir imstande sind, uns in Gottes Belange einzumischen, sind Sie nicht die, die Sie zu sein behaupten, dann haben Sie weder die Amadise gekannt noch haben Sie die geringste Vorstellung, was Schmuggel ist.«

In jenem Morgengrauen schlief die Großmutter weniger als an den vorhergegangenen Tagen. Sie verbrachte die Stunden kauend, in einen Wollmantel gehüllt, während die Nachtzeit ihr Gedächtnis auf den Kopf stellte und die verdrängten Wahnideen nach einem Ausweg rangen, obwohl sie wach war und die Hand aufs Herz pressen mußte, damit die Erinnerung an ein Haus am Meer mit großen bunten Blumen, in dem sie glücklich gewesen war, sie nicht erstickte. So verharrte sie, bis die Klosterglocke läutete und die ersten Lichter in den Fenstern aufleuchteten und die Wüste sich mit dem Geruch von warmem Frühmettenbrot sättigte. Erst dann überließ sie sich der Müdigkeit, von der Selbsttäuschung genarrt, daß Eréndira aufgestanden sei und einen Weg suche, um zu entkommen und zu ihr zurückzukehren.

Eréndira hingegen verlor nicht eine Nacht des Schlafs, seit sie ins Kloster gebracht worden war. Sie hatten ihr das Haar mit einer Baumschere geschnitten, bis ihr Kopf einer Bürste glich, sie hatten ihr den rohen Leinenüberrock angezogen und ihr einen Eimer mit Kalkwasser und einen Schrubber in die Hand gedrückt, damit sie die Stufen der Treppen jedesmal kalkte, wenn jemand darübergegangen war. Das war eine Mauleselarbeit, denn es herrschte ein unablässiges Treppauf-Treppab mit Lehm beschmutzter Missionare und lasttragender Novizinnen, doch Eréndira empfand es nach der tödlichen Bettgaleere als einen ewigen Sonntag. Überdies war sie bei Einbruch der Nacht nicht die einzige Erschöpfte, denn das Kloster war nicht dem Kampf gegen den Teufel, sondern dem Kampf gegen die Wüste geweiht. Eréndira hatte die eingeborenen Novizinnen gesehen, wie sie die Kühe mit Genickstößen zähmten, um sie in die Ställe zu schaffen, wie sie ganze

Tage auf den Brettern hüpften, um Käse auszupressen, wie sie den Ziegen bei einer schwierigen Geburt halfen. Sie hatte sie wie wetterfeste Stauer schwitzen sehen, wenn sie Wasser aus dem Brunnen pumpten und mit Muskelkraft einen widerwilligen Gemüsegarten bewässerten, den andere Novizinnen mit der Spitzhacke beackert hatten, um Gemüse im Feuerstein der Wüste anzupflanzen. Sie hatte die irdische Hölle der Brotbacköfen und die Bügelzimmer gesehen. Sie hatte eine Nonne gesehen, die ein Schwein durch den Innenhof hetzte, sah sie an seine Ohren geklammert mitsamt dem widerspenstigen Schwein ausrutschen und sich im Schlamm wälzen, ohne es loszulassen, bis zwei Novizinnen mit Lederschürzen ihr halfen, mit dem Tier fertig zu werden, und eine von ihnen stach es mit einem Metzgermesser ab, und alle wurden mit Blut und Schlamm besudelt. Sie hatte im Nebenpavillon des Hospitals die schwindsüchtigen Nonnen in ihren Leichenhemdchen gesehen, die auf Gottes letzten Befehl warteten und dabei auf den Terrassen Hochzeitslaken stickten, während die Männer der Missionsstation in der Wüste predigten. Eréndira lebte in ihrem Halbschatten, entdeckte andere Formen der Schönheit und des Schreckens, die sie sich in der engen Welt des Betts nie vorgestellt hatte, doch weder den rücksichtslosesten noch den einschmeichelndsten Novizinnen war es gelungen, auch nur ein Wort aus ihr herauszubringen, seit sie ins Kloster verschleppt worden war. Eines Morgens, als sie den Kalk im Eimer mit Wasser vermischte, hörte sie Saitenmusik, die einem noch durchscheinenderen Licht im Wüstenlicht glich. Von dem Wunder gebannt, drang sie bis in einen riesigen leeren Saal mit nackten Wänden und großen Fenstern vor, durch die die betörende Junihelligkeit hereinströmte, und verharrte und sah in der Mitte des Saals eine schöne Nonne, die sie nie zuvor gesehen hatte und die auf dem Cembalo ein Osteroratorium spielte. Eréndira lauschte unbeweglich der Musik, zuinnerst gespannt, bis es zum Essen läutete. Nach dem Mittagessen, während sie die Treppe mit der Espartograsbürste weißte, warte sie, bis alle Novizinnen die Treppen hinauf- und hinuntergelaufen waren und blieb allein, wo niemand sie hören konnte, und nun sprach sie zum ersten Mal, seit sie das Kloster betreten hatte.

»Ich bin glücklich«, sagte sie.

So schwanden der Großmutter die Hoffnungen, Eréndira könne fliehen, um zu ihr zurückzukehren, und dennoch hielt sie ihren granitharten Belagerungszustand bis zum Pfingstsonntag aufrecht, ohne einen Entschluß zu fassen. Zu jener Zeit durchsuchten die Missionare die Wüste nach schwangeren Konkubinen, um diese zu verheiraten. Sie drangen in einem altersschwachen Kleinlastwagen bis in die weltvergessensten Hüttensiedlungen vor, begleitet von vier gutbewaffneten Armeesoldaten und einer Truhe voller Schund. Das Schwierigste an dieser Indiojagd war, die Weiber zu überzeugen, die sich gegen die göttliche Gnade mit der wahrheitsgetreuen Beweisführung verteidigten, daß die Männer, während sie selber erschöpft in ihren Hängematten schliefen, sich das Recht nähmen, den gesetzmäßigen Ehefrauen eine rauhere Arbeit zuzumuten als den Konkubinen. Es galt, die Weiber mit Täuschungsmanövern zu verführen, so mischte man in den Saft ihrer eigenen Sprache Gottes Willen, damit sie ihn als weniger hart empfanden, doch sogar die durchtriebensten ließen sich schließlich vom Flitter eines Paares Ohrringe überzeugen. Sobald die Missionare die Zustimmung der Frau erhalten hatten, zerrten sie die Männer mit Kolbenstößen aus ihren Hängematten und luden sie gefesselt auf den Lastwagen, um sie gewaltsam zu verheiraten.

Mehrere Tage hindurch sah die Großmutter den Kleinlastwagen mit schwangeren Indiofrauen aufs Kloster zufahren, fand dabei aber nicht den für sie günstigen Augenblick. Der kam am Pfingstsonntag, als sie das Feuerwerk und Glockengebimmel hörte, die armselige und doch so fröhliche Menschenmenge zum Fest schreiten sah und in den Menschenmengen schwangere Frauen mit Brautschleier und -kränzchen am Arm ihrer Zufallsehemänner, die durch die Kollektivhochzeit ihre rechtmäßigen Männer werden würden.

Unter den letzten Männern des Zugs schritt ein junger Mann in Lumpen mit unschuldigem Herzen und einem wie ein Tomatenkürbis geschorenen Indiokopf, der eine Osterkerze mit seidener Schleife hielt. Die Großmutter rief ihn zu sich.

»Sag mal, Sohn«, fragte sie mit ihrer lieblichsten Stimme. »Was suchst du in diesem Rummel?«

Der junge Mann mit seiner Kerze fühlte sich eingeschüchtert, und es fiel ihm schwer, die Lippen über seinen Eselszähnen zu schließen.

»Die Paterchen schicken mich zur ersten Kommunion«, sagte er.

»Wieviel haben sie dir bezahlt?«

»Fünf Pesos.«

Die Großmutter zog aus ihrer Faltentasche ein Bündel Banknoten, die der junge Mann verwundert anstarrte. »Ich will dir zwanzig geben«, sagte die Großmutter. »Aber nicht, damit du zur ersten Kommunion gehst, sondern damit du heiratest.«

»Aber wen denn?«

»Meine Enkelin.«

So heiratete Eréndira im Innenhof des Klosters, im Häftlingsrock und einer Spitzenmantille, die ihr die Novizinnen geschenkt hatten, ohne daß sie überhaupt wußte, wie der Ehemann hieß, den die Großmutter ihr gekauft hatte. Sie erduldete mit unsicherer Hoffnung die Qual des Kniens auf dem Kalkboden, den Ziegenbock-Pestgestank der zweihundert schwangeren Bräute, die Strafe des in regloser Sommerhitze lateinisch geleierten Apostelbriefs, denn die Missionare hatten keinen Ausweg gefunden, sich der List der unvorhergesehenen Hochzeit zu widersetzen, noch beabsichtigten sie, einen letzten Versuch zu unternehmen, Eréndira im Kloster zu halten. Dennoch: nach Abschluß der Zeremonie und in Anwesenheit des Apostolischen Priors, des Militärrichters, der auf Wolken feuerte, ihres neugebackenen Ehemanns und ihrer gleichgültigen Großmutter fand Eréndira sich von neuem unter dem Zauberbann, der sie seit ihrer Geburt beherrscht hatte. Als man sie fragte, was ihr freier, wahrhaftiger und endgültiger Wille sei, ließ sie nicht einmal einen Seufzer des Zauderns vernehmen. »Ich will fort«, sagte sie. Und erläuterte, auf den Ehemann deutend: »Aber ich gehe nicht mit ihm, sondern mit meiner Großmutter.«

Ulysses hatte den ganzen Nachmittag bei dem Versuch vertan, eine Orange aus der Pflanzung seines Vaters zu stehlen, doch der hatte ihn nicht aus den Augen gelassen, während die kranken Bäume beschnitten wurden, und seine Mutter hatte ihn vom Haus aus beobachtet. Daher gab er sein Vorhaben auf, zumindest für diesen Tag, und half seinem Vater, wohl oder übel, bis die letzten Orangenbäume gestutzt waren.

Die ausgedehnte Pflanzung lag verschwiegen und versteckt, und das blechgedeckte Holzhaus hatte kupferne Fliegenfenster und eine säulengestützte Terrasse mit üppig blühenden primitiven Pflanzen. Ulysses' Mutter lag in einem Wiener Schaukelstuhl auf der Terrasse, geräucherte Blätter an den Schläfen, um ihre Kopfschmerzen zu lindern, und ihr reinrassiger Indioblick verfolgte wie eine unsichtbare Lichtgarbe die Bewegungen ihres Sohnes bis in die verborgensten Winkel der Orangenpflanzung. Sie war sehr schön, viel jünger als ihr Mann, und trug nicht nur noch immer das lange Frauenkleid ihres Stammes, sondern kannte auch die ältesten Geheimnisse ihres Blutes.

Als Ulysses mit den Baumscheren ins Haus zurückkehrte, bat seine Mutter ihn um ihre Vieruhrmedizin, die auf einem Tischchen in der Nähe stand. Glas und Fläschchen veränderten die Farbe, sobald er sie berührte. Dann faßte er aus reinem Mutwillen einen Kristallkrug an, der mit anderen Gläsern auf dem Tisch stand, und auch der Krug wurde blau. Seine Mutter beobachtete ihn, während sie die Medizin einnahm, und als sie sicher war, daß sie wegen ihrer Schmerzen nicht delirierte, fragte sie in der Guajiro-Sprache: »Seit wann passiert dir das?«

»Seit wir aus der Wüste zurückgekommen sind«, sagte Ulysses gleichfalls auf Guajiro. »Aber nur mit Glas.«

Um es zu beweisen, berührte er nacheinander die Gläser, die auf dem Tisch standen, und alle wechselten die Farbe auf verschiedene Weise.

»Diese Dinge passieren nur aus Liebe«, sagte die Mutter.

»Wer ist es?«

Ulysses antwortete nicht. Sein Vater, der Guajiro nicht verstand, kam in diesem Augenblick mit einem Büschel Orangen auf die Terrasse.

»Wovon sprecht ihr?« fragte er Ulysses auf holländisch.

»Von nichts Besonderem», erwiderte Ulysses.

Ulysses' Mutter verstand kein Holländisch. Als ihr Mann im Haus verschwunden war, fragte sie ihren Sohn auf guajiro: »Was hat er zu dir gesagt?«

»Nichts Besonderes«, sagte Ulysses.

Er hatte seinen Vater beim Betreten des Hauses aus den Augen verloren, sah ihn aber gleich darauf durch ein Fenster des Büros wieder. Die Mutter wartete, bis sie allein mit Ulysses war und wiederholte beharrlich: »Sag mir, wer es ist.«

»Es ist niemand«, sagte Ulysses.

Er hatte unaufmerksam geantwortet, weil er die Bewegungen seines Vaters im Büro beobachtete. Er hatte ihn die Orangen auf den Geldschrank legen sehen, um den Kombinationsschlüssel einzustellen. Doch während Ulysses seinen Vater beobachtete, beobachtete ihn seine Mutter.

»Du ißt seit langem kein Brot mehr«, bemerkte sie.

»Es schmeckt mir nicht.«

Sofort wurde das Gesicht seiner Mutter ungewöhnlich lebhaft. »Gelogen«, sagte sie. »Es schmeckt dir nicht, weil du unglücklich verliebt bist, und die, denen es so geht, können kein Brot essen.« Ihre Stimme war wie ihre Augen nicht mehr flehend, sondern drohend.

»Sag mir lieber, wer es ist«, sagte sie, »oder ich verpasse dir gewaltsam Reinigungsbäder.«

Im Büro öffnete der Holländer den Geldschrank, legte die Orangen hinein und verschloß wieder die Panzertür. Jetzt wandte Ulysses sich vom Fenster ab und antwortete ungeduldig seiner Mutter. »Ich hab' dir gesagt, daß es nichts ist«, sagte er. »Wenn du mir nicht glaubst, frag meinen Vater.«

Der Holländer, seine zerlesene Bibel unter dem Arm, erschien in der Bürotür und zündete sich seine Seemannspfeife an. Die Mutter fragte ihn auf spanisch: »Wen habt ihr in der Wüste kennengelernt?«

»Niemand«, antwortete ihr Mann, ein wenig in den Wolken. »Wenn du mir nicht glaubst, frag Ulysses.«

Er setzte sich ins hintere Gangende und zog an seiner Pfeife, bis sie ausgeraucht war. Dann öffnete er an einer beliebigen Stelle die Bibel und las fast zwei Stunden lang laut unzusammenhängende Bruchstücke in flüssigem, getragenen Holländisch.

Um Mitternacht dachte Ulysses noch immer so verbissen nach, daß er nicht einschlafen konnte. Dann wälzte er sich im Versuch, den Schmerz seiner Erinnerungen zu beherrschen, noch eine Stunde in der Hängematte hin und her, bis eben dieser Schmerz ihm die zu einer Entscheidung fehlende Kraft gab. Sogleich zog er seine Viehtreiberhosen an, das karierte Schottenhemd und seine Reitstiefel, sprang durchs Fenster und floh in dem mit Vögeln beladenen Lastwagen. Als er an der Pflanzung vorbeikam, riß er die drei reifen Orangen ab, die er nachmittags nicht hatte stehlen können. Den Rest der Nacht fuhr er durch die Wüste und fragte im Morgengrauen in Dörfern und Weilern nach Eréndiras Verbleib, doch niemand konnte ihm Auskunft geben. Schließlich wurde ihm mitgeteilt, sie ziehe hinter dem Wahlausschuß des Senators Onésimo Sánchez her, und der müsse an jenem Tag in Nova Castilla sein. Dort fand er die Gruppe nicht, sondern im nächsten Dorf, aber Eréndira war nicht mehr im Gefolge des Senators, denn ihre Großmutter hatte bei ihm erwirkt, daß er ihre gute Moral in einem handschriftlichen Brief verbürgte, der ihr auch die verschlossensten Türen zur Wüste öffnen würde. Am dritten Tag stieß Ulysses auf den Mann von der Nationalpost, und dieser wies ihm die gesuchte Richtung.

»Sie gehen zum Meer«, sagte er. »Aber eil dich, denn die

verfluchte Alte hat die Absicht, auf die Insel Aruba überzusetzen.«

In der besagten Richtung konnte Ulysses nach einer halben Tagereise die weite abgenutzte Pelerine unterscheiden, die die Großmutter von einem heruntergekommenen Zirkus erstanden hatte. Der fahrende Photograph hatte sich ihr wieder angeschlossen, überzeugt, daß die Welt tatsächlich nicht so groß war, wie er gedacht hatte, und in der Nähe des Feldzelts seine idyllischen Gemälde aufgestellt. Eine Kapelle von Blechbläsern lockte Eréndiras Kunden mit einem trübsinnigen Walzer.

Ulysses wartete, bis die Reihe an ihn kam, und das erste, was ihm auffiel, war die Ordnung und Reinlichkeit des Zeltinnern. Das Bett der Großmutter hatte seine vizekönigliche Pracht wiedergewonnen, die Engelstatue stand auf ihrem Platz neben der Grabtruhe der Amadise, außerdem gab es eine Zinnbadewanne mit Löwentatzen. Auf ihrem neuen Bett mit Leinendach ausgestreckt, lag Eréndira nackt und friedlich da und verströmte kindlichen Glanz in dem durchs Zeltdach sickernden Licht. Sie schlief mit offenen Augen. Ulysses blieb vor ihr stehen, die Orangen in der Hand, und merkte, daß sie ihn anblickte, ohne ihn zu sehen. Nun fuhr er mit der Hand über ihre Augen und rief sie mit dem Namen, den er erfunden hatte, um an sie zu denken: »Arídnere.«

Eréndira erwachte. Sie fühlte sich nackt vor Ulysses, stieß ein dumpfes Kreischen aus und zog das Laken bis über den Kopf.

»Schau micht nicht an«, sagte sie. »Ich sehe schlimm aus.«

»Du bist orangenfarben«, sagte Ulysses. Er legte die Früchte auf Augenhöhe neben sie, damit sie sie verglich. »Sieh.«

Eréndira zog die Decke von den Augen und stellte fest, daß die Orangen tatsächlich ihre Farbe hatten.

»Ich will nicht, daß du jetzt dableibst«, sagte sie.

»Ich bin nur hereingekommen, um dir das zu zeigen«, sagte Ulysses. »Schau.«

Er ritzte eine Orange mit den Fingernägeln auf, teilte sie

mit beiden Händen und zeigte Eréndira das Innere: am Kern der Frucht haftete ein echter Diamant.

»Das sind die Orangen, die wir zur Grenze fahren«, sagte er.

»Aber es sind doch gewachsene Orangen!« rief Eréndira aus.

»Natürlich«, lächelte Ulysses. »Mein Vater pflanzt sie an.«

Eréndira konnte es nicht glauben. Sie zog die Decke ganz vom Gesicht, faßte den Diamanten mit den Fingern und betrachtete ihn staunend.

»Für drei von diesen reisen wir um die ganze Welt«, sagte Ulysses.

Eréndira gab ihm den Diamanten mit mutloser Miene zurück. Ulysses ließ nicht locker.

»Außerdem habe ich einen Lastwagen«, sagte er. »Und außerdem ... Schau!«

Er zog unter dem Hemd einen altertümlichen Revolver hervor.

»Vor zehn Jahren kann ich nicht fort«, sagte Eréndira.

»Du wirst fortkönnen«, sagte Ulysses. »Heute nacht, wenn der weiße Wal schläft, werde ich dort draußen sein und singen wie der Nachtkauz.«

Er ahmte den Gesang des Nachtkauzes so täuschend nach, daß Eréndiras Augen zum ersten Mal lächelten.

»Es ist meine Großmutter«, sagte sie.

»Der Nachtkauz?«

»Der Wal.«

Beide lachten über die Verwechslung, aber Eréndira nahm den Faden wieder auf.

»Niemand kann irgendwo ohne die Erlaubnis seiner Großmutter hingehen.«

»Du brauchst ihr ja nichts zu sagen.«

»Sie wird es trotzdem erfahren«, sagte Eréndira. »Sie träumt die Dinge.«

»Wenn sie zu träumen beginnt, daß du fortgehst, sind wir schon über die Grenze. Wir gehen mit den Schmugglern hinüber ...« sagte Ulysses.

Die Pistole mit der Sicherheit eines Filmdesperados pakkend, ahmte er das Knallen der Schüsse nach, um Eréndira mit seiner Kühnheit aus der Fassung zu bringen. sie sagte nicht nein und nicht ja, doch ihre Augen seufzten, und sie verabschiedete Ulysses mit einem Kuß. Ulysses murmelte bewegt: »Morgen werden wir die Schiffe fahren sehen.«

An jenem Abend kurz nach sieben kämmte Eréndira die Großmutter, als wieder der Wind ihres Unglücks wehte. Im Schutz des Feldzelts standen die Indio-Lastträger und der Direktor der Blaskapelle und warteten auf die Auszahlung ihres Lohns. Die Großmutter hatte soeben die Banknoten aus einer in Reichweite befindlichen Truhe gezählt, und nachdem sie in ein Rechnungsheft geblickt hatte, bezahlte sie den ältesten der Indios.

»Hier«, sagte sie. »Zwanzig Pesos die Woche, weniger acht für Kost, weniger drei für Wasser, weniger fünfzig Centavos Abzahlung für die neuen Hemden, ergibt acht fünfzig. Zähl's gut nach.«

Der älteste Indio zählte das Geld, und alle zogen sich mit einer Verbeugung zurück.

»Danke, Weiße.«

Der nächste war der Direktor der Musikanten. Die Großmutter schaute in ihr Rechnungsheft und wandte sich an den Photographen, der den Balg der Kamera mit Pechpflaster aus Guttapercha zu reparieren suchte.

»Wie steht's?« sagte sie. »Zahlst du den vierten Teil der Musik oder zahlst du ihn nicht?«

»Der Photograph hob nicht einmal den Kopf, um zu antworten.

»Die Musik kommt auf den Photographien nicht zum Vorschein.«

»Aber sie macht den Leuten Lust, sich porträtieren zu lassen«, entgegnete die Großmutter.

»Im Gegenteil«, sagte der Photograph. »Sie erinnert sie an die Toten, und schon machen sie auf den Bildern die Augen zu.«

Der Direktor der Blaskapelle mischte sich ein.

»Sie machen nicht wegen der Musik die Augen zu«, sagte er. »Sondern wegen des Blitzlichts bei Nachtaufnahmen.«

»Wegen der Musik«, beharrte der Photograph.

Die Großmutter machte dem Streit ein Ende. »Sei kein Knauser«, sagte sie zu dem Photographen. »Du siehst doch, wie reich der Senator Onésimo Sánchez ist, und zwar dank der Musiker, die er mitnimmt.« Und sie schloß hartherzig: »Du zahlst also den Teil, der auf dich fällt, oder du gehst deiner Wege. Es ist nicht gerecht, daß dies arme Geschöpf die ganze Last der Unkosten tragen soll.«

»Ich gehe meiner Wege«, sagte der Photograph. »Schließlich und endlich bin ich Künstler.«

Die Großmutter zuckte mit den Achseln und wandte sich an den Musiker. Sie überreichte ihm ein Bündel Banknoten gemäß der in ihrem Rechenheft notierten Zahl.

»Zweihundert und vier Stücke«, sagte sie, »zu fünfzig Centavos je, macht einhundertsechsundfünzig zwanzig.«

Der Musiker nahm das Geld nicht an.

»Es macht einhundertundzweiundachtzig vierzig«, sagte er. »Die Walzer kosten mehr.«

»Und warum?«

»Weil sie trauriger sind«, sagte der Musiker.

Die Großmutter zwang ihn, das Geld anzunehmen.

»Dann spielst du uns diese Woche zwei fröhliche Stücke für jeden Walzer, den ich dir schulde, und wir haben Frieden.«

Der Musiker verstand nicht die Logik der Großmutter, nahm jedoch ihre Rechnung hin, während er die Nuß zu knacken suchte. In diesem Augenblick war der entsetzliche Wind drauf und dran, das Feldzelt zu entwurzeln, und in der Stille, die er hinterließ, war draußen, deutlich und düster, der Gesang des Nachtkauzes zu vernehmen.

Eréndira wußte nicht, wie sie ihre Verwirrung verbergen sollte. Sie verschloß die Geldtruhe und verbarg sie unter dem Bett, doch die Großmutter sah das Zittern ihrer Hand, als sie ihr den Schlüssel zurückgab. »Keine Angst«, sagte sie. »In windigen Nächten sind immer die Nachtkäuze unterwegs.«

Freilich war sie nicht ganz so überzeugend, als sie den Photographen mit seiner Kamera auf dem Rücken abziehen sah.

»Wenn du willst, bleib bis morgen«, sagte sie. »Heute nacht geht der Tod um.«

Auch der Photograph hatte den Gesang des Nachtkauzes gehört, verzog aber keine Miene.

»Bleib, Sohn«, beharrte die Großmutter. »Wenn auch nur um der Zuneigung willen, die ich für dich empfinde.«

»Aber die Musik zahl' ich nicht«, sagte der Photograph.

»Kommt nicht in Frage«, sagte die Großmutter. »Kommt überhaupt nicht in Frage.«

»Sehen Sie?« sagte der Photograph. »Sie mögen niemand leiden.«

Die Großmutter erbleichte vor Wut.

»Dann scher dich fort«, sagte sie. »Mißgeburt!«

Sie fühlte sich so beleidigt, daß sie weiter gegen ihn wetterte, während Eréndira ihr beim Zubettgehen half. »Sohn einer schnöden Mutter«, knurrte sie. »Was weiß dieser Bankert von fremden Herzen.« Eréndira schenkte ihr keine Aufmerksamkeit, denn der Nachtkauz rief sie in den Pausen des Windes mit hartnäckigem Drängen, und die Ungewißheit folterte sie. Die Großmutter legte sich endlich mit dem gleichen, im alten Herrenhaus streng geübten Ritual zu Bett, und während die Enkelin sie fächelte, überwand sie ihren Groll und atmete wieder ihre sterile Luft.

»Du mußt sehr früh aufstehen«, sagte sie dann, »damit du mir das Kräuterbad aufkochst, bevor die Leute kommen.«

»Ja, Großmutter.«

»In der Zeit, die dir dann übrigbleibt, wasche die schmutzige Wäsche der Indios, dadurch haben wir noch etwas, was wir ihnen in der kommenden Woche abziehen können.«

»Ja, Großmutter«, sagte Eréndira.

»Und schlaf langsam, damit du nicht ermüdest, denn morgen ist Donnerstag, der längste Tag der Woche.«

»Ja, Großmutter.«

»Und gib dem Vogel Strauß sein Futter.«

»Ja, Großmutter.«

Sie legte den Fächer ans Kopfende des Bettes und entzündete zwei Altarkerzen vor der Totentruhe. Die bereits eingeschlafene Großmutter gab ihr den verspäteten Befehl: »Vergiß nicht, die Kerzen der Amadise zu befestigen.«

»Ja, Großmutter.«

Nun wußte Eréndira, daß sie nicht aufwachen würde, weil sie irre zu reden begonnen hatte. Eréndira hörte das Heulen des Windes rings um das Feldzelt, doch auch diesmal erkannte sie nicht den Atem ihres Unglücks. Sie streckte den Kopf in die Nacht hinaus, bis der Nachtkauz von neuem sang, und schließlich gewann ihr Freiheitsdrang über den Zauberbann der Großmutter die Oberhand.

Sie hatte noch keine fünf Schritte vor das Zelt getan, als sie auf den Photographen stieß, der seine Instrumente auf dem Packgestell des Fahrrads festband. Sein Verschwörerlächeln beruhigte sie.

»Ich weiß von nichts«, sagte der Photograph. »Ich habe nichts gesehen und zahle auch nicht die Musik.«

Er verabschiedete sich mit einem weltumspannendem Segenswunsch. Nun rannte Eréndira, auf ewig entschlossen, in die Wüste hinein und verlor sich im Dunkeln des Windes, in dem der Nachtkauz sang.

Diesmal nahm die Großmutter unverzüglich ihre Zuflucht zur zivilen Amtsgewalt. Der Kommandant der örtlichen Ersatztruppen sprang um sechs Uhr in der Frühe aus der Hängematte, als sie ihm den Brief des Senators vor die Nase hielt. Ulysses' Vater wartete vor der Tür.

»Wie zum Teufel soll ich das lesen«, schrie der Kommandant, »wenn ich nicht lesen kann?«

»Es ist ein Empfehlungsbrief des Senators Onésimo Sánchez«, sagte die Großmutter.

Ohne weitere Fragen nahm der Kommandant ein Gewehr, das in der Nähe der Hängematte hing, und begann seinen Sergeanten Befehle zuzubrüllen. Fünf Minuten später saßen alle in einem Militärlastwagen, der der Grenze zuflog, mit einem widrigen Wind, der die Spuren der Flüchtlinge verwischte. Neben dem Fahrer saß vorne der Kommandant. Hinter ihm der Holländer mit der Großmutter, auf jedem Trittbrett stand ein bewaffneter Sergeant.

In nächster Nähe des Dorfs hielten sie eine Karawane von persenningbedeckten Lastwagen an. Mehrere auf der Pritsche versteckte Männer rissen die Segeltuchplane hoch und zielten mit Maschinengewehren und Gewehren auf den Militärlastwagen. Der Kommandant fragte den Fahrer des ersten Lastwagens, in welcher Entfernung er einen mit Vögeln beladenen Gutslieferwagen gesehen habe.

Der Fahrer fuhr an, bevor er antwortete.

»Wir sind keine Dummköpfe«, sagte er ungehalten. »Wir sind Schmuggler.«

Der Kommandant sah dicht vor seinen Augen die verrauchten Läufe der Maschinengewehre vorübergleiten, hob die Arme und lächelte.

»Seid wenigstens so anständig«, schrie er ihnen zu, »und fahrt nicht bei hellichter Sonne herum.«

Der letzte Lastwagen trug auf der hinteren Ladeklappe die Aufschrift: *Ich denke an dich, Eréndira.*

Je weiter sie nordwärts kamen, desto schärfer wurde der Wind, und die Sonne wurde immer wütender mit dem Wind, und es war mühsam, bei der Hitze und dem Staub im geschlossenen Lastwagen zu atmen.

Die Großmutter war die erste, die den Photographen erblickte: er radelte in der gleichen Richtung, in die sie flogen, und sein einziger Schutz gegen einen Sonnenstich war ein um den Kopf gebundenes Taschentuch.

»Da ist er!« Sie zeigte auf ihn. »Der war ihr Helfershelfer. Die Mißgeburt!«

Der Kommandant befahl einem seiner Sergeanten auf den Trittbrettern, er solle den Photographen übernehmen.

»Halt ihn fest und warte hier auf uns«, sagte er. »Wir kommen gleich wieder.«

Der Sergeant sprang vom Trittbrett und schrie dem Photographen »Halt« zu. Doch der hörte ihn nicht wegen des Gegenwindes. Als der Lastwagen ihn überholte, machte die Großmutter ihm eine rätselhafte Gebärde, die er aber mit einem Gruß verwechselte, so daß er lächelte und ihr ein Lebewohl zuwinkte. Er hörte nicht den Schuß. Machte einen Purzelbaum in der Luft und fiel tot aufs Fahrrad zurück, den Kopf von einer Gewehrkugel zerschmettert, von der er nie erfahren sollte, woher sie gekommen war.

Kurz vor Mittag sahen sie die ersten Federn. Sie segelten mit dem Wind und waren die Federn junger Vögel; der Holländer erkannte sie, denn sie gehörten seinen vom Wind gerupften Vögeln. Der Fahrer berichtigte die Fahrtrichtung, trat aufs Pedal, und vor Ablauf einer halben Stunde entdeckten sie den Kleinlastwagen am Horizont.

Als Ulysses im Rückspiegel den Militärwagen auftauchen sah, versuchte er die Entfernung zu vergrößern, aber der Motor gab nicht mehr her. Sie hatten die ganze Reise ohne Schlafpause zurückgelegt und waren erschöpft von Müdigkeit und Hunger. Eréndira, die an Ulysses' Schulter döste, fuhr erschreckt auf. Sie sah den Lastwagen, der sie fast eingeholt hatte und griff nach der Pistole im Handschuhfach.

»Sie nutzt nichts«, sagte Ulysses. »Sie hat Francis Drake gehört.«

Sie drückte mehrmals ab und warf sie zum Fenster hinaus. Die Militärpatrouille überholte den altersschwachen, mit windgerupften Vögeln beladenen Lieferwagen, schlug einen scharfen Haken und versperrte ihm den Weg.

Ich lernte die beiden Frauen um jene Zeit, die Epoche ihres größten Glanzes, kennen, wenn ich auch die Einzelheiten ihres Lebens erst viele Jahre später erforschen sollte, als Rafael Escalona in einem Lied den schrecklichen Ausgang des Dramas enthüllte und ich es für ratsam hielt, ihn zu erzählen. Ich reiste damals als Verkäufer von Enzyklopädien und medizinischen Büchern durch die Provinz Riohacha. Alvaro Cepeda Samudio, der gleichfalls die Gegend bereiste und Bierautomaten verkaufte, nahm mich in seinem Lieferwagen in die Wüstendörfer mit, um mit mir von Gott weiß was für Dingen zu reden, und wir redeten über so viele Nichtigkeiten und tranken dabei so viel Bier, daß wir, ohne zu wissen wann und wie, die ganze Wüste durchquerten und bis zur Grenze kamen. Dort stand das Zelt der fahrenden Liebe unter hängenden Spruchbändern: *Eréndira ist besser. Geh und komm wieder. Eréndira erwartet dich. Kein Leben ohne Eréndira.* Die endlose Reihe von Männern verschiedenster Rassen und Herkunft glich einer Schlange mit menschlichem Rückgrat, die über leere Grundstücke und Plätze, zwischen buntscheckigen Basaren und lärmenden Märkten dahindöste und den Straßen der von Gelegenheitshändlern dröhnenden Stadt entquoll. Jede Straße war eine öffentliche Spielhölle, jedes Haus eine Kantine, jede Tür eine Zuflucht für Flüchtige. Das mannigfache, unentwirrbare Musikgedudel und das Gegröle der Marktrufer bildeten ein einziges panisches Gedonner in der betäubenden Hitze.

In der Menge der Heimatlosen und Lüstlinge stand Blacamán der Gute auf einem Tisch und erbat sich eine echte Giftschlange, um am eigenen Leib ein Gegengift seiner Erfindung zu erproben. Da war die aus Ungehorsam gegen ihre Eltern in eine Spinne verwandelte Frau, die sich für fünfzig Centavos befühlen ließ, um zu zeigen, daß es kein Betrug war, und die Fragen beantwortete, die ihr über ihr Mißgeschick gestellt wurden. Da war ein Abgesandter des Ewigen Lebens, der die unmittelbar bevorstehende Erscheinung der entsetzlichen sideralen Fledermaus ankündigte, deren heißglühender Schwefelatem die Ordnung der Natur umstürzen und die Geheimnisse des Meeres an die Oberfläche bringen würde.

Der einzige Ruhepol war das Vergnügungsviertel, wohin nur die Ausläufer des Stadtlärms drangen. Den vier Quadranten der Windrose entstammende Freudenmädchen gähnten gelangweilt in den verlassenen Tanzsalons. Sie hatten ihre Siesta im Sitzen verbracht, ohne daß jemand sie aus Begierde geweckt hätte, und warteten unter den Ventilatoren aus zusammengeschraubten Windmühlenflügeln im niedrigen

Himmel unverwandt auf die siderische Fledermaus. Plötzlich stand eins der Mädchen auf und betrat eine Galerie mit Stiefmütterchen, die auf die Straße ging. Dort führte die Schlange von Eréndiras Anwärtern vorbei. »Hört mal«, schrie die Frau ihnen zu. »Was hat die, was wir nicht haben?«

»Den Brief eines Senators«, schrie jemand.

Vom Geschrei und Gelächter angelockt, traten andere Frauen auf die Galerie hinaus.

»Diese Schlange ist seit Tagen so lang«, sagte eine von ihnen. »Stell dir vor, bei fünfzig Pesos pro Mann.«

Die, die zuerst hinausgetreten war, entschied: »Dann will ich mal sehen, was dieses Siebenmonatskind Goldenes an sich hat.«

»Ich auch«, sagte eine andere. »Das ist noch besser, als den Stuhl gratis anwärmen.«

Unterwegs schlossen sich andere an, und als sie Eréndiras Zelt erreichten, hatte sich ein lärmender Zug zusammengerottet. Sie traten ein, ohne sich anzumelden, scheuchten mit Kissenschlägen den Mann auf, der das bezahlte Geld nach Kräften ausgab, packten Eréndiras Bett und schleppten es wie eine Sänfte auf die Straße hinaus.

»Das ist ein Überfall«, schrie die Großmutter. »Treulose Bande! Strauchdiebinnen!« Und gegen die wartende Männerschlange gerichtet: »Und ihr, Weiberröcke, wo habt ihr eure Hoden gelassen, daß ihr diesen Übergriff auf ein armes wehrloses Geschöpf zulaßt! Ihr Schlappsäcke!«

Und sie schrie weiter, bis ihr die Stimme versagte, und ließ einen Hageln von Stockschlägen auf die niedersausen, die in ihre Reichweite gerieten, doch ihr Zorn ging unter im Geschrei und Hohngelächter der Menschenmenge.

Eréndira konnte dem Spott nicht entfliehen, weil die Hundekette, mit der die Großmutter sie nach dem ersten Fluchtversuch an einen Querbalken des Betts gefesselt hatte, sie daran hinderte. Doch sie taten ihr nichts zuleide. Auf ihrem Markisenaltar trugen sie sie durch die lärmenden Straßen, gleichsam ein allegorischer Gang der angeketteten Büßerin, und stellten sie schließlich auf dem Sterbebett in der Mitte des Stadtplatzes zur Schau. Eréndira lag zusammengerollt, verbarg das Gesicht, ohne zu weinen, verharrte so in der Martersonne des Platzes und biß aus Scham und Wut auf die Hundekette ihres bösen Schicksals, bis jemand sie mildtätig mit einem Hemd bedeckte.

Das war das einzige Mal, daß ich die beiden Frauen sah, doch ich erfuhr, daß sie in jener Grenzstadt unter dem Schutz der Garnison gestanden hatten, bis die Truhen der Großmutter barsten, worauf sie die Wüste meerwärts verließen. Nie hatte man in jenen Gebieten der Armen so viel Prunk gesehen. Das war ein Zug von Ochsenkarren, auf denen sich Nachbildungen des Flitterkrams stapelten, der mit dem Brand des Herrenhauses vernichtet worden war, und zwar nicht nur die kaiserlichen Büsten und seltenen Uhren, sondern auch ein Klavier aus zweiter Hand und eine Viktrola zum Aufziehen mit den Platten der Sehnsucht. Eine Koppel Indios mühte sich um die Frachten, und eine Musikkapelle verkündete in den Dörfern die triumphale Ankunft des Zuges.

Die Großmutter reiste in einem papiergirlandengeschmückten Thronsessel und kaute im Schatten eines Kirchenbaldachins ihre Weizenkerne aus der Rockfaltentasche. Ihr monumentaler Umfang hatte zugenommen, weil sie unter ihrer Bluse ein Wams aus Segeltuch trug, in dem sie die Goldbarren verwahrte wie Patronen in einem Patronengürtel. Eréndira, in auffallende, tressenbesetzte Stoffe gekleidet, jedoch nach wie vor die Hundekette am Knöchel, schritt neben ihr.

»Du kannst dich nicht beklagen«, hatte ihr die Großmutter beim Verlassen der Grenzstadt gesagt. »Du hast Kleider wie eine Königin, ein Luxusbett, eine eigene Musikkapelle und vierzehn Indios zu deiner Bedienung. Ist das nicht fabelhaft?«

»Ja, Großmutter.«

»Wenn ich ausfalle«, fuhr die Großmutter fort, »wirst du nicht der Gnade der Männer ausgeliefert sein, sondern wirst ein eigenes Haus in einer bedeutenden Stadt besitzen. Du wirst frei sein und glücklich.«

Das war ein neues, unvorhergesehenes Zukunftsbild. Dafür hatte die Großmutter nie wieder von der ursprünglichen Schuld gesprochen, deren Einzelheiten immer verwickelter und deren Zahlungsziele immer länger, je undurchsichtiger die Lasten des Geschäfts wurden. Dennoch gab Eréndira keinen Seufzer von sich, der ihre Gedanken hätte ahnen lassen. Stillschweigend unterwarf sie sich der Folter des Betts in den Schwefellachen, in der Schlaftrunkenheit der Pfahldörfer, im Mondkrater der Talksteinminen, während die Großmutter ihr ein Zukunftsbild vorsang, als läse sie in den Karten. Eines Abends nach einem beklemmenden Marsch verspürten sie den Hauch alter Lorbeerbäume, hörten Gesprächsfetzen aus Jamaica und fühlten Lebenskraft und einen Knoten im Herzen: sie waren ans Meer gelangt.

»Da hast du es«, sagte die Großmutter und sog am Ende eines halben Lebens der Verbannung das gläserne Licht der Kariben ein. »Gefällt es dir nicht?«

»Doch, Großmutter.«

Dort bauten sie ihr Zelt auf. Die Großmutter redete die ganze Nacht ohne zu träumen und verwechselte manchmal ihr Heimweh mit einem hellsichtigen Blick in die Zukunft. Sie schlief länger als gewöhnlich und erwachte beruhigt vom Rauschen des Meers. Während Eréndira sie badete, machte sie dagegen wieder Prognosen für die Zukunft, und ihre Hellsicht war so fiebrig, daß sie nächtlichem Irrereden glich.

»Du wirst eine hochherrschaftliche Hausbesitzerin sein«, sagte sie. »Eine Dame von Herkunft, von deinen Schützlingen bewundert und bei den höchsten Behörden in Ehren und Ansehen. Die Schiffskapitäne werden dir aus allen Häfen der Welt Postkarten schicken.«

Eréndira hörte nicht zu. Das laue majoranduftende Wasser sprudelte durch einen von außen gespeisten Kanal in die Badewanne. Ohne überhaupt zu atmen, füllte Eréndira eine undurchlässige Kürbisschale und goß sie mit der einen Hand über der Großmutter aus, während sie sie mit der anderen Hand einseifte.

»Der Ruf deines Hauses wird von Mund zu Mund fliegen, von der Kette der Antillen bis zu Hollands Reichen«, sagte die Großmutter. »Und es wird bedeutender sein als das Präsidentenpalais, denn in deinem Haus werden die Geschäfte der Regierung besprochen, wird das Schicksal der Nation entschieden werden.«

Plötzlich versiegte das Wasser im Kanal. Eréndira trat aus dem Zelt, um zu sehen, was los war, und sah, daß der Indio, der mit dem Einfüllen des Wassers in den Kanal beauftragt war, in der Küche Brennholz hackte.

»Keines mehr da«, sagte der Indio. »Man muß erst Wasser abkühlen lassen.«

Eréndira trat zum Herd, auf dem ein weiterer großer Topf mit aufgekochten aromatischen Blättern stand. Sie wickelte die Hände in ein Tuch und stellte fest, daß sie den Topf ohne Hilfe des Indios heben konnte.

»Geh«, sagte sie. »Ich kümmere mich um das Wasser.«

Sie wartete, bis der Indio aus der Küche gegangen war. Dann zog sie den kochenden Topf vom Feuer, schleppte ihn mühsam bis zur Höhe des Kanals und wollte das tödliche Wasser in die Baderöhre gießen, als die Großmutter im Zeltinnern schrie: »Eréndira!«

Es war, als hätte die Großmutter sie gesehen. Die Enkelin, erschreckt vom Schrei, bereute es im letzten Augenblick.

»Ich komme schon, Großmutter«, sagte sie. »Ich kühle gerade das Wasser ab.«

An jenem Abend grübelte sie bis tief in die Nacht hinein, während die Großmutter in ihrem Goldwams schlafend sang. Vom Bett aus betrachtete Eréndira sie mit riesigen Augen, die im Halbdunkel Katzenaugen glichen. Dann legte sie sich wie eine Ertrunkene nieder, die Arme auf der Brust, die Augen offen, und rief mit der ganzen Kraft ihrer inneren Stimme: »Ulysses.«

Ulysses erwachte jäh im Haus der Orangenpflanzung. Er hatte Eréndiras Stimme mit solcher Deutlichkeit gehört, daß er sie in den Schattenwinkeln der Kammer suchte. Nach einem Augenblick der Überlegung machte er aus seinen Kleidern und Schuhen ein Bündel und verließ das Schlafzimmer. Er hatte die Terrasse überquert, als die Stimme seines Vaters ihn überraschte: »Wohin gehst du?«

Ulysses sah ihn vom Mond blau erleuchtet.

»In die Welt«, antwortete er.

»Diesmal werde ich dich nicht daran hindern«, sagte der Holländer. »Aber eines sage ich dir: wohin du auch gehst, überallhin wird dich der Fluch deines Vaters verfolgen.«

»Von mir aus«, sagte Ulysses.

Überrascht und sogar etwas stolz über die Entschlossenheit seines Sohnes, verfolgte der Holländer ihn durch die mondhelle Orangenpflanzung mit einem Blick, der nach und nach lächelnd wurde. Seine Frau stand hinter ihm, in ihrer eigenartigen Indio-Schönheit. Als Ulysses das Portal hinter sich geschlossen hatte, sprach der Holländer. »Er wird wiederkommen«, sagte er, »vom Leben gezüchtigt, und zwar früher, als du glaubst.«

»Du bist sehr unvernünftig«, seufzte sie. »Er wird nie wiederkommen.«

Diesmal brauchte Ulysses niemanden nach dem Weg zu Eréndira zu fragen. Er durchquerte die Wüste, in vorbeifahrenden Lastwagen versteckt, er stahl sich, was er zum Essen und Schlafen nötig hatte, und stahl häufig aus purer Lust an der Gefahr, bis er das Zelt in einem anderen Dorf am Meer fand, von wo aus die Glasbauten einer erleuchteten Stadt zu sehen waren und wo die nächtlichen Lebewohlrufe der Schiffe widerhallten, die zur Insel Aruba dampften. Eréndira schlief, an den Querbalken gekettet, und zwar in der gleichen Stellung der treibenden Ertrunkenen, in der sie ihn gerufen hatte. Ulysses blieb stehen und betrachtete sie so eindringlich, daß Eréndira erwachte. Dann küßten sie sich in der Dunkelheit, liebkosten sich ohne Hast, entkleideten sich bis zur Erschöpfung mit stummer Zärtlichkeit und heimlichem Glücksgefühl, die mehr denn je der Liebe glichen.

Am anderen Ende des Zelts machte die schlafende Großmutter eine monumentale Umdrehung und begann irre zu reden.

»Das war zu den Zeiten, als das griechische Schiff ankam«, sagte sie. »Es war eine Besatzung von Verrückten, die die Frauen glücklich machten und sie nicht mit Geld, sondern mit Schwämmen bezahlten, lebenden Schwämmen, die dann in den Häusern umherliefen, wie Hospitalkranke stöhnten und die Kinder zum Weinen brachten, um die Tränen zu trinken.«

Sie raffte sich mit einer inneren Bewegung hoch und setzte sich im Bett auf. »Und dann kam er, mein Gott«, schrie sie. »Stärker, größer und viel männlicher als Amadís.«

Ulysses, der bis dahin dem irren Gerede keine Beachtung geschenkt hatte, versuchte sich zu verstecken, als er die Großmutter im Bett sitzen sah. Eréndira beruhigte ihn.

»Ruhig Blut«, sagte sie. »Immer wenn sie an diese Stelle kommt, setzt sie sich im Bett auf, erwacht aber nicht.« Ulysses lehnte sich an ihre Schulter.

»In jener Nacht sang ich mit den Matrosen und dachte, es sei ein Erdbeben«, fuhr die Großmutter fort. »Alle mußten das gleiche gedacht haben, denn sie flohen schreiend, halbtot vor Lachen, und nur er blieb unter dem Asternvordach zurück. Ich erinnere mich daran, als sei es gestern gewesen, daß ich das Lied sang, das alle in jenen Zeiten sangen. Sogar die Papageien in den Innenhöfen sangen es.«

Tonlos, klanglos, wie man nur in Träumen singt, sang sie die Zeilen ihrer Bitterkeit: *»Herr, Herr, gib mir meine alte Unschuld zurück, damit ich seine Liebe wieder von Anfang genieße.«*

Erst jetzt interessierte sich Ulysses für die Sehnsucht der Großmutter.

»Da stand er«, sagte sie, »mit einem Makai auf der Schulter und einer Donnerbüchse zum Töten der Kannibalen, so wie Guatarral nach Guyana kam, und ich fühlte seinen Todesatem, als er sich vor mir aufpflanzte und sagte: »Ich bin tausendmal um die Welt gefahren und habe alle Frauen aller Nationen gesehen, darum bin ich befugt, dir zu sagen, daß du die stolzeste bist und die gefügigste, die schönste Frau auf Erden.«

Sie legte sich wieder hin und schluchzte ins Kissen. Ulysses und Eréndira verharrten eine lange Weile stillschweigend, vom ungewöhnlichen Atem der schlafenden Greisin ins Halbdunkel gewiegt. Plötzlich fragte Eréndira ohne das geringste Zittern in der Stimme: »Würdest du es wagen, sie zu töten?«

Überrascht wie er war, wußte Ulysses keine Antwort.

»Wer weiß«, sagte er. »Wagst du es?«

»Ich kann nicht«, sagte Eréndira, »weil sie meine Großmutter ist.«

Ulysses beobachtete den riesigen schlafenden Körper noch einmal, wie um das Ausmaß ihres Lebens abzumessen und entschied: »Für dich bin ich zu allem fähig.«

Ulysses kaufte ein Pfund Rattengift, vermengte es mit Sahne und Himbeermarmelade und schmierte die Todescreme in eine Torte, deren Füllung er entfernt hatte. Dann verzierte er das Ganze mittels eines Löffels mit einer dickeren Creme, bis keine Spur des heimtückischen Manövers mehr zu sehen war, und vervollkommnete die Täuschung mit zweiundsiebzig rosenroten Kerzchen.

Die Großmutter richtete sich auf ihrem Thron auf und schwang den drohenden Stock, als sie ihn mit der Festtorte ins Zelt treten sah. »Schamloser«, schrie sie. »Wie wagst du es, den Fuß in dieses Haus zu setzen!«

Ulysses versteckte sich hinter seinem Engelsgesicht.

»Ich komme«, sagte er, »um sie an Ihrem Geburtstag um Verzeihung zu bitten.«

Von seiner gutgezielten Lüge entwaffnet, ließ die Großmutter den Tisch wie für ein Hochzeitsmahl decken. Sie setzte Ulysses zu ihrer Rechten, während Eréndira sie bediente, und nachdem sie die Kerzen mit einem verheerenden Atemstoß gelöscht hatte, schnitt sie die Torte in gleiche Teile und bediente Ulysses.

»Ein Mann, der Verzeihung zu erlangen weiß, hat schon die Hälfte des Himmels gewonnen«, sagte sie. »Ich lasse dir die erste Hälfte, die Hälfte des Glücks.«

»Ich mag keine Süßigkeiten«, sagte er. »Wohl bekomm's!« Die Großmutter bot Eréndira das andere Stück Torte an. Die trug es in die Küche und warf es in den Mülleimer.

Die Großmutter aß allein den gesamten Rest. Sie steckte sich die ganzen Stücke in den Mund und verschluckte sie ohne zu kauen, vor Lust seufzend und Ulysses aus der Vorhölle ihres Vergnügens anblickend. Als nichts mehr auf ihrem Teller lag, aß sie auch das von Ulysses verschmähte Stück. Während sie das letzte Stückchen kaute, tupfte sie mit den Fingern die Krumen vom Tischtuch auf und schob sie in den Mund.

Sie hatte eine Portion Arsenik verzehrt, die eine Generation Ratten ausgerottet hätte. Dennoch spielte sie Klavier und sang bis Mitternacht, legte sich glückselig nieder und schlief mühelos ein. Das einzige neue Zeichen war die rauhe Raspelspur ihrer Atmung.

Eréndira und Ulysses überwachten sie vom anderen Bett aus und warteten nur auf ihr letztes Röcheln. Doch die Stimme blieb so lebendig wie immer, wenn sie irre zu reden begann.

»Er machte mich verrückt, mein Gott, er machte mich verrückt«, schrie sie. »Ich legte zwei Riegel vor die Schlafzimmertür, damit er nicht hereinkommen konnte, rückte die Frisierkommode dagegen, dazu den Tisch, darauf die Stühle, doch er brauchte nur mit dem Ring sachte anzuklopfen, und schon stürzte die Brustwehr ein, die Stühle stiegen von allein vom Tisch, Tisch und Frisierkommode rückten von allein zurück, und die Riegel glitten von allein aus den Angeln.«

Eréndira und Ulysses betrachteten sie immer verwunderter, je tiefer und dramatischer ihr irres Gerede, je vertraulicher ihre Stimme wurde.

»Ich fühlte, von Angstschweiß verklebt, daß ich sterben würde, während ich innerlich flehte, daß die Tür aufging, ohne aufzugehen, er eintrat, ohne einzutreten, er nie wieder fortging, aber genausowenig wiederkam, damit ich ihn nicht zu töten brauchte.«

Sie rekapitulierte ihr Drama mehrere Stunden hindurch, bis

in die winzigsten Einzelheiten hinein, als erlebe sie es im Traum von neuem. Kurz vor Morgengrauen drehte sie sich mit erdbebenhaftem Schwung um, und ihre Stimme brach kurz vor dem Schluchzen.

»Ich warnte ihn, aber er lachte nur«, schrie sie. »Ich warnte ihn wieder, und er lachte wieder nur, bis er entsetzt die Augen aufriß, ach Königin!, ach Königin!, und seine Stimme drang nicht durch den Mund, sondern durch den Messerschnitt in der Gurgel.«

Ulysses, entsetzt über die fürchterliche Erinnerung der Großmutter, umklammerte Eréndiras Hand.

»Alte Mörderin!« rief er.

Eréndira schenkte ihm keine Beachtung, denn in diesem Augenblick graute der Tag. Die Uhren schlugen fünf.

»Du mußt fort!« sagte Eréndira. »Sie wacht gleich auf.«

»Sie ist lebendiger als ein Elefant«, rief Ulysses. »Das kann doch nicht sein!«

Eréndira durchbohrte ihn mit einem tödlichen Blick. »Hier geht es darum«, sagte sie, »daß du nicht mal dazu taugst, jemanden umzubringen.«

Ulysses war so betroffen von der Härte ihres Vorwurfs, daß er aus dem Zelt verschwand. Noch immer beobachtete Eréndira die schlafende Großmutter mit ihrem geheimen Haß, mit ihrer Wut des Scheiterns, während der Morgen sich hob und die Luft der Vögel erwachte. Dann öffnete die Großmutter die Augen und blickte sie mit sanftem Lächeln an.

»Gott behüte dich, meine Tochter.«

Die einzige merkbare Veränderung war eine beginnende Unordnung in den täglichen Normen. Es war Mittwoch, doch die Großmutter wünschte ein Sonntagskleid anzuziehen, entschied, Eréndira dürfe vor elf keine Kunden empfangen, und bat sie, ihr die Fingernägel granatfarben anzumalen und ihr eine hohepriesterliche Haartracht zu bauen.

»Nie habe ich solche Lust verspürt, mich porträtieren zu lassen«, rief sie aus.

Eréndira begann sie zu kämmen, doch als sie ihre Flechten

entwirren wollte, blieb eine Haarsträhne zwischen den Zähnen des Kamms hängen. Erschreckt zeigte sie der Großmutter die Strähne. Diese prüfte sie, versuchte sich eine zweite mit den Fingern auszuraufen, und ein Büschel blieb in ihrer Hand. Sie warf es auf den Fußboden, versuchte es noch einmal und riß sich eine dickere Flechte aus. Nun begann sie sich das Haar mit beiden Händen auszureißen, halbtot vor Lachen Hände voll Haar mit unbegreiflichem Jubel in die Luft werfend, bis ihr Kopf aussah wie eine kahle Kokosnuß.

Eréndira hörte von Ulysses erst zwei Wochen später, als sie im Zelt weit draußen den Lockruf des Nachtkauzes vernahm. Die Großmutter hatte Klavier zu spielen begonnen und war so versunken in ihre Sehnsucht, daß sie sich der Wirklichkeit nicht bewußt war. Auf dem Kopf trug sie eine Perücke aus strahlenden Federn.

Eréndira lief dem Ruf entgegen und entdeckte erst jetzt die Lunte, die aus dem Klaviergehäuse heraus ins Freie führte, sich durchs Gesträuch wand und sich in der Dunkelheit verlor. Sie lief dorthin, wo Ulysses war, versteckte sich mit ihm im Gebüsch, und beide sahen mit beklommenem Herzen das blaue Flämmchen, das mit der Lunte entschwand, den dunklen Raum durchquerte und ins Zelt drang.

»Halt dir die Ohren zu«, sagte Ulysses.

Beide taten es, ohne daß es notwendig gewesen wäre, denn es erfolgte keine Explosion. Das Zelt erstrahlte von innen in weißglühender Stichflamme, zerplatzte in der Stille und verschwand in einer Rauchhose aus feuchtem Schießpulver. Als Eréndira einzutreten wagte, in der Annahme, die Großmutter sei tot, fand sie sie mit versengter Perücke und zerfetztem Hemd, doch lebendiger denn je und bemüht, das Feuer mit einer Bettdecke zu ersticken.

Ulysses entkam mit den kreischenden Indios als Deckung, die, verwirrt von den widersprüchlichen Befehlen der Großmutter, ratlos herumstanden. Als sie schließlich die Flammen überwältigen und den Rauch ersticken konnten, sahen sie ringsum eine Ruinenlandschaft.

»Da hatte sicher der Arge die Hand im Spiel«, sagte die Großmutter. »Klaviere platzen nicht durch Zufall.«

Sie stellte alle möglichen Vermutungen an, um die Ursache des neuen Verhängnisses zu ergründen, doch Eréndiras Ausflüchte und ihre unerschrockene Haltung brachten sie schließlich aus dem Konzept. Sie fand nicht die leiseste Abweichung im Verhalten der Enkelin und dachte auch nicht an Ulysses' Vorhandensein. Sie blieb wach bis zum Morgengrauen, spann Mutmaßungen und stellte Verlustrechnungen an. Sie schlief schlecht und kurz. Am darauffolgenden Morgen, als Eréndira ihr das Wams mit den Goldbarren auszog, fand sie Brandblasen auf den Schultern der Großmutter, und deren Brust war rohes Fleisch. »Nicht umsonst bin ich im Schlaf spazierengegangen«, sagte sie, während Eréndira ihr Eiweiß auf die Brandwunden strich. »Überdies hatte ich einen seltsamen Traum.« Sie zwang sich zur Sammlung, um das Bild heraufzurufen, bis es in ihrem Gedächtnis so deutlich vor ihr stand wie im Traum.

»Es war ein Pfau in einer weißen Hängematte«, sagte sie.

Eréndira war überrascht, setzte aber sofort wieder ihr Alltagsgesicht auf.

»Das ist eine gute Nachricht«, log sie. »Die Pfauen der Träume sind Tiere langen Lebens.«

»Gott möge dich erhören«, sagte die Großmutter. »Denn wir stehen wieder am Anfang. Wir müssen von neuem beginnen.«

»Eréndira verzog keine Miene. Sie trat aus dem Zelt mit der kompressengefüllten Schüssel und ließ die Großmunter mit eiweißbestrichenem Oberkörper und senfbeschmiertem Kahlkopf zurück. Sie schüttete gerade unter dem Palmendach, das als Küche diente, neues Eiweiß in die Schüssel, als sie Ulysses' Augen hinter dem Herd auftauchen sah, so wie sie ihn zum ersten Mal hinter ihrem Bett gesehen hatte. Sie war nicht überrascht, sondern sagte nur mit erschöpfter Stimme: »Das einzige, was du erreicht hast, ist, meine Schulden zu vermehren.«

Ulysses' Augen trübten sich vor Verzweiflung. Er verharrte regungslos und schaute Eréndira stumm an; er sah, wie sie die Eier aufschlug und ihn dabei so starr und mit solch unwiderruflicher Verachtung anblickte, als sei er gar nicht vorhanden. Nach einem Augenblick regten sich seine Augen, musterten Küchengegenstände, die hängenden Töpfe, die Ruku-Bündel, die Teller, das Hackmesser. Noch immer wortlos, richtete Ulysses sich auf, trat unter das Schuppendach und nahm das Messer vom Haken.

Eréndira drehte sich nicht nach ihm um, doch in dem Augenblick, als Ulysses den Schuppen verließ, sagte sie leise: »Nimm dich in acht, sie hat bereits eine Todeswarnung erhalten. Sie hat von einem Pfau in einer weißen Hängematte geträumt.«

Die Großmutter sah Ulysses mit dem Messer eintreten, richtete sich mit äußerster Kraftanstrengung ohne Hilfe ihres Stockes auf und hob die Arme.

»Junger Mann!« schrie sie. »Bist du von Sinnen?«

Ulysses stürzte auf sie zu und versetzte ihr einen gutgezielten Hieb in die nackte Brust. Die Großmutter stöhnte laut auf, warf sich auf ihn und suchte ihn mit ihren eisenharten Knochenarmen zu erwürgen.

»Hurensohn«, knurrte sie. »Ich sehe zu spät, daß du das Gesicht eines verräterischen Engels hast.«

Mehr brachte sie nicht heraus, denn es gelang Ulysses, die Faust mit dem Messer zu befreien und ihr einen zweiten Stich in den Rücken zu versetzen. Die Großmutter stieß ein unergründliches Stöhnen aus und umschlang den Angreifer mit vermehrter Kraft. Zum drittenmal stieß Ulysses erbarmungslos zu, und ein unter Hochdruck entweichender Blutstrahl bespritzte sein Gesicht: es war öliges Blut, schillernd und grün wie Minzenhonig.

Eréndira erschien im Eingang mit der Schüssel in der Hand und beobachtete den Kampf mit verbrecherischem Gleichmut.

Mächtig wie ein Steinblock, knurrend vor Schmerz und

Wut, verkrallte die Großmutter sich in den Körper von Ulysses. Ihre Arme, ihre Beine, sogar ihr glattgeschorener Schädel waren grün von Blut. Ihr vom ersten Todesröcheln verstörter ungeheuerlicher Blasebalgatem füllte den ganzen Umkreis. Wieder gelang es Ulysses, den bewaffneten Arm zu befreien, rasch schlitzte er ihr den Bauch auf, und eine Blutexplosion übersprühte ihn bis zu den Füßen mit Grün. Die Großmutter rang nach Luft, die ihr bereits zum Leben fehlte, und fiel aufs Gesicht. Ulysses riß sich aus ihren erschöpften Armen und, ohne sich einen Augenblick Ruhe zu gönnen, gab er dem niedergestreckten Körper den Gnadenstoß.

Nun stellte Eréndira die Schüssel auf einen Tisch, beugte sich über die Großmutter, untersuchte sie, ohne sie zu berühren, und als sie sich davon überzeugt hatte, daß sie tot war, gewann ihr Gesicht mit einemmal all die Reife einer Erwachsenen, die ihr zwanzig Jahre Mißgeschick verwehrt hatten. Mit raschen, sparsamen Bewegungen nahm sie das Goldwams an sich und verließ das Zelt.

Ulysses, vom Kampf entkräftet, blieb bei der Leiche kauern, und je heftiger er sich das Gesicht zu säubern suchte, desto dicker beschmierte er sich mit dem grünen, lebendigen Stoff, der aus seinen Fingern zu fließen schien. Erst als er Eréndira mit dem Goldwams verschwinden sah, wurde er sich seines Zustands bewußt.

Er schrie ihr nach, erhielt jedoch keine Antwort. Er schleppte sich bis zum Zelteingang und sah, daß Eréndira am Meeressaum entlanglief, in die der Stadt entgegengesetzte Richtung. Mit einer letzten Kraftanstrengung versuchte er, hinter ihr herzulaufen, rief sie mit herzzerreißenden Schreien, die jedoch nicht mehr die eines Geliebten, sondern die eines Sohnes waren, aber die fürchterliche Erschöpfung nach der eigenhändigen Ermordung einer Frau ohne jegliche Hilfe gewann die Oberhand über ihn. Die Indios der Großmutter fanden ihn vornübergestürzt im Sand liegen, weinend vor Einsamkeit und Angst.

Eréndira hatte ihn nicht gehört. Sie rannte gegen den Wind,

schneller als ein Hirsch, und keine Stimme dieser Welt vermochte sie aufzuhalten. Ohne den Kopf zu wenden, rannte sie am glühenden Dampf der Schwefellachen vorüber, an den Kalksteinkratern, an den schlaftrunkenen Pfahlbauten, bis der Einfluß des Meeres aufhörte und die Wüste begann, doch noch immer rannte sie mit ihrem Goldwams, weit hinaus über die trockenen Winde und die nie enden wollenden Abenddämmerungen, und nie traf die geringste Nachricht von ihr ein, noch fand sich je die winzigste Spur ihres Unglücks.

Gabriel García Márquez
Die Liebe in den Zeiten der Cholera
Roman

Aus dem Spanischen von Dagmar Ploetz
KiWi 745

51 Jahre, 9 Monate und 4 Tage wartet Florentino Ariza auf Fermina Daza, auf die große Liebe seines Lebens. Er hat einst um Fermina geworben, sie gewonnen, aber dann an Doktor Juvenal Urbino verloren. Florentino Ariza hat nie aufgehört, sie zu lieben. Fast am Ende des Lebens, das für beide reich an Höhen und Tiefen war, weiß er, daß er nicht vergeblich gewartet hat. – Die schönste Liebesgeschichte der Welt.

Gabriel García Márquez
Hundert Jahre Einsamkeit
Roman

Aus dem Spanischen von Curt Meyer-Clason
KiWi 740

»Hundert Jahre Einsamkeit« ist García Márquez´ berühmtester Roman, der seit seinem Erscheinen eine Weltauflage von über 400 Millionen Exemplaren erreicht hat und zu den größten Romanen der Weltliteratur gehört. Er erzählt die Geschichte der Familie Buendía, ihres Aufstiegs und Niedergangs. In dem von den Buendías gegründeten Dorf Macondo enthüllt sich die ganze Tragödie Lateinamerikas, verschmelzen Mythos und Wirklichkeit.

Gabriel García Márquez
Der General in seinem Labyrinth
Roman

Aus dem Spanischen von Dagmar Ploetz
KiWi 742

In seinem bewegenden Roman erzählt García Márquez das Leben des faszinierenden Mannes Simón Bolívar, General und Held des Unabhängigkeitskrieges der lateinamerikanischen Kolonien gegen die spanische Krone, Liebhaber schöner Frauen und der Macht.

Gabriel García Márquez
Chronik eines angekündigten Todes
Roman

Aus dem Spanischen von Curt Meyer-Clason
KiWi 735

Ein Dorf an der kolumbianischen Karibikküste feiert ein rauschendes Hochzeitsfest, doch noch in der Hochzeitsnacht wird die Braut ins Elternhaus zurückgeschickt; sie war nicht mehr unberührt. Der mutmaßliche »Täter« muß sterben.

Gabriel García Márquez
Laubsturm
Roman

Aus dem Spanischen von Curt Meyer-Clason
KiWi 736

In diesem frühen Werk entwirft García Márquez seine Welt, die unverwechselbare Welt des verlorenen karibischen Dorfes Macondo, das in dem Roman »Hundert Jahre Einsamkeit« weltberühmt werden sollte. Über Bürgerkrieg, Bananenboom, Naturkatastrophen, Nachbarschaftsfehden und von ihrer Verlorenheit erzählen ein alter Oberst, seine Tochter und deren kleiner Sohn.

Gabriel García Márquez
Die böse Stunde
Roman

Aus dem Spanischen von Curt Meyer-Clason
KiWi 739

Die Geschichte eines karibischen Dorfes, das unter der Willkürherrschaft seines Bürgermeisters erstarrt ist und unter sintflutartigen Regengüssen leidet. Die Dorfbewohner werden plötzlich aus ihrer Apathie aufgeschreckt,als nachts anonyme Schmähzettel an den Häusern angesehener Bürger auftauchen. Der bisher harmlose Dorfklatsch steigert sich nun bis zum Verrat von Familiengeheimnissen, alte Feindschaften flackern wieder auf. Angst und Mißtrauen regieren das Dorf.

Gabriel García Márquez
Der Geruch der Guayave

Gespräche mit Plinio Apuleyo Mendoza

Aus dem Spanischen von Tom Koenigs
KiWi 746

Wer könnte die Welt, über die er schreibt, besser interpretieren als der Autor selbst? Das geschieht in den Gesprächen zwischen Gabriel García Márquez und seinem Jugendfreund, dem kolumbianischen Schriftsteller Plinio Apuleyo Mendoza. García Márquez erzählt von der Kindheit in Aracataca, von der großen Familie, von Schule und Studium, von der Arbeit als Journalist und den Anfängen als Schriftsteller. Er spricht über Politik, sein Werk und die große Bürde des Ruhms.

Gabriel García Márquez
Das Abenteuer des Miguel Littín

Illegal in Chile

Aus dem Spanischen von Ulli Langenbrinck
KiWi 744

In einer spannenden Reportage in der Ich-Form läßt García Márquez den Filmregisseur Miguel Littín von seinen Abenteuern im Chile Pinochets erzählen. Littín ist es als Exilchilenen verboten, in sein Heimatland zurückzukehren. Aber es gelingt ihm, und mit generalstabsmäßiger Planung täuscht er die allgegenwärtige Geheimpolizei.